S0-AGK-435

尹建莉◎著

Haomama Shengguo Haolaoshi

好妈妈胜过好老师

——一个教育专家16年的教子手记

妈妈是朋友
妈妈是老师
妈妈是孩子的引路人
妈妈教育方法的差别
常常影响孩子的一生

作家出版社

目录 Contents

第一章　如何提高爱的质量

父母之爱都深如大海，但有质量差别。决定质量高低的，不是父母的学历、收入、地位等，而是对孩子的理解程度和对细节的处理水平。

第二章　把学习做成轻松的事

孩子原本不需要为学习而苦恼，凡是因为学习感到痛苦的孩子，都因为他遇到了不正确的引导。只要观念和方法改一改，孩子的学习就可以变得轻松愉快。

第三章 一生受用的品格教育

如何对孩子进行品格教育？不需要说教，不需要奖惩，所有的教育都在日常生活里。品格决定命运，童年决定一生。

第四章 培养良好的学习习惯

在培养“好习惯”过程中如果方法用得不对，恰恰就培养了坏习惯。方法用对了，好习惯就是水到渠成的事。正确的方法，其实远比错误的方法简单易做。

第五章 做家长应有的智慧

家长掌握着孩子的命运。任何改变孩子的打算，都必须从改变家长自己做起。家长教育理念上的“一念之差”，可以让孩子的命运有“千差万别”的不同。

第六章 小事儿就是大事情

儿童无小事，所有的小事对孩子来说都是大事。父母在小事上有正确观念，不误导孩子，就是帮孩子成就了大事。孩子也会以做大事的气质回报家长。

第七章 走出坑人的教育误区

一些“坑”堂皇地布在路上，从来不缺少被坑者，而一个“坑”足可以折断儿童的某一种天赋，严重的可以毁坏他的一生。如果家长知道那叫“坑”，花钱买伤害的事情就不会再发生。

序言 Preface

教育的美妙境界——有心而无痕

朱旭东

认识尹建莉缘于她来北京师范大学攻读教育硕士学位，那时北京师范大学教育学院刚为他们这一批教育硕士确定了导师。她当时很明确地选择了教师教育作为其研究方向，而我的研究方向之一刚好是教师教育这个领域，这样我们自然就有缘认识了。

第一次读到尹建莉的作品是她的诗歌。她初次和我见面时，送了一本自己的诗集给我。她的诗写得很好，我读了后觉得她很细腻，文字功夫很好，但也让我有微微的担心。一个“诗人”，能静下心来认真地去研究一个问题，并用完全不同于文学语言的学术话语去完成自己的论文吗?

事实证明我的担心是多余的，她是个胸有诗情，却脚踏实地的学生。她的论文做得很认真，写得也很规范，并且有自己的观点。同时，在做论文期间，她的另一篇文章还获得了北师大教育学院首届研究生学术节征文二等奖。这些，让我对她的学术研究能力有了信心。

尹建莉从北师大获得硕士学位后，开始去忙碌她自己的工作；只是在每年教师节，她会和我联系。令我没想到的是今年教师节前，她带来了她新书的样稿。二十几万字，我几乎一口气读完。

我以前看社会上流行的关于家庭教育方面的书不多，但也接触过几本，那种口号式的、群体无意识的东西不合我的胃口。尹建莉的这本书却让我一口气读完。并非因为我们曾有的师生关系，主要是因为她的东西写得不仅通俗，而且非常专业；她对一些儿童教育问题的思考之深和操作之精辟，甚至让我有恍然大悟的感觉。比如儿童阅读方面，家庭文化建设方面等。

尹建莉对教育有着深沉而执著的情感，她曾立志要到小学去工作，认为小学教育最重要。最后因为种种原因，她这个愿望没能实现。她现在用研究和写作这种形式，致力于教育理念的传播。她说她的目标是让正确的教育思想直接作用在孩子们身上，而不是停留在书面文字上或理论层面上。所以她写作这本书，是以一个家长的身份和研究者的角色来写的，把抽象的教育原理用日常行为讲出来。我认为这本书既有丰富的实践经验，又有教育学素养；既有思考力度，又有可读性。能同时做到这几点，不容易，非常可贵。它可以真正为家长提供实用的养儿育女的思路。我看了此书后，它似乎在影响着我对待自己孩子的教育态度和方法。

我早有耳闻，知道她的女儿很优秀；只是在读了她的作品，才知道每个孩子的优秀都是有源头的。从书中可以看到，她对女儿何等用心，而她的教育手法又是何等自然无痕——这才是真正的教育，是教育最美妙的境界。

一个有心的小伙夫可以成为一名高级厨师，一个有心的妈妈也可以成为一名儿童教育专家。哪个孩子不需要有教育素养的父母呢？现在社会上的普遍情况则恰恰相反，家长们对孩子用心了，但用得不是地方，主要以管教为主，处处充满痕迹深重的干涉，儿童所体会的多是强制力，而不是教育。如果这本书能让家长和教师们看到，面对孩子时如何“有心”，教育孩子时如何“无痕”，那么就是做了一件非常有意义的事。

这里需要说明的是，尹建莉这本书取名为“好妈妈胜过好老师”，丝毫没有在妈妈与老师之间进行比较的意思。老师在学校和课堂中是孩子的引路人、指导者，甚至是行为上的楷模和榜样，其重要性自不待言，况且作者本身就是从教十多年的教师；此书名只是想说明一个很重要，却时常被忽略的道理：家长在教育孩子中具有不可替代的重要作用。

作为一个懂教育的妈妈写出的家庭教育作品，本书值得一读。

（本序言作者为北京师范大学教授，博士生导师）

前言 Introduction

当我们手上有块玉时

读到一则寓言。一位农夫得到一块玉，想把它雕成一件精美的作品，可他手中的工具是锄头。很快，这块玉变成了更小的玉，而它们的形状始终像石头，并且越来越失去价值。

年轻的父母也得到一块玉——可爱的孩子——多年后的结果却是，一些人得到了令人满意的作品，一些人眼瞅着玉石的变化越来越失望。二者的区别，就是后者使用的，常常是锄头。

可有谁会认为自己那么笨呢？现代人都很自信。

我认识一位博士，他个人无论在做学问、干工作还是为人处世等方面都非常好。中年得子，珍爱如宝。他知道做人比做学问更重要，所以特别注意孩子的品格培养。他的孩子刚刚2岁，经常自顾自地玩耍，大人和他说话充耳不闻。做父亲的认为礼貌要从小培养，看到孩子这样，很着急，就会走过去拿开孩子手里的东西，严肃地告诉他，大人和你说话必须要回答。孩子对他的话不在意，当下哭闹一番，事后总是“故伎重演”；他就一次次地把儿子从玩耍中拉出来，对儿子进行批评教育。他坚定地说，我必须要把孩子的坏毛病纠正过来！

博士不知道，2岁的孩子还没建立起人际交往的互动概念。对这么小的孩子谈礼貌，宛如对牛弹琴，他不仅听不懂，还会被吓着。最重要的是，他这时正处于开始认识世界的关键期，对一切都充满好奇，一张小纸片、半截烟头就可以让他沉迷。儿童的智力发育、注意力培养、兴趣发展都离不开这种“沉迷”。这看似无聊的玩耍，正是孩子对未来真正的学习研究进行“前期准备工作”。无端地经常性地打扰孩子，会破坏他的注意力，使他以后很难集中精力去做一件事情，同时也失去对事物的探究兴趣。此外，“礼貌教育”频频引发的家长和孩子的冲突，还会导致孩子在认知上不知所措，打乱孩子正常的心理成长秩序，使他情绪烦躁，并且对环境产生敌意，影响品行发展。

博士绝不怀疑自己是一位琢玉高手，却不知他此时运用的正是锄头——家庭教育中的错误就这样在无意间产生，使结果和愿望背道而驰，这是最令人遗憾和痛心的地方。

这几年接触了不少家长，更多地是一些所谓的“问题儿童”的家长。我从不同的案例中看到一个共同现象：家长无意中所犯的一些小错，日积月累，会慢慢形成一个严重困扰孩子的大问题，给孩子带来深刻痛苦，甚至扭曲孩子的心灵。不是家长爱心不够，只是他们不知道有些做法不对。

西方有句谚语：“地狱之路有时是好的意图铺起来的”。是啊，哪个家长的教育意图不好呢？当良好的意图和后面令人失望的结果形成巨大反差时，许多家长都抱怨孩子本人，说孩子自己不争气，天生就是一块不可雕的朽木——这是显而易见的强词夺理——如果问题来源于孩子自身，是他天性带来的，那孩子自己有什么办法呢，正如一个人眼睛太小不能怪自己一样；如果问题只能通过孩子自我认识、自我改变来解决，所谓“教育”的功能又在哪里呢？

也有人把个体教育中的一些问题归结到“社会”、“政策”、“时代”等宏大因素上。这种归结习惯，最典型的如近年来大、中、小学校园里无论发生什么负面事件，人们都要来“教育体制”上找原因，到最后，板子基本上都要打到“高考”上。高考——这在我国目前来说最公平的一项教育政策，现在成了替罪羊，成了一切教育问题的“罪魁祸首”。

世界上没有一个国家的教育体制能完美到可以解决每一个学生的个体问题。每一个孩子都是一个独有的世界，他的成长，取决于和他接触的家长和教师给他营造的、直接包围着他的“教育小环境”。这个小环境的生态状况，才是真正影响孩子成长的决定性因素。

家长作为和孩子接触时间最早、最长的关键人物，是“小环境”的主要营造者——家长在日常生活中，在每一件小事上如何引导孩子，如何处理和孩子间的关系，几乎每一种细节都蕴含着某种教育机缘。对细节的处理水平，区分出了家长手中握着的是锄头还是刻刀——它使孩子的世界和未来全然不同。

在这本书中，我就孩子成长中的种种问题写了很多细节，也给出了很多方法。无论这些“方法”多么不同，它们其实都是建立在一些共同的教育理念上的。“方法”固然重要，但再多的方法也无法穷尽一个人遇到的所有的教育问题；正确的教育理念则如同一把万能钥匙，可以打开不同的锁结。表面上看，本书各篇文章都在独立地谈某一个问题，事实上所有的观点和方法都有内在的逻辑上的一致性。当你读完了这里所有文章，会有一个比较清晰的理念框架进入到观念里——遇到各种问题时，你基本上就会明白该如何做了，“方法”也会自然地来到你的身边。

希望这本书对家长们有用，尤其是年轻的父母们。

培养一个好孩子，不仅是对家庭负责，也是对民族发展负责，对未来社会负责。正确的教育方法是一把精美的刻刀；错误的教育方法就是一柄锄头——当我们手上有一块玉石时，我们必须做得正确。

第一章　如何提高爱的质量

“打针有些疼”

儿童的忍耐力其实是惊人的，只要不吓着他们，给出一个合适的心理预期，他们多半能够接受一些似乎很困难的事情。

孩子在成长中会遇到不少让他们感到困难和惧怕的事，家长的职责是帮助孩子克服恐惧心理，让孩子以积极平和的心态面对这些事情，把痛苦降到最低。

就说打针这件事，一辈子要遇到很多次，如何面对打针，也不是件完全可以忽略的小事。何况由此而来的一些心理，还可以迁移到其它事情上。大人千万不要以自己的感受去衡量孩子，认为这很简单，只要把孩子摁住了，或哄骗着打了就没事了。家长应教育孩子尽可能平静地接受，并培养他们忍耐痛苦的勇气。

有一次，我在医院走廊里看到一个六、七岁的小男孩拒绝打针，他的父亲，一个人高马大的大男人真就弄不住他。父亲看来也是用了力，几次想抓住小男孩，最后都被挣脱。那个小男孩的反抗真可以用“拼了命”来形容，小小身躯爆发出惊人的力量，凄厉的哭喊声让人感到震惊，整条走廊都被惊动了。

一个人的情绪如果没走到极端，能有“拼了命”的能量吗？可以想象小男孩的恐惧到了什么程度，也可以想象打针这件“小事”给孩子带来多么大的心理折磨。

我记得圆圆第一次因生病打针是在一岁八个月，刚刚懂点事，会说一些话。她得的是急性肺炎，我先带她到门诊看，大夫给开了针剂。取上药后，我告诉她要带她去打针。她可能对几个月前打预防接种针还有印象，流露出害怕的表情。

她打预防接种针时还不太会说话，懵懵懂懂中被扎了一下，有些痛，哭了几声，针头一拔出去，我赶快说“咦，你看这个杯子上还有个小猫咪呢”。她的注意力被杯子上印的猫咪吸引住了，就忘记被针扎这回事。现在我说要打针，可能唤起她的那个印象了，我抱着她走到处置室门口时，她突然说：“我不打针。”

我停下来对她说：“宝宝现在生病了，咳嗽，还发烧。你觉得生病了舒服不舒服啊？”圆圆说不舒服。“那宝宝想不想让病赶快好了？”圆圆回答“想”。她又开始咳嗽了，小脸蛋烧得红红的。我亲亲她的脸蛋说：“大夫开的药就能让小圆圆的病好了，能让宝宝变得舒服。要是不打针，病就总也好不了。”

小孩子其实最懂事，大人只要正确地把理由陈述给孩子，孩子是会听懂的。她生病不舒服，肯定也想让病赶快好了。

圆圆从道理上接受了打针，但她小小的心还是害怕，满眼忧虑地问我“打针疼不疼呀？”我微笑着平淡地说：“哦，有点疼，不过疼得不厉害，就像你那天坐小凳子不小心摔个屁墩儿一样。”圆圆听了，忧虑有所减缓。我接着问她：“你觉得那天摔个屁墩儿，是疼得厉害，还是就有一点点疼？”圆圆回答“有一点点疼”。

“哦，打针的疼和那个疼差不多，也是有一点点。”我很坦率地告诉她，然后又说：“摔屁墩儿小圆圆不哭，打针也用不着哭，是不是？”圆圆点点头。

但我能看出她心里还是有一些顾虑和紧张的。于是又给她打气说：“妈妈觉得圆圆很勇敢，你试试看自己勇敢不。能忍住就不要哭，要是忍不住，想哭也没事。”我的话给了她鼓舞，让她觉得自己勇敢；又给了她退路，让她觉得想哭也没事。

我和她说话时的表情始终是又愉快又轻松的，表现出打针确实是很简单的事。圆圆也坦然了许多，她的愿望肯定是想当英雄，同时对妈妈的话深信不疑，因为妈妈从没骗过她一次，既然只是“有一点点疼”，那也没什么好怕的。

打的时候她很紧张，浑身绷得紧紧的，但没哭。护士看圆圆在打针过程中那么配合，表扬了她。圆圆通过“试验”，觉得打针的痛，确实是能忍住的，心态由此变得很镇静。

门诊看了几天不太好，就住院了。一个病房有八个孩子，大部分比圆圆大些，两到三岁。每当穿白大褂的人进来，不管是护士还是医生，有时只是进来量体温或问句话，病房里一下就哭成一片，孩子们惊恐万状，宛如羊圈里进了狼。只有圆圆一人不哭不闹，她会停止玩耍，要我抱着她，一脸忧愁地等着。虽然她也不喜欢打针，但她已能理性地接受了。扎针过程中她从不乱动，总是很配合，每天总能受到护士的表扬。

由于当时孩子太小，打点滴时胳膊上找不到血管，只能在脑门上扎针，但脑门上的血管也很细，往往不能一下扎住了，经常得扎两三次。有一天一个新来的小护士给圆圆扎针，居然一连扎了七下都没扎住。大人被一连扎七下可能都受不了，我和她爸爸在旁边都有些无法忍受了。圆圆开始哭泣，但并不大哭，只是哼哼唧唧地哭，脑袋却一动不动地让护士摆弄。第八下扎住了，胶布一贴好，她马上就不哭了。我心里真佩服这个小家伙。

我看到病房里一些家长，每天都采用哄骗、威吓、强制的手段让孩子打针。针扎到那些孩子的身上，好像比别人多痛多少倍似的。家长的做法不但放大了孩子的痛苦，也没有教会孩子在遇到困难时勇敢面对。

当时圆圆的治疗还需要做一种“超声雾化”的理疗，是让孩子呼吸一种加了药剂的雾气。方法很简单，就是把喷雾口靠近孩子的脸，让她自然呼吸十分钟。

第一次做时，护士推来仪器，我们不知道这是个什么东西，只是按护士的要求把孩子抱起来。白色的微微带有药味的雾气随着机器“嗡”一声的启动，一下喷到圆圆脸上，她大吃一惊，本能地把脸扭开。护士立即让我把孩子抱紧，别动。我就赶快把圆圆抱紧了，力图让她的脸对着喷药口。圆圆不知道发生了什么，紧闭双眼，努力挣扎，想躲开雾气，开始哭，我尽量不让她动。护士也在调整，圆圆的脸扭到哪儿，她就把喷气口跟到哪儿。圆圆挣扎了一会儿挣不开，终于大哭，开始强烈反抗。才做了五分钟，她反抗得做不成，只好作罢。

比较打针，“超声雾化”应该说没什么痛苦，只是自然呼吸一些雾气，有淡淡的药味，并不难闻。由于没提前给圆圆做思想工作，在她毫无心理准备下强行要她接受，所以成为圆圆最为恐惧的事。此后几天她一直拒绝做超声雾化，只要看到护士推一个类似雾化机的东西进来，立即就紧张起来，远不像对待打针那样从容淡定。

这件事确实是大人没做好，给孩子带来恐惧了。

对于必须要让孩子承受的一些痛苦，大人应有几个原则：

一是平静自若，不要表现出焦虑。如果大人首先一脸焦虑，孩子就会觉得问题严重，会吓着他们。

二是对于为什么要这样做，要用孩子能懂的语言向他说明。比如告诉孩子你现在生病了，需要打针，打针可以治病。不要认为孩子不懂就不去说。

三是对于孩子所要承受的痛苦如实相告，尽量不夸大也不要过分缩小。比如许多家长带孩子打针时，为了消解孩子的紧张，就说“一点也不疼”，孩子上一次当后，就绝不肯再上第二次当；他们挑战困难的理性和勇气就失去一次萌发机会，并且以后会不信任大人。

四是激发孩子的勇气。儿童的忍耐力其实是惊人的，只要不吓着他们，给出一个合适的心理预期，他们多半能够接受一些似乎很困难的事情。同时也要给他们退路，不要让孩子为自己流露的“不坚强”感到羞愧。

五是绝不通过哄骗或收买的方式达到目的。有的家长通过“不打针警察就要来抓你”，或“吃了这药就给你买个遥控汽车”等方式达到目的，这是很糟的。哄骗和收买只能解决一时的问题，并不能真正缓解孩子的紧张，还有碍他们的道德发育。

儿童应该从小学会理性面对一些困难或痛苦，不仅能缓解痛苦，还能很好地保护自己。

圆圆两岁半时，有一天半夜突然哭醒。她呼吸困难，喉咙处好像卡了什么，看起来很痛苦的样子。我恰好刚看过一个关于小儿喉头水肿的资料，觉得圆圆的症状很相似。孩子得这个病十分危险，一是儿童喉管细，二是小孩子不懂事，越难受越要哭，越哭水肿得越厉害，这可能会导致喉管堵塞，引起窒息。

那一瞬间我害怕极了，但我尽量语气轻松地对圆圆说：“宝宝不要哭，你现在觉得呼吸困难是因为你这块儿水肿了。”我指指她的喉咙，又告诉她，“要是哭的话就会肿得更厉害，就更不好出气了。你忍耐一下好不好，不要哭，妈妈马上带你去医院。”圆圆听懂了，立即就不哭了，配合我穿好衣服。尽管她看起来那样难过，却一声不吭。

她爸爸当时在外地工作，那时集宁晚上打不到出租车，我就去敲邻居的门，请小哲的爸爸帮忙，用自行车带我们去医院。小哲爸爸的车子骑得飞快，我在后面抱着圆圆。她的呼吸很困难，但一直安安静静的。走到一段没有路灯的地方，撞到一个高出路面好多的井盖，我们都摔倒了，这一折腾圆圆好像呼吸更费力了，但也没哭，表情还是很平静。我觉得孩子真是懂事，也很庆幸她这么懂事。去了医院急诊，很快得到治疗，几个小时后情况就变好了。

医生说这个孩子真乖，整个治疗过程中没有一点要哭的意思，小孩子得这个病最怕的就是哭闹。

圆圆这方面的乖顺和懂事确实惹人疼爱。她3岁前准备上幼儿园。入园前要体检，幼儿园统一安排报名的孩子在某天到市妇幼保健所体检。体检的路上，我告诉她可能要抽血化验。她有些紧张，问我疼不疼。我还是先告诉她有些疼，然后告诉她抽血和一般的打针差不多，就是扎的时候有一点点疼，抽的时候就不疼了。她已有过几次打针的经历，听我这样说，也就比较释然了。

当天体检的有十几个小朋友，抽血时，孩子们哭成一片。已抽过的、正在抽的、还没抽的，都在哇哇大哭。特别是一针没扎住、需要扎第二针的，不光孩子哭，有些大人也着急了。抽血的护士都被弄烦了，皱着眉头，态度似乎也不好。

圆圆安静地倚着我等着，用有些好奇有点同情的目光看着那些小朋友。她突然对我说一句“哭也一样疼”。我问她是不是想说小朋友打针时，哭和不哭是一样疼的，哭也不能减轻疼痛。她说是。我赞赏地亲亲她的小脸蛋说，“小圆圆说得对，反正哭也不能止痛，还不如不哭。”我没让孩子承诺她一定不哭，我想，她能这样理解已很不容易，不需要给她任何压力，到时她万一哭了，也不用为自己违反了诺言而感到羞愧。以她的年龄，哭了也是正常的。

轮到圆圆了，她坐在我腿上，伸出小胳膊，虽然有些紧张，但一直安静地等护士拿针管，安针头。护士发现这个孩子不哭，很诧异地看看她。

圆圆可能是想安慰那个护士，对她说：“阿姨，我不哭。”这让护士非常惊喜，一直紧皱的眉头展开了“噢？你为什么不哭呢？”圆圆说“哭也一样疼”。

护士一下也听懂了，她惊讶地停止了手中的动作，看看圆圆，顿了一下，才说“啊，你这个小姑娘，真是太懂事了！哎呀，阿姨从来没遇到过这么懂事的孩子！”她手里拿着针管，去圆圆胳膊上找血管时，犹豫了一下，放下手里的针管，拉开抽屉找出一个新的针管说，你这么懂事，阿姨更不舍得扎痛你了，这个针头稍细一些，没有那些痛，就剩这一个了，给最听话的孩子用。她找了一下圆圆的血管，发现不太好找，就站起身找来一个年纪较大的护士，对圆圆说这个阿姨保证一针就能扎准。果然。

看来，告诉孩子“打针有些痛”，教会孩子在困难面前从容镇定些，既能减轻痛苦，又能保护自己，还能“占便宜”呢。

特别提示

当孩子因为什么大哭时，要尽快转移他的注意力；这比哄啊劝啊更有效，更能降低孩子的痛苦感。

对于必须要让孩子承受的一些痛苦，大人应有几个原则：一是平静自若，不要表现出焦虑。如果大人首先一脸焦虑，孩子就会觉得问题严重，会吓着他们。

二是对于为什么要这样做，要用孩子能懂的语言向他说明。比如告诉孩子你现在生病了，需要打针，打针可以治病。不要认为孩子不懂就不去说。

三是对于孩子所要承受的痛苦如实相告，尽量不夸大也不要过分缩小。

四是激发孩子的勇气。儿童的忍耐力其实是惊人的，只要不吓着他们，给出一个合适的心理预期，他们多半能够接受一些似乎很困难的事情。同时也要给他们退路，不要让孩子为自己流露的“不坚强”感到羞愧。

五是绝不通过哄骗或收买的方式达到目的。有的家长通过“不打针警察就要来抓你”，或“吃了这药就给你买个遥控汽车”等方式达到目的，这是很糟的。哄骗和收买只能解决一时的问题，并不能真正缓解孩子的紧张，还有碍他们的道德发育。

不要捉弄孩子

捉弄孩子，是成人居高临下地利用孩子的幼稚，故意让孩子犯错误、哭泣和害怕。它的目的是逗大人高兴，给孩子带来的是羞辱、担忧和失落。

圆圆上幼儿园时，有一阶段我工作特别忙，就由她爸爸接送。她爸爸单位离幼儿园很近，幼儿园放学早，爸爸接上她还不到下班时间，就把她带回单位再待一个小时才回家。

他办公室几个人当时都三十岁左右，大家处得很好，也很随意，经常互相开玩笑。有两个同事很喜欢和圆圆说话，但他们不是正常地和孩子说话，总是把她当个小动物一样捉弄。比如装出很凶恶的样子，强行要来抱孩子，孩子吓得直躲，他们则乐得哈哈笑起来；或者煞有介事地要圆圆喊他们“爷爷”，孩子不懂事，就叫了爷爷，逗得办公室的人都笑起来。我可以想象，当时圆圆一定从大家的表情中感觉到有什么地方错了，但又不知哪里错了，她一定很惶惑，很不安。再后来他们又让圆圆叫爷爷，圆圆不叫，他们就假装生气了，说你这个孩子不懂礼貌，弄得圆圆不知所措。

她爸爸也不喜欢别人那样逗圆圆玩，但也许是觉得这只是开玩笑，也许是因为对同事不好意思，就没去强行制止他们。

我开始并不知道这件事，孩子那么小也没有能力把她的不快讲给我。结果过一段时间后，我突然发现圆圆和外人打交道时流露出不自信，说话时不像以前那么大方了，经常是想说又拿不准，眼神一片犹疑躲闪，尤其是和陌生人打交道时。这让我有点着急，但一下子也找不到症结，就反省我们对孩子的教育出了什么问题，在生活中更留心让她多和别人打交道，培养她的自信。

有一天，圆圆和她爸爸从单位回来，我看出圆圆有哭过的痕迹，问怎么了。圆圆说：张叔叔说爸爸不要我了。说着又想哭。她爸爸解释说，他下班前到院长那里开个会，会议比原定时间稍长些，到下班了还没结束。那个张姓同事就对圆圆说：“你爸爸和妈妈不要你了，要把你送给我，我家有个儿子，正好没有小女孩，走吧，跟我回家吧。”说着就做出要拉圆圆走的样子。圆圆被吓坏了，大哭起来。这时，我才知道他们经常捉弄孩子。

我当时很生气，责怪先生不懂得保护孩子，气头上说要剥夺他接送孩子的权利。先生虽然对同事的做法也有些不满，但他不认为会给圆圆带来什么影响，觉得我把这件事看得太重了。我后来多次和他谈到这事，和他分析孩子的心理。他从事实中也看到了影响，圆圆有两次从睡梦中哭醒来，问她做了什么梦，都是说梦到爸爸从幼儿园接上她就不要她了，独自走了。大人的一个无聊的玩笑，给孩子带来多么深刻的恐惧啊。

她爸爸终于意识到这事对圆圆的影响，也非常懊悔。后来我尽量去接孩子，真的“剥夺”了先生接孩子的权利，主要是我不想让圆圆再见到她爸爸单位那两个人，不想唤起她的不快。她爸爸也真正注意这个问题了，偶尔因为我实在忙顾不上接孩子，他把孩子接回单位，也绝不允许同事再捉弄孩子。我和先生达成一个共识，就是宁得罪同事，绝不“得罪”孩子。当然，单位同事捉弄孩子并没有恶意，看家长不愿意，以后就不那样做了，所以也不存在“得罪”的问题。

“逗”孩子和“捉弄”孩子是两个不同的概念。“逗”孩子应该是以儿童的快乐为前提。经常是成人把自己降低到儿童的情趣中，以儿童能理解和接受的方式，制造出让儿童快乐的事件，其中包含着童心、快乐，甚至幽默和智慧。

我看到一位妈妈洗完一块床单晾起后，顺便和她两岁的小儿子玩一种叫“眊儿”的游戏。她和孩子分别站在床单两边，互相看不见，然后每喊一声“眊儿”，俩人就同时从床单左边或右边探头去看对方。孩子的目的是每次探头能和妈妈碰面，而妈妈的目的是每次探头都不让孩子看到。这样，妈妈有可能这一次刚刚从左边探了一次头，接下来的“眊儿”还是从左边探头；以孩子的判断，妈妈刚才从左边出来，这下该到右边了，就跑到右边，结果扑个空。这样可能来回扑几次空，到终于和妈妈碰上面了，孩子就会乐得大笑起来。尤其是妈妈使了小计策，刚从左边出来，又从左边出来，而孩子已学会判断，通过猜测，两次从同一边出来，连着脸对脸地和妈妈“瞅儿”上了，孩子为自己的成就感兴奋不已。

捉弄孩子，则是成人居高临下地利用孩子的幼稚，故意让孩子犯错误、哭泣和害怕。它的目的是逗大人高兴，给孩子带来的是羞辱、担忧和失落。

例如大人手里拿一个准备给孩子的东西，却不痛快地给他，而是提条件，让孩子说一句甜言蜜语，如果孩子不想说，就做出要把东西拿走不给的样子，直到孩子说了，这才满意地把东西递给孩子。还有的大人以吓唬孩子取乐，看到小男孩，就做出要找把刀子割男孩的小鸡鸡之类的动作。或者看一个小女孩极喜欢她的布娃娃，就把布娃娃藏起来，说丢了或被别人拿走了，急得小女孩大哭，大人才拿出来。

成人觉得这很好玩，以为不过是逗孩子着急一下，哭一鼻子，一笑就没事了；其实这些行为都会给孩子心理上造成伤害。它对孩子来说毫无趣味，只会让孩子有不安和不被尊重的感觉，损伤孩子的自尊心，增加孩子的社交恐惧和对他人的不信任。所以凡遇到这类事情，家长要礼貌而坚决地制止。这不是小事，事关孩子的事情没小事，在大人眼里是小事，对于孩子来说却是大事。

我国现代著名教育家陈鹤琴先生就坚决反对捉弄孩子，他认为和孩子玩也是德行教育，经常被捉弄的孩子会出现品德方面的缺陷。例如大人经常用欺骗孩子的方法，弄得孩子着急，博得成人哈哈一笑，孩子就会慢慢养成不信任他人和说谎的毛病。

现在的都市生活中，上面那些捉弄孩子的具体做法可能不大用了，但人们捉弄孩子的思维方式还很普遍，孩子在很多场合下仍然是被捉弄的对象。这些捉弄行为表面上看已不那么粗俗，但它们与上面那些捉弄行为的野蛮性是相似的，都包含了对孩子的不尊重，和对儿童心理的不体谅。

2008 年 1 月 2 日晚上我看到北京电视台有一个节目，邀请了来自河北的五胞胎，四女一男。这五名年龄只有四岁多的小家伙健康可爱，齐齐站在演播室中间，一点也不怯场，都是满脸兴奋的样子，他们一下就把我吸引住了，饶有兴味地坐下看节目。

主持人的第一个问题是“你们中谁最爱告状”。五个小孩子听了这个问题一脸迷惑，开始都不确定地乱指，后来有的人看别人指谁他也指谁，最后就统一到一个孩子身上，那个被确定为最爱告状的孩子一下显得无所适从，她肯定感觉到了自己不是个好角色，样子有些委屈，甚至害怕。

主持人第二个问题是“谁最爱打别人”。孩子们开始又是乱指，中间还有互相揭发，最后又统一到一个人身上，那个“最爱打人”的孩子一下子显得很难为情。

主持人第三个问题是“谁挨爸爸打最多”。孩子们仍是从犹犹豫豫的乱指，到最后统一在一个孩子身上，被指到的孩子立即变得不知如何是好，脸上是说不出的尴尬。

主持人和观众都被孩子们的样子逗乐了，没笑的只有这几个孩子。他们的关系已被挑拨，大庭广众之下被贴上某个坏标签，他们都不像刚上场那样轻松，变得紧张起来，有些不知所措了。

接下来，主持人拿上来一个非常漂亮的书包，说只有这一个书包，问孩子们给谁。孩子们明明都被这个书包吸引，他们看这书包的眼神充满了渴望，小小的心一定都很想得到这个书包。但是，他们刚才已有被贴上坏标签的经历，他们都想表现得好，就开始了互相推让，都说给别人，没有一个人敢说给自己。指来指去，最后决定给老大，老大拿到书包很高兴，其他几个孩子的失望是显而易见的；老大也许在一瞬间感到不妥，咬咬牙让给了老五，这倒有些出人意料。正当主持人夸奖她时，小姑娘一下哭了，万分失落和委屈。主持人故作惊讶地问她为什么要哭，孩子哭得说不出话来。

这时，那个爱说话的伶俐的老三打圆场说“她是觉得老五好，才哭了”。观众又一次被老三的“解释”逗笑了。

节目就这样一直弄到孩子们哭也哭了，虚假的话也说了，个个心里七上八下，主持人才拿上另外四个书包，孩子也终于破涕为笑。

这个节目的目的是什么，他们设计这些问题和环节的用意何在？实在搞不明白。我没再往下看，离开电视干别的去了。否则我郁闷得也想哭了。

写到这里，想起陶行知先生的一首诗，这首诗写得太好了，所有的成人在面对孩子时都应该牢记：

人人都说小孩小，
小孩人小心不小，

你若以为小孩小，
你比小孩还要小。

特别提示

成人觉得捉弄孩子很好玩，以为不过是逗得孩子着急一下，哭一鼻子，一笑就没事了，其实这些行为都会给孩子心理上造成伤害。它对孩子来说毫无趣味，只会让孩子有不安和不被尊重的感觉，损伤孩子的自尊心，增加孩子的社交恐惧和对他人的不信任。所以凡遇到这类事情，家长要礼貌而坚决地制止。这不是小事，事关孩子的事情没小事，在大人眼里是小事，对于孩子来说却是大事。

和孩子玩也是德行教育，经常被捉弄的孩子会出现品德方面的缺陷。

给小板凳揉揉疼

善良和豁达永远是相随的。一个能给小板凳揉痛的孩子，她对别人会有更多理解和爱心，遇到问题从不偏执于自己的理由和利益。这样的思维方式，不仅让她在当下心情愉快，也能保证她一辈子不吃大亏。

经常有这样的情况，幼儿玩耍或走路时，不小心磕碰到什么东西上，碰痛了，哇哇地哭。家长为了安慰孩子，就会一边哄孩子，一边故意举手打那个“肇事者”，“责怪”它为什么碰疼了孩子，做出给孩子“报仇”的样子。然后安慰孩子说，咱们打它了，它再不敢碰你了。孩子可能在这时候会有些安慰，破涕为笑，家长也会感到很满意。

这是一种不好的方法，是一种“复仇行为”。它教给孩子遇到不痛快就去责怪别人，教给他不宽容和报复，不利于儿童的心理健康。

大人可能会想，桌子碰了孩子，我不过是打打桌子，桌子又不懂得疼，这有什么，我没教孩子打人啊。其实，在孩子看来，万物同物，对一棵草说话与对一个人说话一样，对一张桌子的态度与对一个人的态度一样。有时候，一个小女孩对心爱的布娃娃的感情绝不逊色于她对同胞姐姐的感情。单纯如一张白纸的孩子，任何事情于他来说都是全新的，任何经历在他这里都是体验和学习。

法国思想家卢梭在他著名的教育论著《爱弥儿》中谈到人的道德面貌形成时认为，人在开头的一刹那间，也就是尚处于天真纯洁时期所接受的感知，将对他的一生产生不可磨灭的影响。① 在孩子幼小时，每一个生活细节都可能成为蕴含重大教育意义的事件，儿童教育中无小事，每一件小事都是“大事”，都可以扩展为孩子的一个好习惯或坏毛病。家长对此应敏感，要用一些心，让每天遇到的一些“小事”，都成为砌筑儿童美好情操大厦的一砖一石。

孩子小时候，轻微的磕伤碰疼的事会常常发生，我的女儿圆圆当然也一样。我们一方面非常注意她的安全，另一方面这些事情发生时，也不过分大惊小怪。尽量以轻松快乐的表情相对，让她觉得这是多么平常的，甚至是有些趣味的事。如果大人动不动就一脸惊慌失措，不但不能给孩子安慰，还把孩子吓着了，除了皮肉疼，心理上也会产生恐惧。

同时我们还教给她善待“对方”。假如小板凳碰痛她了，我们绝不会去打小板凳。而是赶快轻轻地亲亲她的疼处（据说妈妈的吻止痛效果很好），安慰她“马上就不疼了，宝宝不哭了”。安慰得稍好一些时，再像对待她一样，带着她给小板凳揉揉疼，告诉小板凳“马上就不疼了”。

这样做，不但没有让小板凳站到她的对立面，成为“加害”她的坏蛋，还能作为朋友分担痛苦，并让她意识到“碰撞”是双方的事，要互相体谅。圆圆去给小板凳揉疼时，也就忘了自己的疼，情绪很快好起来。

由于我们经常这样做，有一次我带她在外面玩耍，她跑着，被不够平整的地面绊了一下，摔倒了，两只小手擦出微微的血痕，疼得大哭起来。我赶快亲亲她的小手，轻轻地给她吹吹，再给她擦擦眼泪，她很快就不哭了。我要拉她走开时，她居然蹲下身，给摔倒的地面揉揉疼，安慰地面说“马上就不疼了”。

同时，如果她和小朋友都想玩一个布娃娃，发生冲突，我们既不要求她出让，也不怂恿她抢夺，而是赶快用另一个东西来吸引她和小朋友的注意，让她知道好玩的东西不止一样；或者引导她和小朋友一起玩，体会合作的愉快。比如告诉孩子们说“我们一起打扮布娃娃吧。布娃娃的头发乱了。来，小哲给布娃娃梳头，婷婷到卫生间找个毛巾给布娃娃擦一下脸，圆圆把你那个蝴蝶结拿来给布娃娃戴头上……啊，看，你们三个人把布娃娃打扮得多漂亮啊！”大人经常这样引导孩子，并且家长自己也每天友好对待孩子，在任何事上都想办法理解孩子，

① 卢梭，《爱弥儿》，李平沤译，人民教育出版社，2001 年 5 月第 2 版，467 页。

不和孩子斗狠比倔，孩子就学会了理解他人，学会了温和地化解矛盾。尤其是学会了“让步”。圆圆从小就懂得谦让，每当有什么冲突出现时，她总是会让步。这让步并不是怯懦的退让，是一个孩子表现出的真正的大度，是变通能力。

她和小朋友玩耍从来不闹意见，总是懂得通过“办法”来解决问题。记得有一次在幼儿园，圆圆和几个小朋友排队玩滑梯。排在最前面的孩子总是第一个上去第一个滑下来，然后再第一个跑到上滑梯的地方，等后面的人都滑下来，站到他后面时，再一起上去。孩子们可能突然发现当这个“第一名”很风光，就开始争抢。后面滑下来的孩子拼命往梯子旁跑，但很难赶到第一的位置，于是有的孩子开始互相推搡，大喊大叫，闹得情绪很不愉快。圆圆也很想第一个滑下来，但她不会通过喊叫或把别人推开这些方法争抢第一。她让自己少滑一次，等在梯子旁，待别的小朋友这一轮滑下来跑到梯子旁时，自然就排到了她的后面。她用适当放弃的方式，既不和小朋友冲突，又为自己争得了一次排到最前面的机会。

圆圆的善解人意迁移到很多方面。她从小对万事万物亲切友好，我和她爸爸开玩笑打一下布娃娃的屁股她也不允许。她上小学后，和班里同学关系也很好，每次班里选三好生，几乎都能全票当选。她才 7 岁时，我哥哥的孩子，当时 4 岁的小毅来我家住了几个月。圆圆总是对小弟弟非常好，从没和弟弟闹过一次别扭。有一次，我和她去买一种她和弟弟都非常喜欢吃的蛋糕，只剩一点点了，勉强够两个人吃。我问她可不可以回去只让姥姥和小弟弟吃，她这次不吃行不行。圆圆痛快地答应了，尽管她非常想吃，但她也能考虑弟弟那么小，姥姥老了，都需要照顾。回家后她一直坚持要把蛋糕给姥姥和弟弟吃，自己说什么也不吃。姥姥感叹说这个孩子真懂事。

圆圆初中就读的是一所住宿制学校，学校每天发一个水果。她回家对我说，开始时分到不好的水果有点不高兴，但一想这个不好的水果如果不分给她，就会分给另一个同学，总得有一个人吃它。这样一想，就高兴了，以后不管分到什么样的水果都不在意。她说这话时才十岁。

她能这样想，我们非常欣慰。善良和豁达永远是相随的，一个能给小板凳揉痛的孩子，她对别人会有更多理解和爱心，遇到问题从不偏执于自己的理由和利益。这样的思维方式不仅让她在当下心情愉快，也能保证她一辈子不吃大亏。

圆圆其实不是那种让人一看就马上觉得亲近的人，她会礼貌地打招呼，但不会寒暄，更完全不会为了拉近关系说些言不由衷的话，交流中没有任何讨巧行为。这甚至让一些初次和她交往的人会有一点压力或不自在，感觉她对人太平淡，不热情。但只要有机会更多地接触，就会发现那正是她单纯善良一以贯之的表现。她在自己的圈子里人际关系一直都不错，上高中时，学校将评选市级三好生候选人名单公布出来，进行全年级投票公选。圆圆是候选人之一，在她不知情的情况下，就有同学去给她拉选票。

圆圆和人相处的"技巧"就是没有技巧，一切行为只是出于天然，她内心对别人友好，长久了自然能让别人感觉到，也让别人舒服。

她上高中时所在的班级，是该校的第一实验班，集中了全校的尖子生。事实上班里每个同学都是高考考场上潜在的竞争对手。在高考前两个月，圆圆自己复习时，整理出几张需要背的英语词组。她觉得这个东西有用，推荐给同学们很好，就让我帮忙打印出来，并拿到外面复印了。我们一份份地配好，又用订书机订好，她用一个袋子拎了，拿到班里给每个同学一份。虽然是小事，也可看出她心地的单纯和无私。

哲学家弗洛姆认为，利己主义与孤独是同义语，而人不可能在与外界毫无关系的情况下实现自己的目的。人只有和他的同胞休戚相关、团结一致，才能求得满足与幸福。爱邻人并不是一种超越于人之上的现象，而是某些内在于人之中，并且从人心中迸发出来的东西，它是人自己的力量。凭借这种力量，人使自己和世界联系在一起，并使世界真正成为他的世界。① 激光照排发明人王选先生说："考虑自己和考虑别人一样多，就是好人。"我们也坚信，家长所能教给孩子最重要的做人技巧，就是做个好人。

当前致力于青少年思想健康教育的李开复博士特别强调"同理心"，就是在人际交往过程中，能够体会他人的情绪和想法，理解他人的立场和感受，并站在他人的角度思考和处理问题的能力。② 这与美国教育家杜威说的"同情心"是一个概念。杜威认为同情心作为一种良好的品质，不单纯是一种情感；它是一种有

---

① 弗洛姆，《为自己的人》，三联书店，孙依依译，1988 年 11 月北京第 1 版，34 页。

② 李开复，《做最好的自己》，人民出版社，2005 年 9 月第 1 版，57 页。

素养的想象力，使我们能想到人类共同的事情，反抗那些无谓地分裂人们的东西[①]——当“同情心”或“同理心”这些东西成为一个人天性的一部分时，他就没有了自以为是，没有了居高临下，没有了敌视排斥；有了理解，有了善良，有了豁达。

“教育即风格之培养”。教孩子“给小板凳揉痛”与其说是一个技巧问题，不如说是一个教育观或哲学观的问题。家长一定要注意你所有的言行中蕴含的价值观的和谐统一，只有前后统一的东西，才能潜移默化到孩子身上，并稳定在他们的心中，成为他们做事的风格。

如果平时孩子不小心磕碰了，家长能很友好地采用“给小板凳揉痛”的做法处理；可是哪天孩子不小心打碎了一个你心爱的花瓶，你却忍不住对孩子大发雷霆；平时总对孩子讲我们要理解别人，可一旦孩子的想法和你的想法不一样，就责怪孩子“不听话”，强行要求孩子听话，而不去细致地体会孩子的感觉——那么你的教育行为就不统一了，你其实就变成了一个不体谅、不豁达、爱物胜过爱孩子，价值观不统一的家长。这一瞬间你的情绪表现得那样真实，会给孩子留下很深的印象，孩子的价值观也被你搞乱了，“风格”也不会完整统一。

我见过一些眼睛里充满敌意的幼儿，他们很容易就会发脾气，做出攻击别人的行为。有一位妈妈，她一边在嘴里抱怨她的儿子爱打人，告诉孩子“不许打人”，一边狠狠地“教训”一张磕了她儿子脑门的桌子；遇到她儿子抓打别的小朋友，她也只是很假地管一管，态度中隐藏着纵容，可能是怕儿子吃亏；平时还逗孩子打爸爸，以此为乐。她的儿子上幼儿园后总和小朋友合不来，常打人，弄得老师和家长们都有意见。这个孩子内心可能很想和小朋友玩，但他在玩的过程中处处充满保护自己的意识，唯恐有什么被别人侵犯，大多数情况下以和小朋友闹意见而结束。所以他总是很孤独。每当我看到这个孩子又寂寞又敌视的目光，总是对他的未来充满担忧。

我也见过不少“长不大”的成人，他们的思维方式基本上是“单边主义”的，天下的“理”都在他这里，别人的事情和感受他都可以不管不顾，自己的

① 杜威，《民主主义与教育》，王承绪译，人民教育出版社，2001 年 5 月第 2 版，133 页。

事情和心情却是天下最重要的，自己的想法是天下最正确的；日常工作和生活中，处处表现得自私狭隘。不仅给别人带来不快，更是常常给自己带来不快。当他们急于维护自己的利益时，人生中一些真正的利益却悄悄地流失了。

善良的人，才是和世界摩擦最小的人，才容易成为幸福的人；在心态上不苛刻的孩子，长大后他的处事态度会更自如，人际关系会更和谐，会获得更多的帮助和机会。当“给小板凳揉揉痛”成为孩子的一种思维方式时，他在生活中处处给出的就是理解、善意和尊重——而他从生活中能获得的，也正是这些。

特别提示

在孩子幼小时，每一个生活细节都可能成为蕴含重大教育意义的事件，儿童教育中无小事，每一件小事都是“大事”，都可以扩展为孩子的一个好习惯或坏毛病。

孩子小时候，轻微的磕伤碰痛的事会常常发生。家长一方面要特别注意孩子的安全，另一方面这些事情发生时，也不过分大惊小怪。尽量以轻松快乐的表情相对，让孩子觉得这是多么平常的，甚至是有些趣味的事。如果大人动不动就一脸惊慌失措，不但不能给孩子安慰，还把他吓着了，除了皮肉痛，心理上也会产生恐惧。

家长所能教给孩子最重要的做人技巧，就是做个好人。

每年都来的圣诞老人

孩子不是为“长大”或“成功”、“成才”活着，孩子首先是为“童年”而活着。我们要让自己的孩子有过做天使的经历，不要让她生来只能做没翅膀的凡人。

圣诞节在我家是个重要日子，在这里它和宗教无关，只是圆圆的另一个“儿童节”。

圆圆从两岁多开始，就年年在圣诞节早上收到一份礼物，每样东西用漂亮的包装纸包着，打开了全是她喜欢的，有吃的有玩的有读的。而这些东西居然是一个从未谋面的老爷爷在半夜悄悄送来的，这真是让圆圆感到万分神奇，惊喜不已。

圆圆第一次收到礼物时，我们从画册和贺卡上找到圣诞老人的图片，告诉圆圆，就是这个老爷爷给你送礼物的，他特别喜欢你，说以后年年圣诞节要给你送礼物。圆圆既激动，又有些担心，问我们圣诞老爷爷下一个圣诞节会不会忘记过来。我们说不会，圣诞老人每年都会惦记着给小朋友送礼物，他肯定会来。

一年因为盼望而变得有些漫长，当圣诞节终于又要到来时，圆圆激动得小嘴呱嗒呱嗒地说个不停。她一次次地猜测圣诞老人今年会给她送来什么礼物。她特别想要一个穿公主裙的芭比娃娃，不知道圣诞老人的礼物里有没有这个。

她这个愿望已说了好多次了，我们就告诉她说，圣诞老人很会猜测小朋友的心思，小朋友想要什么就给他送什么，看看他能不能猜中你的想法。

圆圆还担心外面没下雪，圣诞老人的雪橇怎么走呢。我们告诉她，如果没有雪，圣诞老人的雪橇就在白云和空气上飞行，让她不用为此担心。

到了睡觉的时间，圆圆说她不想睡，要等圣诞老人到来。我们对她说圣诞老人看哪个小朋友睡着了，才去给他送礼物。于是圆圆乖乖地躺下了，却有些睡不着，这么小的孩子头一次为一件事有些失眠了。

我们尽量不再刺激她，减少和她说话，让她安静下来。到她终于睡着后，赶快拿出几张漂亮的包装纸，把东西一样样地包好，有的还要扎上绸带，然后把它们摆到她醒来后一眼能看到的地方。

可以想象圆圆早上起来看到礼物有多么兴奋，圣诞老人真的又来了！

小姑娘是那样急于知道老爷爷今年送给她些什么东西，拿起每样礼物，又不舍得马上撕开包装纸，先摇一摇听一听，猜测里面是什么东西，让我们也猜，然后再小心地打开包装。她似乎用这种方法延长着这种神奇的感觉。

礼物一样样打开，都是她喜欢的东西。当穿公主裙的芭比娃娃出现时，小女孩的快乐真是难以言表。她小小的心里一定在暗叹圣诞老人的神奇，没见过她，却知道她最想要什么。

每年圣诞老人送来的礼物总有五、六种，都合她的心思，欢喜之余，圆圆总是惊奇不已地问我们："圣诞老人怎么知道我喜欢这个?"我们就一再解释说："可能是你对爸爸妈妈说的时候，被他听到了。"

圆圆对圣诞节早晨的喜爱，超过了我和先生小时候对春节早晨的钟爱。我们小时候最盼望的是春节早上穿新衣吃饺子放鞭炮，妈妈给做了什么新衣、吃什么、玩什么都早已知道。我们只是很享受这些东西。可圆圆的圣诞节早上却是个充满悬念、谜底终于揭开、惊喜连连的时刻。所以，在上幼儿园的几年里，圆圆真是掰着手指头从年头盼到年尾，盼星星盼月亮地等着圣诞节的到来。这一天远比儿童节和春节让她兴奋和期待。

圆圆好长时间觉得蹊跷的一件事是，为什么幼儿园别的小朋友都没收到礼物，圣诞老人为什么不给他们送礼物呢？我们就对她说，爸爸妈妈经常在心里对圣诞老人说："小圆圆是这么可爱的一个孩子，请你每年不要忘了来给她送礼物。"然后告诉她，你去告诉别的小朋友，让他们回去告诉家长，也这样经常在心里和圣诞老人说话，圣诞老人听到了，他们就也会收到礼物了。

家长稍稍花一些心思和时间，就可以让孩子有不同凡响的经历，让他的生活和世界焕发出奇异的光彩。儿童是天使，只有天使的世界里，圣诞老人才千真万确地存在；等他长大了，变成了凡人，圣诞老人就消失了，再也不来了。

孩子不是为“长大”或“成功”、“成才”活着，孩子首先是为“童年”而活着。我们要让自己的孩子有过做天使的经历，不要让她生来只能做没翅膀的凡人。

每次圣诞老人来过后，我和先生就会紧接着考虑“他”下次来该带什么礼物了。我们留心孩子的每一个愿望，关注她想要什么；平时到商场或什么地方也注意有没有可用来做圣诞礼物的东西，合适的东西看到了就随时买下来。但拿回家不让圆圆看到，先把东西藏起来。有时圆圆想买什么东西，我们就借口没时间逛商店，是不是可以等到元旦放假时再出去买；或是借口某个东西有些贵，要不要再到别处看看，比较了价格再买。结果没等我们去买，圣诞老人就给送来了。

在圆圆的眼里，这个老爷爷一定好极了，他的能耐也大极了。

有一年圆圆在玩耍时说到芭比娃娃没有男朋友，想给她找个男朋友。我领着圆圆几次到卖玩具的地方看，一直没能找到一个男芭比。

圣诞节快要到了，我买了一个面相看起来英俊的女芭比，回家后把娃娃的头发剪短，做了一顶帽子和一身男装，配一双长筒靴，这个“她”就变成了“他”。当然，这些改造工作都是在圆圆睡觉以后做的，她一点不知道。

到圣诞节早上，芭比公主的“男朋友”出现时，圆圆真是高兴坏了。她没想到自己想买而买不到的东西，圣诞老人居然给送来了。

不过，她很快发现“男朋友”帽子的布料和她的一条旧裙子的布料一样，他的衣服和裤子的面料也和妈妈刚在缝纫店做的一条棕色裙子的面料一样。我也假装惊讶地说：“是啊，怎么这么巧呢。”

我知道总会有越来越多的线索向她提示圣诞老人是谁，但无所谓，让她该知道的时候再去知道吧。

事实上，圆圆稍大一些时，对圣诞老人的真实性就有了怀疑。

她在幼儿园大班那年，收到礼物后又高兴地去问别的小朋友收到没有。她很奇怪自己都教过别的小朋友回家告诉父母，让他们的父母也经常在心里对圣诞老人说话，怎么圣诞老人还是没给他们送东西呢。结果幼儿园老师告诉她：“根本就没有圣诞老人，那是你妈骗你呢。”圆圆说“不是，我妈妈从来不骗我！”她回家后还气愤不已，问我到底有没有圣诞老人，我说有啊，他不是年年都来给你送东西吗，妈妈和爸爸怎么可能半夜去买东西呢？

一个人的童年是多么短暂啊，我多么想延长她的快乐，不愿意她早早失去一个童话世界。

圆圆虽然从我这里得到证实，有些放心了，但事实上从那时起，她可能就对这事起了疑心。后来又问过几次，我们一直想办法不说透。到她上小学后，可能已经意识到圣诞老人是虚构的，就再也不问到底有没有圣诞老人了。

那以后，我们也慢慢放松了警觉，说话随意起来。记得她上小学二年级时，圣诞节收到一个很漂亮的穿着宫廷华服的洋娃娃，我看她很喜欢，也一时得意，就对她说：这个娃娃这么漂亮才 80 块钱，百货大楼那个还没这个好，卖 120 块钱，小店的东西看来还是便宜。

我突然发觉说漏了嘴，有点不好意思。圆圆不揭穿，只是笑笑说："圣诞老人还到各个商店转悠，比较价格呢。"

圣诞节的奇迹是如何发生的，即使后来圆圆已心知肚明，我们也一直没有正面说过这个事。"圣诞老人"是我们共同的享受，是我们共同的梦想，所以它是我们共同要保护的秘密。

她九岁时，我假期带她回姥姥家。有天上午我正在卫生间洗头发，听到圆圆拿着什么东西对姥姥说："这是圣诞老人送我的"。姥姥逗她说："这圣诞老人年年给你送东西，他到底在哪里呢？"圆圆顿了一下说："正在卫生间洗头发呢"，全家人都笑了。

孩子总要长大，童话总要消失。圣诞老人虽然和童年一起慢慢远去了，但我们仍然愿意延续这份快乐。

中学几年，圆圆越来越成熟了，我们依旧会在每年的圣诞节送给她一些礼物。当然不能像小时候那样送"小儿科"的东西了，而是开始送一些"含金量"高的东西，比如 CD 机、衣服等。仍然习惯于把这些东西称作是"圣诞老人送的礼物"。如果圣诞节不在周末，我们就把"圣诞节的早晨"改在离节日最近的一个周末早上，只提前不推后，无论如何，都要让孩子每年有个惊喜的时刻。

"圣诞老人"每年都来的意义不在于礼物本身，而在于这份惊喜，惊喜是另一层更有价值的享受。

十几年里，只有一次，好像是圆圆小学五年级那一次，我和她爸爸那一段工作特别忙，没来得及给她买礼物，就在周末带她出去玩，并给她一些钱，让她替圣诞老人给自己买些礼物。东西没少买，圆圆长大后回忆说，那是她觉得最没意思的一次圣诞节。虽然花一样的钱，买一样的东西，方式不一样，带来的快乐就不一样。

圆圆小时候经常给我们讲她梦到什么，她的梦一直都是童话一样，非常美妙，我后悔没有记录下来。美丽的梦一方面来源于她从书上读到的那些童话，另一方面也可能是圣诞老爷爷带来的吧。一个经常做美梦的孩子，她的童年应该很幸福吧。

每年都来的圣诞老人，不仅让圆圆的童年过得不一般，也让她更深地感受到了父母的爱，并且教给她如何给别人带来快乐和惊喜。她的好朋友过生日时，她总会很认真地挑选礼品。圆圆偶尔也制造点浪漫小情调，给我和她爸爸送上点惊喜。

在我四十岁生日那天，圆圆早晨上学时说她今天不想骑车了，要坐公交车去，我们当时没理解，觉得坐公交车又费时间又费力气的，干吗要为难自己。结果晚上放学时，她带回一大把康乃馨。原来她那个自行车没车筐，她乘公交是为方便拿那把花。我和先生那天都忘了过生日这回事，幸亏她提醒了我们。

她上大学后，我问她还要不要圣诞礼物了，她说要；我问她长多大就不要了，她说“八十岁”。我们都笑了。看来，圣诞老人且得一趟又一趟从北极大老远地跑来呢！

特别提示

家长稍稍花一些心思和时间，就可以让孩子有不同凡响的经历，让他的生活和世界焕发出奇异的光彩。儿童是天使，只有天使的世界里，圣诞老人才千真万确地存在；等他长大了，变成了凡人，圣诞老人就消失了，再也不来了。

圣诞老人每年都来的意义不在于礼物本身，就在于这份惊喜，惊喜是另一层更有价值的享受。

长大要和马晓飞结婚

人是很容易受到暗示的。如果一个人总被别人暗示为品行端正，善良友爱，他就会在这种氛围里渐渐生发出自我肯定的意识，他的品行就会朝着健康的方向发展；如果一个人总被暗示为有某个问题，他就会在这方面不断地自我否定，逐渐丧失自信，向坏的方向滑去。

圆圆上幼儿园时，班里有个小男孩叫马晓飞，他们俩很合得来，经常在一起玩。有一天我去接她，回家的路上，她兴冲冲地对我说："妈妈，我最喜欢和马晓飞一起玩啦，我长大要和马晓飞结婚！"我笑笑，说好。她看我同意了，很高兴，转而又有些担心，"不知道我爸爸同意不。"我说那你就问问他。

她回家后本来还着急等爸爸回来问这件"终身大事"，结果玩得忘了，直到几天后爸爸去接她，回家的路上才又想起来。她爸爸当时也非常痛快地说"好"，同意了。圆圆一进门，就迫不及待地告诉我："妈妈，我爸爸也同意我长大后和马晓飞结婚呢！"我愉快地说："是吗，那太好了！"

圆圆这时又有些担心，"要是我们上学了，不在一个学校，以后不认识了，那怎么办呢？"听她这样说，我和她爸爸也做出发愁的样子说，是啊，这该怎么办呢？那你好好想想办法。圆圆想了一会儿，忽然有主意了，"对了，我长大了，碰见一个男孩子，就问他，你是不是叫马晓飞，那不就知道了吗！"我们一听，也高兴了，是啊，这不就知道他是不是马晓飞了嘛。原来这么简单！

这个难题解决了，我们一家人轻轻松松地开始吃饭。

后来我听幼儿园老师说，圆圆和马晓飞这两个孩子都比较懂事，从来不打人骂人，也不和小朋友抢东西，都很喜欢讲故事，两人在一起玩从来不闹意见。看来幼儿园也有“合得来”这回事。

到上了小学，这个小男孩和圆圆在一所学校，不在一个班。小学生的特点是男女生之间缺少真正的兴趣，一般是男生和男生玩，女生和女生玩。圆圆有几位非常要好的同学，几个小姑娘只要有空就在一起。我和她爸爸有一次想起马晓飞来，戏谑地问她，现在还和马晓飞玩吗，长大还要不要和马晓飞结婚了。圆圆说他是男孩子，不喜欢和他玩，不在一个班，也见不到。我们逗她，“那你不担心长大了不认识他?”她说不担心。看来她已经“变心”，从那以后就真把马晓飞丢后脑勺去了。

她上中学后，进入心理学上的“青春期”，这个时候我们作为家长才真正开始观察她对异性交往的态度了。圆圆也会对我讲一些学校里男生和女生互相讨好的事，比如一个家里很有钱的男孩子对她班里一个女孩子说，你要是和我好，我就给你买6万元的珠宝。我们听了，并不贬损这些事，只是笑笑，说这小男孩幼稚得可爱。我家里也不时地会有男生打电话过来，我们接到这样的电话时，就像接到她的女同学打给她的电话一样，很自然地喊她来接电话，然后我们回避开，让她能方便地通话。有一次我还在她的书桌下捡到一张纸，可能是她上课时和另外一个女孩子的笔谈，两人热烈地讨论着班里的几个男生，能看出她们对一些男生是有朦胧的好感的。我笑笑，把这张纸收藏起来，准备将来圆圆长大了还给她。

每个父母都是从青春期走过来的，回忆一下我们的少男少女时代，就该知道中学生这种情愫的萌发是多么正常。所以我们在孩子情感发育时，为什么不可以给出更多的理解。

偶尔圆圆接到某个男同学的电话，会聊很长时间，放下电话时她会有些不自在。我就选个合适时间和场合，假装无意中把话题引到这上面，对圆圆说，男孩女孩进入青春期后对异性产生好感，有和异性接触的愿望，这是正常的，也是非常美好的；如果没有，倒可能不正常。

我这样说的目的是消解她心中的不安，让她知道原来自己对异性有好感，或别人对自己有好感，都是健康正常的。

不安和自责，是每个孩子在青春期对异性产生好感时都会有的，发展得严重了甚至是一种负罪感。这种感觉不仅不会使少男少女对异性的兴趣降低，反而会刺激兴趣生长。孩子在家长和学校的压力下，觉得喜欢异性是不洁的，不道德的，他们就会在表面上任性行事，不听家长的话，内心却彷徨迷失，自我鄙视。只有孩子自尊自爱，在青春期和异性交往时觉得坦然、正常，才能产生自信和理性，才能做得端庄自在，才有自我控制的力量。

我认识一位家长，她的女儿读初中二年级，长得很秀气，学习一直不错，她特别怕女儿早恋，影响学业，从孩子一上初中时对女儿进行了严密的监视。家里只要有男生打来电话，她就一定要过问。孩子放学回家稍晚，她就问个不停，还要给老师打电话核实孩子说的是不是事实。她女儿因此和她的关系弄得很僵。

这位家长为了控制孩子的行踪，也为了孩子的安全，给孩子买了个手机，结果她有一次偷偷查女儿手机，发现她和几个男生称兄道弟的，大怒，没收了手机。女儿却有办法，第二天把同学一个手机借回来用。她再把借的手机没收，孩子就放学后用一个陌生的手机给她发个短信说自己很生气，晚上不回家了，然后那个手机就一直关机。她找不着孩子，一晚上急得要死。第二天一大早就赶到女儿学校，在大门口等到背着书包来上学的女儿，没问出孩子一晚上去哪里了。这位妈妈一怒之下找到班主任，把女儿一夜未回家的事对班主任说了。班主任又跑去对教导主任讲了，教导主任马上召开年级班主任会议，宣布本校一名初二女生在外面过夜，要求各班加强对学生的教育。

后来经过“审讯”和调查得知，这个小女孩就是赌气到网吧玩了一晚上，想吓妈妈一跳，什么事情也没有。可是孩子第二天到校后，一切都变了，所有的人都在用异样的眼光看她，好像她这一晚上干什么去了。她妈妈有些后悔把事情弄大了，但影响已不可挽回。迫于压力，孩子最后不得不转学。

到新学校后，妈妈提出要求，不许和男生来往。但由于女孩到新学校后，很难一下融入新的同学圈子，没有朋友，学习也一蹶不振；正好有个高年级男生来和她搭讪，她就真的和这个男生“谈恋爱”了，最后闹到要离家出走。到这个时候，做母亲的才终于发现，自己除了伤心失望外，已经是黔驴技穷了。

从这个案例中我们可以看到，在“早恋”等儿童问题上，家长实际有两种功能，一种是疏导平息，一种是刺激强化。所有的家长都希望达到第一种效果，但遗憾的是现实中许多家长都把它做成了第二种结果。他们想阻止孩子早恋，却用错误的方法推了孩子一把，使孩子不由自主地掉入漩涡中。“动摇孩子意志最有效方法是唤起他的有罪意识”①，家长在这里最大的过错就是用成人庸俗的观念，把孩子们一些原本正常的行为恶俗化了，人为地制造孩子的罪恶感，客观上把孩子推到了不可自拔的境地。

我曾收到一位妈妈发来的短信，说她正在上初三的女儿“有男朋友了”，问我该怎么办？我马上回电话，问“有了男朋友”是怎么回事。

原来，她女儿同年级另一班的一个男孩子下课经常喜欢来找她女儿说话，女儿过生日时，叫了几个同学到麦当劳，也叫了这个男孩子，男孩子也送她女儿一份礼物，他们还有时互相发短信。当妈的悄悄查了女儿的手机短信，和这个男孩之间发的短信较多，个别语句有些暧昧，似乎彼此有些好感。

我对这位妈妈说，在我们的话语中，“男朋友”是有特定含义的，就这些事，你怎么能把那个男孩子称为你女儿的“男朋友”呢。其实孩子们什么事也没有，是你用自己的理解给孩子们的交往定性了。

我当然也理解这位妈妈的担心，她怕如果不管的话，女儿和这个小男孩发展下去，真的会去“谈恋爱”，影响学习。我告诉她，要管，但不要瞎管，首先清除自己心里世俗的污垢，然后再来管孩子。后来这位妈妈按我的建议和女儿谈了一次话，取得了很好的效果。

她是这样和孩子谈的。

首先肯定孩子，告诉女儿，在你这个年龄对异性产生好感这很正常，看来你心理发展和生理发育是同步的，很健康。另外，有男孩子喜欢你，说明你是个可爱的女孩；你对别的男孩有好感，说明你也是个懂得欣赏他人的人。

接下来她告诉女儿，初中生对异性产生好感，这才是刚刚开始，你作为一个可爱的女孩子，将来会遇到很多欣赏你的人，对他们我们都要心存感激；同时，你也会遇到许多值得我们欣赏的男孩子，他们每个人身上都有不同的优点。

最后她告诉女儿，一个人只有自身可爱，才值得别人去欣赏。如果一个同学学习不好，气质平平，能力一般，凭什么让别人欣赏他/她。对于中学生来说，最重要的是学习，气质与能力都是在学识的基础上产生的。只有好好学习，才能

---

① （美）弗洛姆，《为自己的人》，三联书店，孙依依译，1988 年 11 月北京第 1 版，149 页。

越来越可爱，得到别人的欣赏，同时自己也才能慢慢学会欣赏别人。

这位妈妈后来又给我打电话，说她这样和女儿谈，孩子很高兴。从那以后，她女儿还不时地和妈妈说谁给她写纸条或发短信了，她觉得谁不错等。具体到那个小男孩，还有些交往，但一直很正常，和别的同学没什么两样。这位妈妈悟出的道理是：只要大人内心阳光，孩子内心也会很阳光。

其实，我在这篇文章中想说的，主要不是如何进行爱情教育，而是成人如何以干净的目光看待孩子，以健康的信念理解孩子。不少孩子在品行方面出现偏差，重要原因之一就是他们不断地遭遇成人“垃圾思维”的侵害。这些垃圾思维像一些企业单方面追求生产，任意排放的有毒气体和污水一样，慢慢地污染了孩子原本纯净的天空和大地，结果是破坏性完全抵消了它的生产性。不光在早恋方面，其它方面的思维垃圾也会让孩子发生变异。

比如一位家长，从孩子很小的时候，就针对孩子，把钱管得很紧，一直以来都像防小偷那样防着自己的儿子。在她的意识中，似乎孩子只要有机会，就一定会在钱上做手脚。她不仅把家里的钱放得很隐蔽，不让孩子知道；而且孩子上学后想买什么，她总是用怀疑的口气问：“那东西是那么多钱吗，你可要说实话”。即使经她同意，孩子自己到她钱包里拿钱，她一定要说：“来，妈妈看你多拿钱没有，不许偷偷多拿啊”。在她的不信任和严密监视下，她儿子形成了反监视的兴趣和能力。上初中后，这个小男孩就开始从家里偷钱。有一次和父亲一起去提款机上取钱，父亲输密码时，他竟然偷偷记下来，然后偷偷拿了家里的银行卡，一个月里分三次取了两千元，全部挥霍干净。每次偷钱事件发生后，家长除了把儿子暴打一顿，只能仰天长叹，怎么生了这么个不争气的儿子。做家长的实在想不明白，一直以来在金钱方面这样提防儿子做坏事，怕他变坏，他怎么就恰恰变得这么糟糕呢？

和上面事例形成对比的是另一位好友对我讲的一件事。

她上小学三年级的儿子因某种原因误过了学校的期中考试，为了让儿子补上这场考试，就到学校找来各科期中考试的卷子，回家让孩子按照学校考试的时间把卷子都做了。

她在把卷子交给孩子的一瞬间犹豫了一下，考虑是让孩子自己掐时间还是由她来监督；同时她还想到，要不要把孩子房间里的书本都收走，以防他偷看。她儿子平时学习成绩不太好，肯定会有一些内容不会做，那么他会不会偷偷去看书上的答案呢？

她想了一下，决定信任孩子，就告诉孩子说，你自己掐好时间，到点就不做了。别的什么也没说，就关上门出来了。

让她高兴的是，这个小学三年级的孩子，他知道考试应该是什么样子，他完全按照学校考试的样子来管理自己，时间一到就不再做题了。而且他根本不知道有“作弊”这回事，他妈妈通过观察看出来，他在遇到不会做的题时，也绝对没有动过偷偷翻书的念头。她不由地感叹：原来孩子是这样纯洁！她庆幸自己在那一瞬间的选择，庆幸自己没有用潜台词告诉孩子这些糟糕的概念：考试是可以偷偷看书的，你是不值得信任的。

人是很容易受到暗示的，包括成人在内。如果一个人总被别人暗示为品行端正，善良友爱，他就会在这种氛围里渐渐生发出自我肯定的意识，他的品行就会朝着健康的方向发展；如果一个人总被暗示为有某个问题，他就会在这方面不断地自我否定，逐渐丧失自信，向坏的方向滑去。

有人研究发现，甚至一个人的外貌在别人不断的暗示下，都会发生改变。相貌平平的人，在赞赏的目光下会变得越来越光彩照人；五官标致的人在不断的蔑视中，也会变得形容枯槁，萎靡呆板。家长用健康的心态对待孩子，才能让孩子身心健康地成长。

我曾看过一个寓言故事。苏东坡在跟佛印交谈时，问大师，你看我坐姿如何？佛印说我看你的坐姿很像佛祖。苏东坡非常高兴。接下来他恶作剧地一笑说，我看师傅的坐姿倒像是一堆牛粪。佛印听罢既不生气也不反驳，只是微微一笑。苏东坡以为占了佛印的便宜，回到家里得意洋洋地把故事经过告诉了妹妹。苏小妹说，哥哥你输得实在是太惨了。佛印大师心中有如来，所以看你若佛祖；你心中只是一团牛粪，所以看到别人也是一团牛粪。

家长们千万不要怀揣牛粪去看孩子。如果你在言语间不停地给孩子消极暗示，不仅破坏孩子内心的纯洁，还真可能扭曲他的品行。要知道，孩子可没有佛印大师的功力与淡定。

特别提示

不安和自责，是每个孩子在青春期对异性产生好感时都会有的，发展得严重了甚至是一种负罪感。这种感觉不仅不会使少男少女对异性的兴趣降低，反而会刺激兴趣生长。孩子在家长和学校的压力下，觉得喜欢异性是不洁的，不道德的，他们就会在表面上任性行事，不听家长的话；内心却彷徨迷失，自我鄙视。只有孩子自尊自爱，在青春期和异性交往时觉得坦然、正常，才能产生自信和理性，才能做得端庄自在，才有自我控制的力量。

“有男孩子喜欢你，说明你是个可爱的女孩；你对别的男孩有好感，说明你也是个懂得欣赏他人的人。”

“你作为一个可爱的女孩子，将来会遇到很多欣赏你的人。对他们，我们都要心存感激；同时，你也会遇到许多值得我们欣赏的男孩子，他们每个人身上都有不同的优点。”

“一个人只有自身可爱，才值得别人去欣赏。如果一个同学学习不好，气质平平，能力一般，凭什么让别人欣赏他/她。对于中学生来说，最重要的是学习，气质与能力都是在学识的基础上产生的。只有好好学习，才能越来越可爱，得到别人的欣赏，同时自己也才能慢慢学会欣赏别人。”

不少孩子在品行方面出现偏差，重要原因之一就是他们不断地遭遇成人“垃圾思维”的侵害。这些垃圾思维像一些企业单方面追求生产，任意排放的有毒气体和污水一样，慢慢地污染了孩子原本纯净的天空和大地，结果是破坏性完全抵消了它的生产性。

像牛顿一样

欣赏孩子不是只赞赏他的优点，更是如何看待他的缺点。你看他总是用“像牛顿一样”的眼光，他就会真的越来越像牛顿。

我们经常说圆圆“像牛顿一样”，这不是一句表扬，而是批评，批评她在日常生活中由于不用心，犯各种低级错误。

这句话来自圆圆小时候看过的一个故事。说牛顿醉心于实验，有一次一位朋友中午来看他，但就是等不到他，朋友和他开玩笑，把佣人给他准备的午饭都吃了，然后走了。待牛顿终于从实验室出来，走到餐桌旁，看看桌上的残局，自言自语说“原来我已经吃过饭了”，然后离开饭桌，又钻进实验室。

天才因为太痴心于某件事情，在生活中常常犯傻，做些令人发笑或令人生气的事，流传下来成为经典故事。可现实生活中出现这类人和事，却多半会被看作“不用心”、“不聪明”，引起人们的不屑或生气。这一点尤其体现在儿童教育中。

绝大多数孩子在童年时代都会醉心于某件事。或者是用全部心思思考第一只小鸡是从哪里来的，以至于听不到妈妈三番五次叫吃饭的声音；或是玩得过分投入，忘了上厕所，尿了裤子；也可能读一本有趣的画册，忘记了写作业……一千个孩子会有一千件痴迷的事情，尽管这些事情在大人看来，是多么简单或毫无趣味；再加上孩子们的幼稚和缺乏生活经验，他们常常会做出一些令人啼笑皆非的事，甚至闯一些小祸。

大人用什么态度对待孩子的这些小“不是”，这不是件小事，会对孩子产生深刻的影响。

我的一个朋友说到她未竟的文学梦时，讲到一个事情。她初中时经常一边拉风箱蒸馒头一边看小说，结果有几次看得太投入，没注意看火，把火弄灭了，她的父亲一发现就打骂她一顿。近三十年过去了，她说起这事还是很难过，觉得这事对她的心理健康和事业成长有长久的消极影响。用她的遭遇对比爱迪生的母亲对儿子种种“过错”的理解和支持，真的可以感到，孩子最后成不成“才”，父母在这些细节上的态度和处理方式是很关键的。

如何看待孩子无意中犯的一些小错误，对这些小错误家长应该以何种态度处理——这其实是家庭教育的大问题。

我的女儿圆圆作为一个普通孩子，别人会犯的小错误她也经常犯。比如花好几百元买个电子辞典，用了没几天就丢了，都不知道丢哪儿了；做炒鸡蛋，蛋皮磕开后，把蛋液直接打进垃圾桶，接下来考虑蛋壳该扔哪里，才发现搞错了；让她把剪子放回工具箱，她拿着剪子在家里绕一圈，返回来奇怪地问我给她剪子干吗。每当这个时候，我只能无可奈何地说她“像牛顿一样”。

她的“牛顿行为”还常常给我添乱。她初中时住校，一周回一趟家。开始一段时间，周末返校时总是有什么必需的东西忘了带，到学校后就给家里打电话，要求送一趟。她的学校离家远，我和她爸爸跑一趟半天时间就没了，还得向单位请假。每到这时候，我们心里也是气鼓鼓的，但从没因为这个训过她，只是表示我们特别忙，这样浪费时间太可惜了。话说到这里就足够了。我们明白孩子在给你打电话时，她已经知道由于自己的疏忽给父母带来麻烦了，这种情况下父母就用不着再责备她，如果父母责备，倒是给了她辩解却不肯反省的机会。

虽然她每次返校时我和她爸爸都会有些担心什么事情她忘了，又要我们跑一趟，但我们不会帮她收拾东西，只叮嘱她一句：好好想想，把东西都带全了。这样坚持一段时间下来，她就很少丢三落四了，自己能把该带的东西都收拾妥当。我看她专门弄了个小本，把要做的事一样样记下来，临走前再翻一次，看看有没有什么事情没做。

人的不足有各种各样。在料理生活方面，圆圆不是个能力很强的人，这肯定和我们的教育有关，应该是无意中包办了不少本该由她自己干的事；也可能和人的天性有关，每个人的能力和弱点不一定表现在哪方面。我们意识到了这些问题，一方面是尽量接受，另一方面是尽量帮助她克服弱项。但这帮助不是热心地帮她干这干那。知道家长不可能帮她一辈子，我们的“帮助”就是尽量让她自己去做；我们要做的，主要是“有耐心”，允许她把事情做得一团糟。

如果生怕孩子有什么考虑不周，大人就全部替他考虑了，一点不落地盯着他，从眼前看是在帮他，但从长远来看，这是帮孩子的倒忙。凡事应该让孩子自己去考虑、去做，多犯一些错误，才能慢慢学会做得不错。

圆圆刚上高中时，早上总是走得着急，经常忘了拿钥匙或带手表，弄得自己很不方便，我和她爸爸就经常提醒“拿钥匙”、“戴手表”。这样过了一段时间，发现不是回事儿。她一直依赖我们的提醒，自己不去想办法提醒自己。我让她回来锁车后马上把钥匙装书包里，第二天只要背书包就肯定拿了钥匙，不要进家门后随手丢在写字台上；手表也摘下来放在书包的小袋里。她嘴上答应着，但就是经常心不在焉，还是习惯把钥匙和手表随手扔写字台上。

又有一次她没拿钥匙，到学校无法锁自行车，恰被查到。不锁自行车属于违反校规的行为，要写检讨书，还影响班级的评优成绩。这让圆圆很难过，我们心里肯定对她也有责怪，但没说“早提醒过你”之类的话，只是开一句玩笑，说她像牛顿一样，难免犯些小错误；并鼓励她按学校的规定，到公共教室打扫几次卫生，争取把班级扣掉的分给找回来。我还把她写得工工整整的“检讨书”用相机拍下来，逗她说从现在开始就给“牛顿博士”收集资料，等她将来成大名了，这就是经典故事。

我们这样的态度让圆圆变得愉快起来，不再为这件事沮丧。她后来通过在学校劳动很快把班级丢的分给找回来了，最重要的是从此后，她真的再没有忘记带自行车钥匙和手表。

并不是说家长不要批评孩子，但批评一定要用常规的“批评”方式表达吗?

就像割伤了自然会感到痛一样，孩子犯了一些小错或闯了祸，不用你说他也会感到不好意思，感到内疚和痛苦。家长这时如果不顾及孩子的心理，再板起面孔说一些教训的话，说一些早已说过的提醒的话，只会让他觉得丢面子，觉得烦；孩子为了保护自己的面子，为了表达对你唠叨的不满，可能会故意顶嘴或做出满不在乎的样子。

如果家长与孩子之间经常出现这样教训与反抗的态势，孩子就会渐渐地真的对自己的错误不在乎，对家长的话无动于衷。

许多人在平时也知道孩子有了过失要好好和他谈。但一遇到突如其来的事情时，经常条件反射地冲孩子发火，“我早就提醒过你了，你居然还……”，“你怎么那么不小心……”，过火的教训话说过了，事后又后悔，可下次遇到同样的事，还是忍不住先发一通火。一些家长只好用“我脾气不好”来为自己开脱，来平衡自己。“脾气不好”在家长身上可能只是个小毛病，可它给孩子带来的却会是个大恶果。这会让孩子的“小毛病”变成一个痼疾。或变得脾气暴躁，自卑固执；或是屡教不改，一错再错。

家长一定要从内心认识到儿童成长需要“试误”。孩子从生活中汲取的经验与教训，比你口头讲一百遍道理都印象深刻。“犯错误”是孩子成长中的必修课，只有修够一定“课时”，他才能真正获得举一反三、自我反思、自我完善的能力。家长要理解“过失”的价值，看到在孩子成长中，他的“过失”与“成就”具有同样的正面教育功能。

至于偶尔的“过错”给孩子自己及家长带来的时间、经济等方面的损失，算作培养孩子成长必交的学费，可以换回他的成长、成才、成功。他拆坏了一辆新买的玩具汽车，可能就此激发了制造一架航天飞机的兴趣和潜能；今天炒糊一锅菜，明天就可能出个烹饪高手。建立正确的儿童观，用期许的眼光看孩子那些“闯祸”行为，就会感到它们是良机而不是坏事。这样的心境下，你内心还会有“火”吗？

“像牛顿一样”既是家长如何理解孩子的一个问题，也是以什么方式批评教育孩子的问题。人们常说一个人会不会说话，不在于说什么，在于如何说。我们可以批评孩子，但一定要选择合适的方式批评，以保护孩子自尊心、树立自信心、培养他们能力为目的。凡对孩子自尊心、自信心和能力有损害的批评方式都是不好的，都是家长要彻底戒除掉的。

“像牛顿一样”的批评方式，把一件不好的事，本该生气的事化解为一句玩笑，既让孩子知道他哪里错了，又不损害他自尊心，还暗含了对他的理解，甚至隐藏着对他某种才能的褒奖。这样的批评话，孩子比较爱听。

哪怕有的孩子永远在生活细节上不精明，永远有“像牛顿一样”的毛病，只要不是什么大事，请允许他有这些毛病。

想一下我们自己，同样也有很多弱点，会不时地犯些小错。比如我不止一次地犯可笑的错误，穿运动衣出去跑步，跑的过程中觉得运动裤有些别扭，回来才发现是把前后穿反了；去商场退一件衣服，进了商场才发现衣服根本没带出来……这些毛病像肤色一样，长在我身上，不好去掉。我的先生和孩子也各自有他们的“毛病”，发生了，我们笑笑，经常自嘲我们的那些低级错误为“像牛顿一样”。这在我的家里完全是件趣事，不会遭到蔑视或训斥。

有的孩子认真细致，有的孩子粗枝大叶；有的心灵手巧，有的笨手笨脚；有的孩子从小善于关注生活小节，表现得精明能干；也有的孩子喜欢默默思考，思想整天不知在哪里飞翔，样子宛若梦游……孩子的状态是很不一样的，我们应该允许这种差异存在。正是这种差异性构成了人的丰富性。

一些太求完美的父母特别注意孩子的每一个细节，当孩子犯了一些小错误，或在某方面表现出能力不济时，他们就忧心忡忡，就想立即帮助孩子改变——而他们选用的方法就是告诉孩子你应该如何如何，一旦孩子在后来又犯了同样的错误时，他们可能就会拉下脸来——这时，他们事实上已变成太苛刻的父母。

牛顿如果因为不注意生活小节而成天挨训，他还能是牛顿吗？爱迪生如果整天被苛责，他还能是爱迪生吗？

凡出于经验的或心不在焉的过错，只要不涉及道德问题，都不必指责或发火，甚至不需要提出来，孩子自己会在这种过程中感受不便和损失，知道以后该如何做。我们当然可以把自己的生活经验告诉孩子，但同时一定要有耐心等待他经历并成长，甚至要故意给他制造一些机会让他尝点不用心的苦头。只要孩子有自尊自爱的心态，有足够多的经历，该学会的他都能学会，该注意的他都会注意到。

退一步说，如果孩子的天性造就了他在某些方面就是低能，那么他也不会因为家长的教训或不断的提醒而有所改变；反而会因为你的不断唠叨，更降低这方面的能力，并同时增加自卑。

欣赏孩子不是只赞赏他的优点，更是如何看待他的缺点。你看他总是用“像牛顿一样”的眼光，他就会真的越来越像牛顿。

特别提示

如果生怕孩子有什么考虑不周，大人就全部替他考虑了，一点不落地盯着他做，从长远来看，是帮孩子的倒忙。凡事应该让他自己去考虑、去做，多犯一些错误，才能慢慢学会做得不错。

就像割伤了自然会感到痛一样，孩子犯了一些小错或闯了祸，不用你说，他也会感到不好意思，感到内疚和痛苦。大人这时如果不顾及孩子的心理，再板起面孔说一些教训的话，说一些早已说过的提醒的话，只会让他觉得丢面子，觉得烦；他为了保护自己的面子，为了表达对你唠叨的不满，可能会故意顶嘴或做出满不在乎的样子。

“脾气不好”在家长身上可能只是个小毛病，可它给孩子带来的却会是个大恶果。会让孩子的“小毛病”变成一个痼疾，或变得脾气暴躁，自卑固执；或是屡教不改，一错再错。

“犯错误”是孩子成长中的必修课，只有修够一定“课时”，他才能真正获得举一反三、自我反思、自我完善的能力。家长要理解“过失”的价值，看到在孩子成长中，他的“过失”与“成就”具有同样的正面教育功能。

“像牛顿一样”的批评方式，把一件不好的事，本该生气的事化解为一句玩笑，既让孩子知道他哪里错了，又不损害他自尊心，还暗含了对他的理解，甚至隐藏着对他某种才能的褒奖。这样的批评话，孩子比较爱听。

凡出于经验的或心不在焉的过错，只要不涉及道德问题，都不必指责或发火，甚至不需要提出来，孩子自己会在这种过程中感受不便和损失，知道以后该如何做。

古诗滋养的孩子

被古诗滋养的孩子，得到的不仅仅是诗情和文才，实际上也成为被生活和命运多一份垂青的人。

圆圆很小的时候，我就开始给她读一些诗歌。我发现她既爱听，也爱记。

她大约三岁时，我学习电脑打字，每天背“五笔字型”字根口诀。五笔输入法发明人王永民先生把“字根表”编得像诗一样节奏明快，琅琅上口。我背的时候圆圆在旁边听到了，到晚上关灯我躺在床上背的时候，有的地方想不起来，她竟然都能提示我。这些没有内容的东西，小家伙随意听来，居然记得比我还快，我很惊叹孩子的记忆力。

中国文字原本就蕴含着艺术美，周作人先生说，中国汉字具有游戏性、装饰性与音乐性的特点。① 而中国古典诗歌更浓缩了我们母语的精华，以其特有的节奏感、韵律感、美观性等特质，从古到今始终散发着迷人而高贵的气质。我在教圆圆读诗的过程中，逐渐坚定了一个认识，即儿童应该大量背诵诗歌，尤其是古诗。

从圆圆四、五岁时，我开始正式教她读古诗。我们最早用的读本是一套配有插图的《幼儿读古诗》，共六本，大约有一百多首诗，那些诗都很短，一般只有四句。我经常和她一起朗读这些古诗，等读熟了再一起背。这方面并没有做计

① 转引自钱理群，《语文教育门外谈》，广西师范大学出版社，2003 年 7 月第 1 版，76 页。

划，做得比较随意，但因为持续不断地做，到她6岁上小学前，这些诗基本上都会背了。

近年看过一些资料，有的人反对在孩子小时候教他们读古诗。认为孩子不理解，只是鹦鹉学舌地记住一些音节，所以提议在孩子小时候应该教他读儿歌，不要背古诗。我个人不太认同这样的观点。

艺术首先需要感知，幼儿学古诗并不重在理解，古诗词平仄押韵，韵律感非常好，良好的感知自然会慢慢形成“理解”。觉得古典诗词陌生难懂，这是大人的事，孩子则没有这种疏离感。儿歌可以教孩子一些，但在数量和质量上都无法取代古诗。每个人的学习时间都非常有限，我们应该把最好的东西教给孩子。如果家长拿出读儿歌的轻松和愉快来教孩子读古诗，孩子是感受不到这两种文字在愉悦感和美感上的差别的。

另外，儿童时期是记忆的黄金时期，这个时候阅读和背诵的东西，真正会刻进脑子里，内化为自己的智慧财富。所以我们更应该珍惜童年时代的背诵，不要让孩子把时间浪费在一些平庸之作上。以唐宋诗词为主的古典诗歌，我觉得它值得一个人从小背到老。

人们因为古诗“难懂”产生的另一个错误想法是，教孩子学古诗时，要尽可能给他讲解，把每一句都“翻译”成“白话”。事实上，学古诗要防止的，恰是“过度解释”。其原因，一是基于对儿童领悟力的信任；二是诗文中的意境美与文字美重在体会，它们原本就是无须解释的，一解释就是对想象力的束缚，就是对语言美的破坏。

在孩子两三岁前，读诗不用解释，只要把读诗当作唱歌，体会其中的韵律感就行。到孩子四五岁，懂些事情时，再加进“讲解”。但这讲解一定要简单，简要地说一下这首诗的意思，同时把影响到理解的一些词解释一下就行了。

比如我在教圆圆背诵“鹅，鹅，鹅/曲项向天歌/白毛浮绿水/红掌拨清波”时，由于诗本身明白如话，只解释一下什么是“曲项”就可以了。

少解释不等于不“解读”。我和圆圆对一些非常美的句子经常会反复品味，比如看到“青枫江上秋帆远，白帝城边古木疏”，会关注它的对仗工整，体会每个用字的精致；看到“肯与邻翁相对饮，隔篱呼取尽馀杯”，就想象那样一种生活场景是多么朴实有趣。这就是读诗的享受。但对于每一首诗，我和圆圆更多地是把时间花在一次次的读和一次次的背诵上。

我们从学习中体会到，大量的朗读和背诵仍然是学习古诗词最经典的方法，这是我国传统的语文教学方法，这个方法最简单也最有效。“书读百遍，其义自见”，前人对这一点已总结得很精辟了。

这种学习方法看起来简单刻板，实际上很有道理。

著名学者、北大中文系教授钱理群先生说：“我们传统的启蒙教育，发蒙时，老师不作任何解释，就让学生大声朗读经文，在抑扬顿挫之中，就自然领悟了经文中某些无法（或无须）言说的神韵，然后再一遍一遍地背诵，把传统文化中的一些基本观念，像钉子一样地楔入学童几乎空白的脑子里，实际上就已经潜移默化地融入了读书人的心灵深处，然后老师再稍作解释，要言不烦地点拨，就自然‘懂’了。即使暂时不懂，已经牢记在心，随着年龄的增长，有了一定阅历，是会不解自通的。”①

“少讲多读”并没有影响圆圆对诗歌的理解，我经常发现自己以为简要的解释，有时也是多余。记得圆圆5岁时第一次读到“李白斗酒诗百篇，长安市上酒家眠，天子呼来不上船，自称臣是酒中仙”时，她觉得李白好潇洒，觉得这首诗特别好玩。我们刚刚读完，她就对这首诗进行了“改编”——把“李白”改成“圆圆”，把“长安”改成“烟台”，把“臣”改成“俺”——逗得我一家三口都哈哈大笑起来。无须解释一个字，我知道她已经理解这首诗了。

读得多背得多了，不仅字面意思圆圆很容易理解，她也逐渐学会领略诗歌中方方面面的美。圆圆上小学时有一次我和她一起读杜甫的《登高》，当我们读到“无边落木萧萧下，不尽长江滚滚来”时，她沉默片刻，轻叹一口气，忍不住地说“写得真好呀！”我从未解释过这句诗，事实上我也无从去“解释”，但她读懂了，她被这语言美深深打动了。

---

① 钱理群，《语文教育门外谈》，广西师范大学出版社，2003年7月第1版，20页。

孩子之所以能对学习古诗有长久的兴趣，也在于家长从来不把背古诗当作一项单方面加给她的任务，而是当作共同的爱好，一起来慢慢享受。我们一起想象“乱花渐欲迷人眼，浅草才能没马蹄”的景致；又一起享受“绿蚁新醅酒，红泥小火炉”的温暖。圆圆背诵古诗的过程一直也是我背诵的过程，我尽量和她一起背，尤其在她小时候，凡要求她背的诗，必定也是我会背的。在教她的过程中我也复习和背诵了好多古诗词。

圆圆认字后，我总是把要背的诗抄到一个小本上，经常在乘公交车或饭后睡前的时间和圆圆一起读几句背几句，不知不觉一个小本就用完了。每背完一个小本，我们就会觉得很有成就感。

圆圆阅读和背诵的首先是唐诗，后来又背诵宋词，再后来又背了一些元曲。小学期间背的篇目最多，上初中后，开始背一些长诗，比如《长恨歌》、《琵琶行》等。

圆圆刚开始背长诗时有一些为难，我们就采取了化整为零的办法，每次背一小截。当时她住校，每周回来往小本上抄几句，然后拿到学校去背，不断地把新背的和前面背过的连起来，一首长诗就一点点地解决了。

事实上诗歌越背越容易，这方面也同样存在熟能生巧。

开始时圆圆背一首诗比较费时间，到后来，一首绝句只需花几分钟读两三遍，看看注解，合上书就背下来了。即便是背长诗，基于以前背诵的功底，她背诵的时候也比较容易。

整个中小学期间，圆圆在学习古典诗词方面显得比同学们轻松多了，一方面是课本上学到的诗词她基本上都已提前背过，另一个方面就是她具有了更好的背诵能力。她初中时回家跟我说，语文课学《琵琶行》，要求大家背诵，不少同学觉得太难背了，还有同学责怪白居易，说他干吗把诗写那么长，这不是为难人吗！

在保护孩子学习古诗的兴趣方面，我觉得还要注意的是，带领孩子学习古典诗歌的动机一定要单纯，至少要让孩子感觉到单纯。

一些家长在孩子背会一些诗后，总是要求孩子给客人表演背诗；还有的家长不断地计较孩子背会多少首，仿佛背诵是为了一个数字；也有家长直接告诉孩子，多背些诗对写作文好……

诗歌是一块精美蛋糕，我们把它送口中，只是为了品尝它的香甜，不是为了某天向别人炫耀我吃过蛋糕，也不是为将来某一天可能饿肚子而储存更多热量。在享受之外没有其它功利心——背诵是为了更好地把那些诗句内化为自己的东西，更好地体会诗歌的语言美、意境美、想象美，而不是为了“会背诗”。在诗歌之外没有任何其它目的——这才是应有的目的。

所以不要让孩子给别人表演背诗，不要当着孩子的面对别人说他背会了多少诗，这样才能让孩子对诗歌抱有单纯的心境，也才能产生真正的好感。

只有喜爱，才能谈得上接受。如果一个人在读诗中从没有为诗中的情打动，从没为语言的美吸引，从没为智慧而深思，纵使他会背一万首诗，也还是个不会读诗的人。

我见过某民办教育机构出了一张据说能让孩子们快速背会上百首古诗的光盘，它把古诗配上快速变换的动画和动感十足的音乐，以现在歌坛流行的快节奏的“说唱法”念出来。事实是所有的诗都变成了配乐“快板儿”，不管什么内容都用一个味道念出来。这张光盘被卖到好多小学里，受到一些老师和家长们的欢迎。但是，这样的“教学”里，孩子们到哪去体味古典诗歌的意境美、思想美和文字美？它只能给孩子们带来一个背诵数字，带不来阅读享受。我怀疑这样背诵来的东西也不会记忆得深刻，难以在记忆中扎根，从长远来看，实际上是浪费时间。

圆圆在背诵古典诗词的过程中，也接触了一些好的现代诗。她真正感受到了诗歌的美，甚至产生了自己写诗的冲动。

她在小学时，就自己尝试着去写诗。有一次我们一起到海边玩，快到海边时，远远望去海水很蓝；当我们走到沙滩上，发现海水是绿色的，因为那天有些海藻；她光脚丫跑进水里，发现脚丫白白的，水根本没有颜色。她就用手捧起水来，对我说了她看到的海水颜色的变化。我说，你发现诗了。回家后，她在我的指导下，写出这些文字：

“我站在远处看海/海是蓝色的/我站在近处看海/海是绿色的/我用手捧起海水/咦，大海的颜色跑哪儿去了？”

这是她七岁时写的诗。过了不久，我给她换了一块新枕巾，蓝色的。她说像大海的颜色。我开玩笑说，枕着它可能会梦见大海。她顺着我的话说，再加块黄色的就可以梦见沙滩了。她又马上想象，要换成绿色的，是不是就可以梦到草地了？我亲亲她的小脸蛋说，你的话就像诗一样，写下来吧。圆圆后来就写了这样一首诗：

我枕着蓝色的枕巾/梦见了大海//我枕着黄色的枕巾/梦见了沙滩//我枕着红色的枕巾/梦见了玫瑰花//我枕着绿色的枕巾/梦见了草地//我枕着各种颜色的枕巾/做了各种颜色的梦。

这些诗说不上有多好，也就是小学生的水平；但能从生活中发现诗意，她的生活因此不一样了。她上中学后偶尔也写诗，有的写得还真是不错。

圆圆对古典诗词的兴趣一直很浓厚，理解得也很好。高中时的语文老师很欣赏她这方面的修养，让圆圆给同学们讲过两次古诗赏析。圆圆认真准备后，在课堂上把那两首古诗解读得非常好。据说有的同学居然听得很感动，评价说第一次被一首诗打动，发现诗歌这么美。

她在写作文时经常引用一些诗句，总是能够提升文采，作文成绩一直不错。2007 年北京高考作文试题正好是对一句古诗的解读，那句古诗是“细雨湿衣看不见，闲花落地听无声”。以圆圆平时对古典诗词的领悟力，她读完这两句诗时，肯定容易找到感觉。她从老子的“大美不言”写到在平凡中创造不凡业绩的当代楷模方永刚。她的语文获得了 140 分的高分（总分 150 分），作文应该有不错的成绩。圆圆觉得自己很幸运，说一直以来的古诗词背诵在这次考试中帮了大忙。

有的家长因为自己没有读诗的爱好或能力，想到教孩子读诗，可能会觉得为难。我想这其实没关系。我在前面谈到家长要和孩子一起学习，家长只要能做到这一点，问题基本上可以解决。

现在有很多不错的古典诗词选读本，一般都有较完备的注解，读懂应该没有问题。可以多买几个版本，挑自己喜欢的去读，对照着去理解。有的句子暂时读不懂也没关系，以后读得多了自然会懂。况且对诗歌的理解本来就是多元的，不一定要寻求什么标准解释。

只要家长能经常和孩子一起去读去背，这方面修养自然会加深。孩子的感悟多半比家长更好，他在简单的诵读中，也会有好多收获。家长和孩子一起去学习，是件非常奇妙的事情，更容易唤起孩子的兴趣，也会让双方都有很强的成就感。

孩子学古诗从幼儿时开始较好，但也许你的孩子已上中学。这也没关系，读诗任何时候开始都不晚，学习是件终身的事情，不存在绝对的“错过时机”。也许你还会顾虑孩子的功课太紧张，没时间。这需要我们动些脑筋，让孩子少上一些课外补习班，多利用时间的边角料，时间总能找到。

现在社会上出现了一些学习班，专门学习古典诗词文赋。是否要报这些班，家长应慎重。

如果这些学习班的教师的古典文学修养较好，会引导孩子阅读，这样的班可以参加。但我担心一些老师把这种班办成另一种“课外补习班”，给孩子们“讲诗”，逼着孩子们背诗，那样可能会导致孩子对诗歌产生厌倦感，失去学习的兴趣。

有一个最简单的考察办法，就是向一些参加过学习班的孩子打听一下他们的学习感觉，或让自己的孩子试听一段时间。孩子们喜不喜欢，是最重要的评价标准。

写到这里，我猜想可能有人会这样想，虽然读诗有种种好处，可现在这个时代需要的是专业技术知识，还是先抓紧时间学课程吧。

这样想可以理解，但不一定有道理；须知有这么一句话，叫“磨刀不误砍柴工”。

据说诺贝尔奖获得者杨振宁先生从小表现出超常的数学才能，刚上中学一年就把中学几年的数学都学完了。有人建议他去学习更高深的数学知识，他父亲不同意。父亲是一位大学数学教授，他对杨振宁提出的要求却是，花几年的时间去学中国古典文学。后来，杨振宁先生在多个场合谈到中国古典文学对他的熏陶，认为这种熏陶对他的科学研究有深刻的影响。

同样，温家宝总理的古诗文修养也让人津津乐道，他在每一次重大的记者招待会中，都会信手拈来一些诗句，为他清晰、严谨的讲话增添深情而动人的色彩——文化修养带来的不仅是知识本身，它还是完善的思维方式。

我国古典诗歌浩瀚如大海，璀璨如星河，每个人所接触的不过沧海一粟；并且对所接触的有限的篇章，我们也不敢说完全读懂了读透了——即便这样，已受益匪浅。

有一次，我看到圆圆上高中时写的一个小随笔，里面有这样一句话：“从初中到现在，我在每一个摘抄本里都抄了白居易的《长恨歌》。有人说《红楼梦》是读不尽的，我认为，《长恨歌》也是读不尽的”。她有这样的感觉，我真的很欣慰——生活里有些美丽的爱好，那是怎样的一种滋润；人生中有些读不尽的东西，那是怎样的一种财富啊！

所以，我最后想说的是，被古诗滋养的孩子，得到的不仅仅是诗情和文才，实际上也成为被生活和命运多一份垂青的人。在平凡的生活之外，他更有一个“桃花流水窅然去，别有天地非人间”的世界。让孩子多读些诗吧！

特别提示

应该珍惜童年时代的背诵，不要让孩子把时间浪费在一些平庸之作上。

学古诗要防止的，恰是“过度解释”。大量的朗读和背诵仍然是学习古诗词最经典的方法，这是我国传统的语文教学方法，这个方法最简单也最有效。

孩子之所以能对学习古诗有长久的兴趣，在于家长从来不把背古诗当作一项单方面加给她的任务，而是当作共同的爱好，一起来慢慢享受。

不要让孩子给别人表演背诗，不要当着孩子的面对别人说他背会了多少诗，这样才能让孩子对诗歌抱有单纯的心境，也才能产生真正的好感。

现在有很多不错的古典诗词选读本，一般都有较完备的注解，读懂应该没有问题。可以多买几个版本，挑自己喜欢的去读，对照着去理解。有的句子暂时读不懂也没关系，以后读得多了自然会懂。况且对诗歌的理解本来就是多元的，不一定要寻求什么标准解释。

只要你能经常和孩子一起去读去背，这方面修养自然会加深。孩子的感悟多半比你更好，他在简单的诵读中，也会有好多收获。家长和孩子一起去学习，是件非常奇妙的事情，更容易唤起孩子的兴趣，也会让双方都有很强的成就感。

第二章　把学习做成轻松的事

让孩子识字不难

她在很短的时间里突然认识那么多字，实际上是个非常简单而自然的过程，是一个量变到质变的必然。这个现象的发生，最终还是得益于教育，是家长有意无意间施行的一种正确教育方法收获的成果。

圆圆并不是那种两、三岁就能认识几千字的“神童”，我也从没刻意教过她认字，没给她做过一张识字卡。但就在她过完六周岁生日，离上小学还有半年多的时间里，她给了我们一个惊喜——突然间认识了那么多字！

她不再缠磨着要我给她讲故事，小小的人，居然自己拿本书象模象样地看起来，读得津津有味。我拿一本新来的《米老鼠》杂志让她读给我听，她真的连猜带蒙地读了下来。我真诚地表扬了女儿，夸她读得好。

第一次体会到识字带来的阅读乐趣，她独自看书的兴趣越来越浓。通过阅读，又认识了不少字，这样一种良性循环，使圆圆的识字量陡增。以至几个月后，到她上了小学一年级，阅读语文课本对她来说已经是小菜一碟了。

记得她第一天做小学生，从学校背回一书包课本。回到家，把新书一本本掏出来放到餐桌上，满脸兴奋之色。爸爸找来一本旧挂历给她一本本地包书皮，她就坐在爸爸旁边，兴趣盎然地把语文书从头到尾读了一遍。听着她朗朗的读书声，我很欣慰地知道，小学生要面对的“识字关”，女儿已在不知不觉中轻松迈过。

圆圆在刚入小学时就能达到一个三年级孩子的识字量及阅读水平，这看起来像个小小的“奇迹”，让老师感叹，也让我惊喜。但我心里非常清楚，圆圆是个极为平常的孩子，她在很短的时间里突然认识那么多字，实际上是个非常简单而自然的过程，是一个量变到质变的必然。这个现象的发生，最终还是得益于教育，是家长有意无意间施行的一种正确教育方法收获的成果。

我想在这里把我的做法谈一谈，目的是让更多的孩子像圆圆一样，轻松识字，早识字。这不仅对于学前或小学识字阶段的孩子有意义，也可能对他一生的学习都产生深远的影响。

我的做法谈起来实际上非常简单，就是从我第一次拿起一本书给她讲故事时，就不“讲”，而是“读”。即不把故事内容转化成口语或“儿语”，完全按书上文字，一字字给她读。

我想，对于白纸一样纯洁的孩子来说，任何词汇于他都是全新的。我们认为“通俗”的或“不通俗”的，于他来说其实都一样。“大灰狼悠闲地散步”和“大灰狼慢慢地走路”，在刚学说话的孩子听来，并不觉得理解哪个更难。我们最初灌输给他什么，他就接受了什么。有的家长给孩子讲故事时，怕孩子听不懂，把书面语转化成通俗的口语，这其实没必要。正如一个从小讲汉语的人面对英语时会有为难，而一个从小听英语的孩子却从不觉得听英语是件困难的事一样。所以千万不要担心，孩子天性中对任何事情都充满好奇，给他“读”或给他“讲”，对他来说同样有吸引力。

我给圆圆讲故事始于她一周岁前，不知最初给圆圆读书时她听懂没有，但我每次给她读书时，她都听得如醉如痴，明亮的双眸里充满愉悦的光泽。我给她买的书被我们一遍遍地读着，每次我都一字字指着读，到圆圆开始说话，就跟着咿咿呀呀地鹦鹉学舌，越来越能把妈妈给讲的故事一句句地背出来，还经常自己装模作样地读书。

清楚地记得在圆圆一岁八个月时，爸爸的同事来串门，圆圆站在叔叔身边给自己讲故事，很投入地读着《丑小鸭》。她用小手指着书上的字，一字字读到：“小鸭孤零零的，无精打采地走到河边……”她一页页地翻着，“读”得基本上一字不差。叔叔见状大为惊奇，以为她识字。我笑说，哪里，她把我给她读的内容都背会了。她当时肯定没有文字的概念，估计她当时并不知道嘴里的念念有词和手指所指有什么关系，只是在机械地模仿妈妈讲故事时的声音和动作。

就这样，我一直以“读”的方式给圆圆讲故事，并注意声情并茂。随着她慢慢长大，我发现以“读”代“讲”丝毫不影响她的理解，还丰富了她的语言词汇。她在说话间总是能找到恰当的词语来表达，很少有小孩子那种想要表达却不知如何说，或者词不达意的困难。

而且，在这个过程中，她开始认识一些字了，这使我确信了“读书”的好处。于是又进一步，从由我指着一个字一个字地读，改成由她指着我来读。她指到哪，我读到哪。逐渐地，圆圆理解了文字的作用，把故事与文字联系到了一起。文字在她的眼里一点也不空洞枯燥，文字是有内容的，文字就是故事，是有趣而生动的。

同时，当我们带她到公共场所时，总是不失时机地指给她一些文字看，比如在火车站我给她读“禁止吸烟”，告诉她这里人很多，空气不好，这个牌子告诉大家不要在这里吸烟；逛动物园时一起读指示路牌，然后我们就找到了想要看的动物；进了百货商场，先一起看购物导示牌，顺利地直奔我们要去的楼层。

天长日久，圆圆养成一种习惯，看到字就想读出来。每次我带她乘公共汽车时，她都会一路不停地读着马路两旁看到的店铺名和广告牌，不认识的字就问我，我也总是兴致勃勃地和她一起读那些招牌，读到一些有趣的店名，我们还会一起谈论一下。

没统计过圆圆在什么时候认识了多少字，凭印象，她在五岁以前认识的字都是零零散散的，不会自己看书，总是由我来给她讲。五岁后，在很短的时间内——也许是某个偶然因素促成，比如说她要妈妈给讲故事，而妈妈说没时间，你先自己看吧，于是她开始自己看书了。对书中内容的强烈好奇，使她顾不上文字的生疏，囫囵吞枣看个大概，好奇心得到了满足。我及时夸奖她识了那么多字，会自己看书，再把她不认识的字给她读一读，这个故事就被她吸收了——她从完全个人的阅读中获得了极大的乐趣，自此有点一发不可收的势头，书越读越多，字也越认越多。

圆圆到小学二年级后，阅读能力就相当于中学生的水平。当班里绝大多数同学还在把主要精力用于学习生字的时候，她已开始一本接一本地读长篇小说了。当然她也常常读错别字，以至于我们戏称她为“白字大王”。我提醒她遇到不认识的字就问爸爸妈妈，她因为急于读故事，不影响理解的字一般都不问我们，我们也不在意，随她的便。事实上，读得多了，许多“白字”自然就解决了。

到圆圆十周岁小学毕业时，她已读完了金庸全部的武侠小说，十四部共约

三、四十本；郑渊洁系列童话故事数本；此外还有外国名著如《简爱》、《鲁滨逊漂流记》及中国古典名著《红楼梦》等，其它零散的儿童文学书籍以及各类报刊杂志则不计其数。

由于圆圆读的书多，理解力好，所以其它各门功课也都很优秀，学习上始终很轻松。她读完小学二年级，直接读小学四年级，仍然是班里成绩最优秀的学生之一。她在班里岁数最小，但她做事的成熟度及认识问题的水平，却仿佛比实际年龄大几岁。

圆圆上小学四年级时，我给她买了一本繁体字竖排的儿童版《中国通史》，十六开本，约一寸厚。我们经常抽时间一起读，因为繁体字她不认识，开始时还是我一字字指着给她读。这本书读到有一半时，繁体字于她基本上就不再是问题，后半部分她就自己读了。她现在看一些港台及海外出版的汉语资料，觉得很方便。

在2008年召开的全国人大代表会议上，有一位代表提议应该让小学生学习繁体字，多家媒体对这一提议进行了报道。这位代表的想法很好，但我忧虑的是，如果这一想法被贯彻到学校教学中，让孩子们用现行的常规识字方法学繁体字，小学生真的要被累死了。

现在小学生学业负担重，除了由太多“课外班”带来，更主要地，是不正确的教学方法所带来的。孩子们学生字的途径基本上限于课文，每个生字动辄写十遍二十遍，孤立地去认去写，这使孩子们付出了非常艰辛的劳动，却得到很少的成就。写简化字尚且把孩子们愁得要命，写繁体字……孩子们要知道了，肯定反对这个提议。

繁体字不是不可以学，最重要的是怎样轻松地学。

在对圆圆的教育中，我深深地体会到，把学习生字融汇在日常生活中，建立在大量的阅读基础上，是非常有效的教育方法。不仅孩子学起来轻松，大人实际上也轻松，事半功倍。

每当我看到有的家长洋洋得意地宣称他尚处于学龄前的孩子认了多少字或多少英语单词，而他的方法是就制作一大堆卡片或把英语单词贴得满家，我总是有些担心，这样行吗？

现在还有许多“早教机构”，他们所谓的“早教”其实就是让孩子认识一些字或字母和单词。学习的过程可能弄些花样，有的是扮演“字母角色”，有的是一起大声喊出某个音节，实质也是孤立地学字词。我怀疑，这样的课程，对孩子们有意义吗?

美国著名心理学家奥苏贝尔（D. P. Ausubel）在教育心理学中最重要的一个贡献是提出“有意义学习”，这是一个和“机械学习”相对立的概念。他的重要论断是：有意义学习才是有价值的。依据他的理论，无意义音节和配对形容词只能机械学习，因为这样的材料不可能与人的认知结构中的任何已有观念建立实质性联系，这样的学习完全是机械学习。所以是低效学习。①

前几天又从报纸上看到一个消息，说一个四岁的孩子能认得两千汉字。原来是他的爷爷把字词贴了满家，每天让孩子认。学外语的人都知道，如果孤立地背单词，忘得很快，但如果把单词放到语境中学习，效果就非常好。所以孩子如果认了好多字，却不会专注地读一本书的话，那是很不妙的一件事。把识字和阅读割开了，可能早早地破坏孩子识字的兴趣和自信心。

学习中如果再加上炫耀，那是最坏的，恐怕只是在制造一个漂亮的肥皂泡吧。

卢梭说：“人们在煞费苦心地寻找教读书写字的最好办法，有些人发明了单字拼读卡和字卡，有些人把一个孩子的房间变成了印刷厂。真是可怜！”②

和谐合理的方法往往是美的，也是有效的；坏方法则把原本简单的事变得复杂、低效；我们在儿童教育中，要特别注意寻找好方法，不要想当然地用坏方法去教孩子。

---

① 陈琦，刘儒德主编，《当代教育心理学》，北京师范大学出版社，1997年4月第1版，86页。

② （法）卢梭，《爱弥儿》，李平沤译，人民教育出版社，2001年5月第2版，134页。

特别提示

从我第一次拿起一本书给她讲故事时，就不“讲”，而是“读”。即不把故事内容转化成口语或“儿语”，完全按书上文字，一字字给她读。

逐渐地，由开始的妈妈指着一个字一个字地读，改成由孩子指着，妈妈来读。孩子指到哪，妈妈读到哪。这样慢慢地使孩子理解了文字的作用，把故事与文字联系到了一起。

当我们带她到公共场所时，总是不失时机地指给她一些文字看，比如在火车站我给她读“禁止吸烟”，告诉她这里人很多，空气不好，这个牌子告诉大家不要在这里吸烟。

读得多了，许多“白字”自然就解决了。

把学习生字融汇在日常生活中，建立在大量的阅读基本上，是非常有效的教育方法。不仅孩子学起来轻松，大人实际上也轻松，事半功倍。

孩子如果认了好多字，却不会专注地读一本书的话，那是很不妙的一件事。把识字和阅读割开了，可能早早地破坏孩子识字的兴趣和自信心。

开“小卖部”

如果把学习做成一颗酒心巧克力，孩子如何能不喜欢；如果把学习做成一颗牛黄解毒丸，孩子又如何能喜欢？

我发现，和孩子玩“开小卖部”，是一项非常好的活动，通过这个游戏教孩子学加减乘除，可以有效地促进孩子的数学运算能力，是一种真正寓教于乐的学习方法。

在圆圆4岁左右，我有一段时间教她学计算，开始采用的就是掰着手指头做“2+3”等于几这样的方法。她开始还挺喜欢做，时间稍长就表现出厌倦了。我就想，能有什么方法让孩子又能学计算，还有兴趣呢？

那时候社区超市还没出现，各居民点一般都会有一两家“小卖部”，圆圆很喜欢和我一起去小卖部买东西。我每次都让她去告诉店主买什么，并让她把钱递给店主。当时只是为了让她学会做事，学会自然地和人打交道。没想到这让她很小就对钱的作用有概念了。

有一次圆圆和我从小店买东西出来，带出满眼羡慕的神情，说她长大要开小卖部。我问为什么，她说咱们买东西要花钱，开小卖部的人就不用花钱。我后来发现她和邻居小朋友在一起玩开小卖部的游戏，互相扮演店主和顾客，扮店主的人总是很有几分得意。看来她满心想做个小店主，由此我想到和她玩开小卖部的游戏。

圆圆做了掌柜的，我和她爸爸当然就是顾客。我们拿一些东西给她在地下围出一个“小店”，并摆上各种“货物”，货物有真的，有替代品（比如她最喜欢吃的雪糕就得找替代品），只要她明白就行，然后我们轮流光顾她的小店。

我们认真地浏览她的商品，选定要买什么，问她多少钱，有时还要讨价还价一下。付款时，一般情况下都是需要找一些零钱回来的，比如买一根筷子六角钱，我们一般会给她一元钱，这样她就得找四角钱出来。

开始时都是她自己定价，小孩定价，无论大小都是一个比较整、比较简单的数字，比如1元、200元等。她一般不用“1.40元”或“203元”这样的定价来为难自己。

玩过几次后，我们就暗暗地把她往稍复杂些的计算上引。

比如雪糕原来卖1元一支，我们就建议说，这几天雪糕涨价了，每支一块二了，你这里要不要涨价啊，涨价可以每支多赚两毛呢。然后我们给她两元钱或五元钱，这样她的计算就比较复杂了。

圆圆开始时不喜欢这种有零头的定价，这给她的计算带来麻烦了。我就在带她到外面小卖部买东西时，让她注意一下小卖部商品定价基本上都有零头，于是她的“价格”都变得有零头了。

开小卖部的计算难度上升时，过渡应自然，这样会保持孩子的兴趣。

我们开始时一般都是玩100元以内的加减法，稍后就给她一些建议，认为某个东西应该很贵，可以把价格定到三五百元。我印象中圆圆在四岁左右时，可心算500以内的加减法，这基本上是通过“做生意”学来的。

开小卖部游戏大约一直玩到圆圆上学二、三年级。她学习乘法和除法时，我就暗暗在游戏中加进了相关知识，比如一根铅笔9分钱，我要求一下买8根；或者一包饼干4元钱，里面有10块，而我只想买3块。这样，她就得动用她的乘除法知识来计算了。

“开小卖部”的过程就是孩子不停地做“应用题”的过程，这对孩子有很好的数学启蒙效果。数学教育不要一下把孩子拉到抽象的数字上，不要拿一些干巴巴的枯燥的计算来为难孩子。要让孩子在游戏中感受数字，让他体会到计算不是抽象的东西，是存在于周围生活中的有用的东西，和我们的日常生活密切联系着。

圆圆读小学一、二年级时，当别的同学在抽象的数字里苦苦挣扎时，她却对每个题一眼看透，觉得那些题都太简单了。

圆圆读完二年级直接上四年级，当时学校的教导主任有些担忧。说三年级是比较关键的一年，这一年的学习内容较难，尤其是数学。于是我找来三年级上下两册数学课本，用十天的时间和圆圆一起学了一遍，她掌握得很好，开学后和一些上过三年级的孩子一起考试，她的成绩最高。

并非圆圆是什么特别的天才，而是相关知识她在“开小卖部”时早已用过了。当“店主”动的脑筋，使她的数学思维能力大大提高，学起课本来就十分轻松。

儿童身上有一种喜好模仿成人生活的天性。我记得自己小时候玩摆家家，特别快乐。我想，圆圆“开小卖部”的感觉一定和我玩摆家家时的感觉一样，只是她不知道自己在玩的过程中已学习了计算。

所以，学习为什么非得是“苦的”不可？学习也可以在快乐中进行。而且，在快乐中进行的学习会让孩子学得更好。我们都希望孩子喜欢学习，如果把学习做成一颗酒心巧克力，孩子如何能不喜欢；如果把学习做成一颗牛黄解毒丸，孩子又如何能喜欢？

在玩“开小卖部”游戏时要注意几个问题：

首先是不要把用意告诉孩子。

玩这样的游戏，在家长这里是为了让孩子学会计算，如果你把这个目的告诉孩子了，或被他察觉了，孩子就会失去游戏的兴趣。要让孩子觉得这仅仅就是个游戏，只是为了玩。大人在和孩子玩时，要拿出认真而单纯的心态，把自己当成孩子一样投入地去玩，不要在这个过程中有任何说教，更不要因为孩子算错账训斥孩子。

其次是避免造成孩子不好意思。

我们在和圆圆玩时，刚开始圆圆对什么东西定多少价没感觉，完全是随意报数字。比如她把一小块“蛋糕”定价成 100 元，她爸爸就很夸张地说“啊，这么贵啊！”她爸爸是为了制造气氛，以他所熟知的市场价格来感叹，可他的口气把圆圆吓住了。圆圆从爸爸的口气中感觉自己定的价格太离谱，有些不知所措。再问到下一个东西的价格时，她报价时就有些胆怯和不安，犹豫地说出一个数字，然后等待大人的反应，试探定得对不对。这样玩下去，孩子的注意力就不能集中在玩耍上，时间稍长就会感到紧张和厌倦。我赶快出来打圆场，告诉她爸爸说这块蛋糕做得特别香，就值这些钱。

事后我告诉圆圆爸爸，以后无论孩子定价多少，都不要那样大惊小怪。不要以你的生活经验来干扰孩子的思维，孩子并没有市场价值概念。我们只是为了让她学会计算，不是为了让她学会做生意，所以她怎样定价并不重要。她完全可以把一斤米定成200元，也可以把一个金戒指定成4角钱。

第三是不要让计算为难孩子。

家长要记住的是，这是个游戏，不是数学课。家长可以通过“买卖”发展孩子的计算能力，但不可操之过急。在游戏中要把孩子的乐趣放在首位，学习放在第二位。计算的难度可以慢慢提高，但不要让太难的计算干扰乐趣。如果孩子在买卖中屡屡感到计算的困难，他就会有受挫感，就会失去兴趣。

第四是不强迫孩子玩。

不要为了让孩子学习而频频地玩同一个游戏。这个游戏我和一些人讲过后，就有人回家天天和孩子玩。开始孩子还有兴趣，但连玩三天后就不想玩了，家长就左说右劝地要玩。

也有那样的时候，刚开始玩，一笔生意还没成交，孩子就因为什么原因突然不想玩了，这时家长也不要强迫，只要孩子表现出不想玩了，就要立即停止，以免败坏了孩子对游戏的胃口。如果家长在游戏中表现得太积极，还容易让孩子察觉你的用意。

第五是尽量用真钱。

我开始和圆圆玩时，不想用真钱，觉得那样不卫生，就用一些纸片写上面值来玩。但发现孩子对假钱没兴趣，小孩子一旦意识到钱可以换来想要的东西时，她就会对钱情有独钟。用真钱可以让她在玩耍中更投入，玩罢注意洗手就是了。

写到这里我想到，如果把孩子每一次“赢利”记录下来，并且把她赚的钱另存起来，给他买东西时就用这笔钱，可能会更好地刺激他玩耍兴趣。这一点在圆圆小时候我们没做，只是猜测这样做会更好。

第六是增加游戏变数，尽量使每次游戏略有不同。

一般来说孩子愿意做“店主”，尤其是开始时。玩过几次后，为了保持游戏的新鲜感，可以和孩子互换角色，让孩子再回到顾客的身份。无论谁扮顾客，都可以扮不同的角色，或形成不同的组合，有时是老爷爷老奶奶，有时是小朋友，有时是医生或教师。不同的身份有不同的事情和需求，这样就会有很多故事产生。还可以让家里的各种玩具参与进来，如毛绒小狗和小熊等来买东西，当然是有人替代它们说话和付钱。

我们和圆圆除了“开小卖部”，还“摆菜摊”。她有时也愿意当菜市场小贩，我们就用小纸片画上各种蔬菜水果，或找来各种替代品，和她玩卖菜。为此特意到中药房给她买了一杆小秤，因为当时市场上小贩们用的都是有砣有杆的手提秤。

“开小卖部”给出的启示是：和生活结合的学习效果更好，源于生活的教育可以无处不在。

教孩子学习并不一定需要坐在书桌旁，只要有心，处处能发现教育的机会。比如，最早教孩子从1数到10时，如果你只是口头反复念叨这些数字，孩子听到的只是音节，他其实不知道这些音节代表什么，也就不理解这些“1、2、3、4”是什么东西。如果在抱着孩子上下楼时，每次都边走边数台阶；打开一盒巧克力时，一定是先数数里面有多少粒然后再吃。总之，凡念叨“1、2、3……”时，总和一个具体的事情联系在一起，孩子就记得更快，并且建立起数的概念。

我清楚地记得圆圆两岁半时，有一次爸爸从外地回来，给她买了一组6个娃哈哈乳酸奶。她上午喝了一个后，我把剩下的放起来了。下午她突然问我：“那5个娃哈哈在哪儿呀？”她居然知道还有5个，这令我有些吃惊。当时她还不会做加减法，她这时数的概念应该就是来源于我经常和她“1、2、3、4……”地数各种东西吧。

孩子进入学校教育后，仍然可以通过“活动”学习功课。我发现让孩子当“小老师”给家长讲课是一种不错的活动。

圆圆刚上小学时，老师教他们学拼音，我为了让她能尽快掌握，就对她说，妈妈小时候没好好学拼音，我的老家讲方言，老师教我们拼音也不标准。你在学校学了拼音，晚上回来教教妈妈行不？我说得很诚恳，圆圆一听很高兴，说行。然后她就每天把自己学到的东西回家教给我，我也认认真真地听她给我讲，认真地学。

玩“小老师”时我注意了这样几个问题：

第一，在设计这类活动时要“赋权”，让孩子“掌权”。

做小老师和开小卖部一样，都是让孩子在实践中运用知识、学习知识。它们还有一个共同特征，就是让孩子觉得自己“有权”了，这也是为什么这样的游戏能吸引孩子的一个原因。所以在这类活动中要让孩子成为活动的主角和主动者，不要让他在活动中感觉自己被动、受大人指使。

第二，要选择那些答案或内容比较确定的东西让孩子来讲。

语文方面我只让圆圆教过拼音，因为语文学习是开放式的，孩子不好讲，讲了也没什么意义。我让她讲的一般是数学，因为数学具有封闭式的严谨。同时还注意的是，讲课这个事不适宜经常做，一般是暗暗观察孩子的学习，只有发现哪一段时间她掌握得不太好，才会让她给我讲课。这也如同“开小卖部”一样，不要让孩子在活动中感到厌倦，要想办法保护兴趣。

第三，家长提出要求的方式要自然，不能总用自己小时候没学好这一个借口。

比如有时候我会从她作业本上找到一个错误，而这个错误是因为她在概念上不太清楚所致，然后我假装惊讶地说“这道题好像做对了，老师怎么给打了错呢?”于是我招呼圆圆，看看是她做错了，还是老师判错了。在这个过程中，我既要装糊涂又要引导她往正确的方向思维，圆圆为了搞清楚是自己错了还是老师错了，她也会认真地和我一起来分析，重新思考概念。结果当然证明是她把题做错了，但她至少纠正了妈妈的“错误”，这同样让她有成就感；同时，之前没把握好的概念也基本上把握了。

第四，不要在这个过程中挑剔孩子讲课的毛病，更不能嘲笑他讲课中的错误。

家长既然做学生，就一定要拿出诚意，认认真真听孩子讲课。和开小卖部一样，不要让孩子察觉你的用意，否则他只是觉得父母用这种方式来考察他，就不会感到自豪，也就不会有兴趣。如果孩子的思维或陈述有错误，要委婉地讲出来，或用启发的方式引导他往正确的方向思考。千万不要让孩子觉得因为自己讲得不好而感到丢面子。这个过程中家长只要有一点教训或嘲弄的意味，孩子就会特别沮丧，失去讲课的自信。一定要让孩子在这个过程中体会到成就感。

我在2004年听到当代著名教育家、时任北京四中校长的刘长铭先生的一个演讲。他在出任校长前是该校一名优秀的物理老师。他讲到自己在担任物理教师时，他的学生有谁在考试中哪道题出了错，他就会让这个学生把这道题重新做了后，再给全班同学讲一遍——“做一遍”和“讲一遍”的效果是全然不同的。能清楚地讲一遍的东西，它必定包含着认真的思考，并已经被清楚地理解，然后才能清晰地讲出来；讲过的东西会更深地印在大脑中——如果说“做一遍”只是再一次学习，“讲一遍”就已成为一种实践，这对学生们来说也是一项知识应用活动，能让他们掌握得更好。

这项活动在家庭中也可以应用，当家长想给孩子辅导功课时，你不如让孩子给你“辅导”一次功课。当然你要想办法把事情做巧妙了，能让这项活动自然发生，而不要让孩子感到紧张和别扭。

我听一位家长说他儿子刚上高中时数学不好，遇到问题轻易放过，不肯钻研。他看了孩子的数学课本，觉得那些内容已超出了自己的知识范围，自己也辅导不了。按一般人的思路，是给孩子请个家教，或报个课外辅导班，但他考虑了别人的辅导水平及方便性，觉得自己学会了再来辅导儿子更好。于是他开始啃儿子的数学课本。儿子当时的数学水平好歹比他强，他有不懂的地方就问儿子。孩子在讲的过程中也有许多不清楚的地方，他们就一起去研究，研究不通的就让孩子去学校问老师或同学，回来再给父亲讲。做父亲的当学生不是做样子，他是认认真真地学习。当他发现自己的数学水平大有提高时，儿子的数学成绩也进步明显，而且孩子学会了对问题进行追究，不再像以前那样有问题放着等别人来告诉他，比上补习班的效果好多了。

总之，家长们与其在孩子的考试分数上操心，花钱花力气，单方面逼着孩子学习；不如用些心思，设计和制造一些包含有相关知识的事情来让孩子去做，让孩子有机会运用他所学的知识解决一些实际问题。实践是最好的“课外补习班”。

除了上面例举的“开小卖部”、“当小老师”，肯定还能找到不少方式。比如家长结算家庭财务账时，托辞说计算器坏了，请上小学的孩子帮忙用笔计算一下；电器坏了，可以和物理课上学过电学的孩子一起运用他的知识去尝试修理一下。尤其是从孩子的兴趣中找到需要把握的知识，把他的兴趣和活动设计到一起，那是最好的。

伟大的教育家苏霍姆林斯基认为，“儿童学业落后的原因，就在于他没有学会思考。周围世界里的各种事物、现象、依存关系和相互联系，没有成为儿童的思考的源泉……让实际事物教给儿童思考——这是使所有正常儿童都变得聪明、机敏、勤学、好问的一个极其重要的条件。”①

美国著名教育家杜威的核心教育思想，即少年儿童应该从生活中学习，在做事中去学习，而不是在书本里学习。他认为教育中永远成功的教学方法就是“给学生一些事情去做，不是给他们一些东西去学。”②

所以，当家长想要孩子的学习进步时，不要忙着把孩子拉到书本上，拉到课外班里，应该创造些机会，让孩子运用他所学习的知识解决一些问题。无论学什么，如果我们为孩子创造出了“开小卖部”的实践机会，那孩子多半就不会为学习苦恼了。

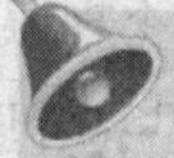

特别提示

在玩“开小卖部”游戏时，大人要拿出认真而单纯的心态，把自己当成孩子一样投入地去玩，不要在这个过程中有任何说教，更不要因为孩子算错账训斥孩子。

在游戏中要把孩子的乐趣放在首位，学习放在第二位。

数学教育不要一下把孩子拉到抽象的数字上，不要拿一些干巴巴的枯燥的计算来为难孩子。要让孩子在游戏中感受数字，让他体会到计算不是抽象的东西，是存在于周围生活中的有用的东西，和我们的日常生活密切联系着。

孩子进入学校教育后，仍然可以通过“活动”学习功课。让孩子当“小老师”给家长讲课是一种不错的活动。当家长想给孩子辅导功课时，你不如让孩子给你“辅导”一次功课。

家长们在设计这类活动时要想办法“赋权”，让孩子“掌权”，成为活动的主角和主动者；不要让他在活动中感觉自己被动、受大人指使。

---

① （苏）苏霍姆林斯基，《给教师的建议》，杜殿坤编译，教育科学出版社，1984 年 6 月第 2 版，326 页。

② （美）杜威，《民主主义与教育》，王承绪译，人民教育出版社，2001 年 5 月第 2 版，169 页。

被魔杖点中的孩子学习能力强

小学，甚至初中，没有真正的学业落后，也不存在绝对的成绩优秀，一切都是可逆转的。使情况发生逆转的神奇力量就是：课外阅读。

有一根“魔杖”，它确实是有魔力的，哪个孩子一旦被它点中，就会变得更为聪明，在学习和才能上更有潜力。这个“魔杖”是什么，谁能有幸被它点中，这一定是许多人想知道的——请原谅我的故弄玄虚，我不是在讲童话，是在作一个现实的比喻，因为想不出比它更贴切的比喻了。

让我绕得稍远，从四个孩子的真实故事说起。

我曾和某小学五年级一个班的同学有过较长时间的接触，对这个班的学生都很熟悉。班里有四个孩子，我总不由自主地在心里把他们分为两组，然后放到一起进行对比。

先说前两个孩子，一个叫晓菲的女孩和一个叫小壮的男孩，这两个孩子都学习努力，考试成绩中上等，性格上既不张扬也不内向，上课不捣乱下课不惹是生非，在班里属于那种既被老师喜欢又容易被遗忘的人。

另一组是两个男孩子，一个叫博一个叫成。博是个极为出色的学生，门门功课优秀，工作能力强，还特别有思想有见地，他是我见过为数不多的几乎找不到缺点的那种孩子；成这个小男孩优缺点都明显，总不好好完成作业，成绩中等，但口才极好，总是表现得懒散，不过并不扰乱纪律。

这四个孩子引起我的注意和对比，是从他们的作文开始的。前两个孩子，晓菲和小壮的作文我看过，字写得虽不舒展但比较整齐，可写作水平很差，内容贫乏，有许多语法错误，错别字也比较多，这和他们平时还不错的考试成绩有较明显的差距。他们每篇作文都被老师要求改来改去，他们认真地改着，一遍遍地抄着，但拿第四稿和第一稿对比，仅能看出改动痕迹，看不出进步；翻到下一篇作文，水平照旧。又翻了他们其它的作业本，都分明能感受到这俩孩子的努力和他们学习能力上的力不从心。

我基本上能判断出他们是哪里出了问题。

找这两个孩子谈过话。问他们的共同问题是：你经常读课外书吗？晓菲听我这样问，很不自在，告诉我说，她很想读，但她爸爸不允许，怕影响她学习，就把家里她可能看的书都锁起来。她家有一份订报纸赠送的《读者》，她很喜欢这个杂志，但每期来了，父母都想办法藏起来不让她看。小壮则表示他不喜欢读课外书，除了几本漫画书，从来没读过其它什么书。

我想这两个孩子这样下去真是可惜了，他们是这样听话，舍得用功，本该在学习上表现得更出色。于是分别约他们的家长谈了一次话，目的是希望他们关注孩子的课外阅读，从课外阅读来解决孩子学习困难的问题。

晓菲的爸爸说，孩子每天这么用功学习，成绩才保持中上等，要是再分了心去读课外书，落到中等怎么办呢？小壮的妈妈认为让小壮去阅读是又给孩子增加了学习负担，小壮一周上六个课外班和一个乐器班，周一到周日从来不休息，他家住得较远，公交车上每天来回要两个半小时，小壮每天只能睡 6 个小时。所以他妈妈说，绝对不能再给他增加负担了。

我告诉他们，这两个孩子现在正在读小学，每次考试成绩高几分低几分不重要，目前他们的问题是学习能力不强，这才是真正的大问题，这会严重影响到未来的学习。不上那么多课外班，不强求考试成绩，让他们有大量的课外阅读，孩子才能从根本上减轻学习负担，他的学习能力才能提高，将来才能有真正的好成绩。

我尽量把问题讲得明白，他们当时也都表示认同我的建议。但后来我再和孩子们了解，一点没变。晓菲的爸爸认为是因为家里订报纸招来《读者》，引得孩子不安心学习，把订报纸的赠品改成了牛奶。小壮本身就没有读书的愿望，妈妈也不打算让他有这个愿望，只是打算再给孩子报个跆拳道班，理由是孩子整天学习活动量少，上这个班既能运动又能学习防身，一举两得，我不知她从哪里再为小壮挤出这个时间。而且我还了解到，小壮所上的几个课外班中，有一个就是作文班。

和晓菲、小壮形成对比的是，博和成的作文都写得特别好，通篇几乎没有一个错别字和病句。博的字写得整洁大气，文章中总有独到的视角和素材；成虽然字写得不好，文中不时有勾划，不整洁，并且他的各篇作文水平差异明显，有的一看就写得不认真，应付差事，但有几篇看来他是认真写的，透过杂乱的卷面细细读来，能感觉出才情飞扬，让人不由得心生赞叹。

我也和这两个孩子单独聊过，了解到他们都十分喜欢读课外书。博的家里有很多藏书，他读了很多，以中外名著、历史、自然方面的为主，远远超出了他的同龄人的阅读量；成的父母做生意一般不在家，他和爷爷奶奶一起生活，爷爷奶奶家没电脑，电视也基本上不开，他没事干只好去买很多书看。成读得很杂，动物、科幻、侦探、武侠等，逮住什么读什么。

这两个孩子不光作文写得好，各方面都应付得轻松自如。博是个好学生却不是个小学究，他喜欢足球，花很多的时间踢球；成虽然平时成绩不太好，但用他班主任的话说，这个孩子，聪明着呢，现在这个成绩是闭着眼睛学来的，他只要好好学三天，就能考班里前三名。

我离开这个班时，把电子邮箱给了孩子们，现在还和几个学生保持联系。他们现在已读初三了，马上要中考。博没给我写过信，但他的母亲一直和我保持联系，我们始终没见过面，通过网络交流过一些儿童教育方面的问题。博就读于一所市重点校，据他妈妈说博现在的学习仍然很好，基于他的学习成绩和足球水平，已被确定保送到一所市属最好的中学读高中。晓菲一直和我联系，她初中就读的是一所普通中学，师资等各方面都不太好。听她说小壮、成也在这所学校，她和小壮的学习现在只能保持中等，肯定考不上好高中；但成上了初三后着急了，懂得学习了，现在是年级前几名的学生，还评了三好生。晓菲还说，她现在越来越不想学习了，觉得学习太难了。

几个孩子在学习上的发展态势大致已水落石出。

晓菲和小壮的家长肯定对孩子心生失望，他们为孩子做了那么多，孩子的成绩却不理想，在这关键时候，不知他们又会想出什么办法来帮助孩子，基本可以肯定的是，他们更不会让孩子去读课外书了——由此，基本可以预测到的是，孩子不但眼前的中考很难取得好成绩，在接下来的高中阶段，学习也不会有什么太大起色，乃至将来，他们一生的学习状态都将是平庸而困难的。

而博和成，他们的学习能力已稳定地生成，在未来的学习生活中，他们会更具主动性和把握能力。

四个孩子的故事讲到这里，我想说的问题已清楚了。

“魔杖”是什么，就是课外阅读。它有一种魔力，不显山不露水地赋予孩子不同的能量——凡从小有大量课外阅读的孩子，他的智力状态和学习能力就会更好；凡缺少阅读的孩子，学习能力一般都表现出平淡；哪怕是写作业速度，一般来说他们也比那些阅读多的同学要慢得多。

阅读为什么对孩子的智力和学习有这么大的影响？

教育家苏霍姆林斯基对青少年阅读有很多研究，他对阅读与学习能力的关系阐述得很多也很清晰。

他说：“30 年的经验使我深信，学生的智力发展取决于良好的阅读能力”。他从心理学的视角分析，“缺乏阅读能力，将会阻碍和抑制脑的极其细微的连接性纤维的可塑性，使它们不能顺利地保证神经元之间的联系。谁不善阅读，他就不善于思考。”① 他指出缺乏阅读的坏处，“为什么有些学生在童年时期聪明伶俐、理解力强、勤奋好问，而到了少年时期，却变得智力下降，对知识的态度冷淡，头脑不灵活了呢？就是因为他们不会阅读！”相比之下，“有些学生在家庭作业上下的功夫并不大，但他们的学业成绩却不差。这种现象的原因，并不完全在于这些学生有过人的才能。这常常是因为他们有较好的阅读能力。而好的阅读能力又反过来促进智力才能的发展。”②“凡是那些除了教科书什么也不阅读的学生，他们在课堂上掌握的知识就非常肤浅，并且把全部负担都转移到家庭作业上去。由于家庭作业负担过重，他们就没有时间阅读科学书刊，这样就形成一种恶性循环。”③

现代心理学对此已有很多研究和证实。梳理心理学代表人物皮亚杰、布鲁

---

①（苏）苏霍姆林斯基，《给教师的建议》，杜殿坤编译，教育科学出版社，1984 年 6 月第 2 版，202 页。

②（苏）苏霍姆林斯基，《给教师的建议》，杜殿坤编译，教育科学出版社，1984 年 6 月第 2 版，203 页。

③（苏）苏霍姆林斯基，《给教师的建议》，杜殿坤编译，教育科学出版社，1984 年 6 月第 2 版，84 页。

纳、奥苏贝尔等人的学习理论，可以看到关键的两点：一是思维发展与语言系统的发育有密切关系，二是学习新知识依赖已有的智力背景。“阅读”是一种以语言符号为媒介，包含有丰富的、超越现实生活内容的活动，会让阅读者的“语言系统”发育得更好，同时可以让他的“智力背景”更为丰富，从而使得他们的思维能力及学习新知识的能力更强。

做个形象的比喻：学习能力的构建好比盖房子，“语言系统”就相当于工具，“智力背景”相当于工程背景（地基勘探水平、工程设计水平、工人技术水平、施工管理水平等无形但重要的内容）。有好的工具和完善的工程背景，整个盖房子过程就是件比较轻松的事，也能保证质量；如果工具和背景都差，施工质量就可想而知了。

孩子在小学，甚至初中低年级时，仅仅依靠聪明是可以取得好成绩的，但如果没有阅读垫底，年级越高越会显出力不从心。这正如简单的建筑工程对工具及背景条件要求不高，越是宏大精美的工程，对工具及背景条件要求越高一样。

我见过几位非常苦恼的家长，他们的孩子原本学习成绩不错，学习也很努力，但令人不安的是，孩子在学习上的表现越来越不如人意。每当这种时候，我总会问一下孩子从小到大的课外阅读情况。不出所料，这些孩子基本上都缺少课外阅读。与之形成对比的是另一些孩子，小时候成绩可能并不出色，但由于他们有较好的课外阅读，却能做到后来者居上，到真正想学的时候，潜力就不可阻挡了。

小学，甚至初中，没有真正的学业落后，也不存在绝对的成绩优秀，一切都是可逆转的。使情况发生逆转的神奇力量就是课外阅读。它真的像一根魔杖，越来越显示出神奇的作用。

人们容易看到孩子变化的表象：一些孩子越来越喜欢学习，成绩越来越好，就觉得孩子长大了懂事了，很欣慰；另一些孩子越来越不爱学习，成绩越来越差，就觉得孩子怎么越来越不懂事，越来越不自觉。人们很少能看到这种表象背后的一个非常重要的技术原因，那就是课外阅读。

事实是，每个孩子都是越来越懂事了。不同的是，阅读多的孩子，学习能力强，当他有意识地主动去学习的时候，丰富的语言和智力背景就来帮忙了，他较好的学习能力使他只要努力就会有成就感，这种成就感又能促使他更主动积极地去学习；而阅读少的孩子，他语言和智力背景的苍白使他学习能力羸弱，在越来越难的知识面前，在越来越多的竞争面前，他更多地体会着力不从心，他的挫折感越多，就越不自信，对学习就越没有兴趣。人是不能靠毅力和理性支撑很长时间的，他们很快表现出一路下滑，开始有意无意地逃避学习——这可能就是家长感觉到的孩子"越大越不懂事，越来越不爱学习了。"

为了让孩子聪明又学习好，父母们都在倾尽全力，从怀孕开始就忙着吃这个补那个。营养对儿童大脑发育肯定有用，但无论吃多少好东西，都只是一种加法手段。除极个别的超常儿童，所有出生后身体健康正常的孩子，他们最后在智力上的差异并不在这种物理手段上或生理因素上，而在启蒙教育上。智力启蒙最重要手段就是阅读，它是一种乘法手段，可以让儿童的聪慧以几何级数递增。

一些教师和家长不重视孩子的课外阅读，是因为他们心里总有担心，孩子光完成学校课程学习已经很忙，考试考出好成绩最要紧，读课外书既浪费时间又影响学习，不合算。这种说法等同于在说，我急于从哈尔滨到广州开会，哪里有时间等四个小时后的飞机，火车马上开了，我得赶快去挤火车——好像是那么回事，实际上全错了。

一把相同的种子，洒到地里，有的得到合适的水分和充足的日照，有的既干旱又晒不着太阳，最后差异当然会很大。阅读就是智慧的水分和阳光。

我猜测会有一种质疑被提出来，难道经常读书的人学习就一定好，不读书的就一定不好？当然不是。我们在思考一个问题或表述一种现象时，不能把它绝对化。

如果所有文化或社会范畴中的"规律"都需要像数理定律那样有100%的准确率才可被确认成立，那么所有的社会规律都将不存在，所有的对话都无法进行。世界如此复杂，每件事情都和其它事情发生着千丝万缕的联系，所以也不能孤立地看待任何一种现象。比如"喝茶能有效预防癌症"的结论，和"爱喝茶的人也会得癌症"的现象并不形成冲突，因为癌症致病原因非常多，用后者否定前者是没意义的。

我不敢说爱读书的孩子学习一定好，但我可以肯定地说，从不读课外书或很少读课外书的孩子学习一定不会出色；一伙爱读课外书的孩子和一伙不爱读课外书的孩子相比，他们的学习差异一定非常明显。

中小学生中有一种叫“偏科”的现象，似乎对这里谈到的阅读与学习能力的关系提出挑战。尤其是一些男孩子，偏爱数理化，对语文、英语等文科类科目不感兴趣，也很少阅读，数理科目成绩却总是很好。

我见过一位初中生的家长，她甚至为她的孩子数学、物理学得好，特别不爱学语文而略有沾沾自喜，可能是觉得这样显示出她的孩子聪明。我想，她的孩子如果只是不喜欢语文课本身，但读过很多课外书的话，她可以骄傲，说明孩子的潜力还是很大的；但如果孩子一直缺少阅读，对语文课的厌倦是基于一直以来的语文能力低下，那就是件比较麻烦的事，恐怕总会有一天数、理科目要受到拖累。

我认识一位市属重点中学的数学教师，他高考时数学满分，150 分的语文只打了 92 分。他原本酷爱数学，立志要当个数学家，报了北大数学系，总分不够，最后只被一所普通的师范大学数学系录取。

他说，从我这几年教书，才深切地感觉到语文的重要。我们学校每年高考前十名的同学，很少有偏科的，基本上都是文理兼佳。他说他当时没考上北大数学系很不服气，现在想来，即使考上了，语文底蕴的缺失也会影响专业学习，因为自己的思维宽度和广度比起那些博览群书的人总是有很大局限性。

所以，哪怕孩子是个特别的数学天才，你也应该关注他的阅读。比如让他去读几本数学家传记，这可能比让他多解两本习题集更能成全他的数学天才。

当然也有偏科偏向语文的，语文学得很好，作文写得漂亮，数理化学得很差。比如少年成名的作家韩寒。阅读对他们的考试成绩似乎并没有成全。

这个问题要这样理解：造成他不喜欢数理科目的原因很多，教师、家庭、天赋、同学等都可能成为影响因素。阅读当然不能强大到解决所有的问题、补救所有的不足。但有一点是肯定的，他数学成绩差，绝不是阅读造成的。这样的孩子，所幸他们喜欢阅读，无论上不上大学，他们都是聪慧的，都可以取得相应的成就。这样看，阅读于他们仍然是件幸运的事。

而那些从不读课外书或很少读课外书、数理科目学得较差、人文科目只是相对学得较好的学生，他们的情况不叫“偏科”，事实上他们的人文科目也并不出色。谁能见到一个几乎不读课外书的人在文史考试中取得了优异的成绩？这些孩子和韩寒这类孩子的情况又有很大差异。

所以，无论从哪个角度讲，阅读都是重要的。由此看来，想让一个孩子变得更聪明，是多么简单啊，让他去大量阅读吧！书籍就是一根魔杖，会给孩子带来学习上的一种魔力，能让他的智慧晋级。爱读书的孩子，就是被魔杖点中的孩子，他是多么地幸运！

特别提示

“魔杖”是什么，就是课外阅读。凡从小有大量课外阅读的孩子，他的智力状态和学习能力就会更好；凡缺少阅读的孩子，学习能力一般都表现出平淡；哪怕是写作业速度，一般来说他们也比那些阅读多的同学要慢得多。

那些除了教科书什么也不阅读的学生，他们在课堂上掌握的知识就非常肤浅，并且把全部负担都转移到家庭作业上去。由于家庭作业负担过重，他们就没有时间阅读科学书刊，这样就形成一种恶性循环。

孩子在小学，甚至初中低年级时，仅仅依靠聪明是可以取得好成绩的，但如果没有阅读垫底，年级越高越会显出力不从心。

营养对儿童大脑发育肯定有用，但无论吃多少好东西，都只是一种加法手段。除极个别的超常儿童，所有出生后身体健康正常的孩子，他们最后在智力上的差异并不在这种物理手段上或生理因素上，而在启蒙教育上。智力启蒙最重要手段就是阅读，它是一种乘法手段，可以让儿童的聪慧以几何级数递增。

一伙爱读课外书的孩子和一伙不爱读课外书的孩子相比，他们的学习差异一定非常明显。

修得一支生花笔

“不让孩子输在起跑线上”是当下家庭教育的流行语，每个家长都这样想，每个家长都会这样说，但为什么孩子跑着跑着就落后了，为什么失望的家长总是大多数？就因为儿童教育中许多输赢概念被搞错了。按搞错的概念去做事，当然会把事情弄糟。

关于“妙笔生花”这个成语有个故事，说一个秀才梦到自己的毛笔头上盛开一朵莲花，梦醒后他就一下变得才情横溢，下笔如有神了。

成语反映了人们长期以来的一个愿望，也是很多人寻求解决的一个难题：如何能写出好文章。特别是当下许多中小学生，写作文是他们最头痛的事。假如有什么办法能解决这个问题，那这个办法一定是孩子们的“梦寐以求”。

我个人从事过十多年语文教学工作和多年的文字工作，也喜欢写作。我女儿圆圆的作文一直写得不错，在我的记忆中，她从小学开始，作文本上几乎没出现过病句，错别字也很少，成绩总是很好。尤其上高中后，她的作文经常被老师当作范文，推荐给同学们看。2007 年高考时，圆圆的语文获得了 140 分的好成绩。据媒体报道，当年北京市文、理科近 12 万考生中，语文成绩达到 140 分以上的总共只有 12 人。她的作文肯定也获得了高分——这里面可能有运气的因素，但也能说明她的写作水平确实是不错的。

基于这些原因，经常有人问我，如何培养孩子的写作能力。而我总结多年来的经验，得出的却只有两个字：阅读。

我不喜欢给那些阅读经历尚浅的孩子们讲所谓的“写作技巧”。观摩过一些教师的“作文课”，总觉得那样的课不过是教师们自娱自乐的表演，对学生的写作没什么作用。人们把写作技巧这个事弄得太复杂了，总结出了那么多方法，一些完全不会写作的教师，竟然也能把“写作技巧”讲得头头是道——这也可以反过来证明这些“写作技巧”对学生没什么用处吧。

“美”和“简单”往往是同义语。学习写作也一样，最好的技巧应该是最简单的。阅读对写作来说，是最根本、最重要、最有效的“大技”；而抛开了阅读所讲的种种技巧，最多可以称为“小技”。有了大技，小技不请自来；没有大技，一切小技都没有实现的条件。

我一直重视圆圆的阅读。大约从她一岁左右就开始天天给她讲故事，也许她开始时听不懂，但她喜欢听，明亮的双眸入迷地盯着我的嘴或书，不哭不闹的。到她稍大一些，能听懂后，就不断地要求我给她讲故事，每个故事都要一遍又一遍地听。不管她要求讲多少次，我几乎从不拒绝。

每个婴幼儿都喜欢听故事，都喜欢看书。如果说有的孩子表现出不喜欢读书，不喜欢听故事，一定是由于家长没及时让他接触阅读，把最好的时机错过，孩子对阅读的兴趣被其它东西（当下主要是看电视）取代了——很多家长把这件事轻视得如同孩子不小心洒了碗饭一样，事实上这是非常大的损失。

“不让孩子输在起跑线上”是当下家庭教育的流行语，每个家长都这样想，每个家长都会这样说，但为什么孩子跑着跑着就落后了，为什么失望的家长总是大多数？就因为儿童教育中许多输赢概念被搞错了。按搞错的概念去做事，当然会把事情弄糟。

在儿童早期教育中，家长们更愿意看到那些立竿见影的效果。人们热衷于把孩子送进学前班提前去学拼音、学外语，热切期待孩子每次考试都能拿好成绩，热情地给孩子报许多个课外班，培养各种才艺，他们认为这就是在起跑线上领先一步了。

而早期阅读做没做，暂时看不出什么差异。从学前到小学毕业，甚至到初中，课外阅读少的同学如果只针对各种考试学习，常常表现出成绩方面的优越。这给不少家长带来幻觉，以为课外阅读可有可无，甚至认为它会影响学习，所以一般不会引起家长的注意。

事实上，不重视儿童阅读是早期教育中最糟糕的行为之一，从小的阅读差别才是重要的“输赢”差别。很少获得阅读熏陶的孩子，即使他们在小时候表现得聪明伶俐，成绩优良；但由于他们只储备了很少智力能源，往往从中学开始，他们就会表现出综合素质越来越平庸，学习上越来越力不从心的趋势。这方面的艰难和困惑可能会伴随他们一生。而那些阅读量大的孩子，他们一般来说不仅从小表现出聪慧，而且在学习上有很强的爆发力。就一个人一生的发展来说，他们从小奠定了良好的阅读基础和阅读兴趣，是真正赢在起跑线上的人。

具体到写作能力的培养，更是和阅读有直接的关系。没有阅读，就不可能有写作。

阅读不仅应该开始得早，而且应该读得足够多。

当前，国家通过语文课程标准规定小学生课外阅读文字总量不少于 145 万字，初中生不少于 260 万，高中生不少于 150 万。即到高中毕业，一个孩子的正常阅读量应该在 500 - 600 万字间——我感觉这是基于当前我国的实际情况给出的一个非常保守的标准——即便是这样，它也远远高于当下绝大多数学生的实际阅读量。

据一些调查数据显示，目前我国中小学生阅读量非常低，粗略估计平均阅读量应在国家出台标准的 20% 以下。

为什么这么低？一些文章分析说，这是由于高考造成功课压力太大，“阅读动力不足”。高考现在成了替罪羊，什么板子都往这里打。我认为根本原因是孩子的兴趣问题。高考为什么没让那些沉湎于游戏的孩子感觉功课压力大，从而对玩游戏“动力不足”？

中学生不爱阅读，这是做小学生时候形成的问题，小学生不爱阅读，是因为学前和上学后家长和学校都没有用心调动他阅读的兴趣。

假如家长们能及早培养孩子对阅读的兴趣，让阅读像吃饭一样，成为孩子生活中非常自然地存在着的一部分，到高中毕业读几百万字就是件非常自然的事。一个喜欢读书的孩子，阅读对他来说哪里有“压力”，他从中体会的就是吃饭或玩游戏般的简单和享受，你不想让他读他都不情愿。

圆圆从小学二年级开始读长篇小说，此后一直未间断阅读。在离高考只有

三、四个月时间的寒假中，她仍然在繁忙的学习间隙中读了大约40万字的文学作品，这对她来说不是增加了负担，而是一种放松和补充。

粗略地算一下圆圆的阅读量，到高中毕业，应该有1500－2000万字。这对爱读书的孩子来说并不算多，许多喜爱阅读的孩子的阅读量甚至能几倍于这个量。

学习语言最重要的是建立语感。圆圆的作文本上为什么从来不出现病句，因为她已千万次地见识过流畅的句子，建立起了良好的语感，积累了丰富的词汇。语感好，词汇丰富，写出的句子自然没有毛病。

大量阅读赋予孩子的，不仅是正确的表述能力，还有创作才华。圆圆的作文经常闪现出令人惊叹的才气，我甚至会产生自叹弗如的感觉。她高一时偷偷写的小说有一次被我无意中看到，文笔的流畅和老到很让我吃惊。因为我一直以来看的都是她写在作文本上的东西，那毕竟只能叫习作，不能叫创作。我当时觉得，她如果将来想吃文字这碗饭，也是有可能的。并非圆圆有什么特别的天赋，别的孩子达到她这个阅读量，也会有良好的文笔。

我国语文教育长期以来总是做得很别扭。

教学从不敢跳出语文书的框框，教师和学生都花费大量时间、精力对课文和句子进行“肢解”。段落大意、中心思想之类老掉牙的教学方法尽管一再遭遇声讨，到现在仍然是中小学教学方法的主流。每本薄薄的语文书都要无端地占用孩子们整整一学期的时间，这实在是巨大的浪费。语文教师不重视学生的阅读，把本该最有趣的一门课做成最枯燥无味的课，我不止一次地听到孩子们说，他讨厌上语文课，更讨厌写作文。

我们的先辈，汉唐宋明清那些文人墨客，他们灿若星河的名字和作品形成了人类史上怎样的辉煌文化，可他们哪个人是通过花了多年的时间去分析别人文章的段落大意中心思想、学语法、改病句后学会写作的？传统被抛弃后，我们到底供奉起怎样的一个东西，并要它来统治一代又一代孩子们的语文学习?!

几十年的事实其实已经证明，漠视课外阅读，想引导语感尚未成熟的中小学生通过学习语法写出结构正确的句子，通过分析别人的词采写出漂亮的句子，这是在绕远路，在隔靴搔痒。可以肯定的是，在缺少课外阅读的前提下，语文书教不出学生的语文水平，作文课也不能教会学生写作文。

一条数学定理一旦被理解，就成为你自己的知识，可以马上应用，取得立竿见影的效果。写作是一种开放性的、千变万化的活动，外部知识转化为自己的能力有很长一段路要走。任何写作“技巧”在理解上都没有难度，都是容易的，但吸收是难的，应用更难。尽管现在中小学作文课被讲得花样百出，许多教师在讲课上确实是花了心思的，就课堂本身来说也没什么问题，甚至可以说有些课讲得很精彩，老师在修改学生作文上也不少下功夫。但如果没有学生大量的阅读作铺垫，这些活动就是把稻种洒进了沙漠，没什么意义。

对于写作技能还比较幼稚的人，尤其对于低年级学生，学习写作一定要首先回到阅读中。好的作品中本身就包含着高超的写作技巧，阅读过程就是学习写作技巧过程。书读得多了，写作技能自然会形成——古人早就总结出来了，“读书破万卷，下笔如有神”。

通过阅读提高写作能力，表面上看这是个漫长的过程，实际上它是最经济、最有效、最省心的办法，是真正的“捷径”。

但最简单的事情往往最难做到，急功近利的心态让许多人失去判断力。很多家长一直不重视孩子的阅读，却又想让孩子在短时间内学会写作文——市场需求就这样形成了。

现在报纸杂志上不时看到能让孩子作文速成的广告宣传，什么“四维网格学习法”、“爆炸作文法”、“一周全拿下法”等。我见识过几个所谓的让孩子当场学会写作文的“能人”，他们采用一些现场调动技巧，引导学生搭起一些思路框架，以常规教学中惯用的强制性的手段推动学生填词造句，看起来效果真是不错，学生真的现场写出了一篇作文。可接下来呢，没有老师在旁边给搭架子，没有老师的强行引导，学生自己就不知所措了，既没词又没句，培训班结束后学生的水平还在原地踏步。

写作和做人一样，是个长期修炼的过程。采用一些蝇营狗苟的技巧，利用几天的功夫，绝不可能教会孩子们写作文。

前几天还有个“三天学会写作文”的工作人员给我打电话，我不知他们是从哪里得知我的情况的。他们知道我女儿圆圆语文高考成绩好，而我本人做过多年语文教师又会写作，就希望我去现身说法。我说对不起，我女儿三天学不会写作，她是用十几年来学习的。我教了十多年书，也没练出三天教会孩子们写作文的能耐来。

在这里我还特别想说的是，写作从来不仅仅是文字的事情，它更是思想认识上的事情。文字所到之处就是一个人的思考所到之处。阅读的意义不仅在于让孩子具有良好的语言文字能力，还在于它能丰富孩子的心灵世界，提高他们的认识水平。

一个从阅读中经历了古今中外各种社会生活，经历了漫长历史发展，倾听了众多智慧语言，分享了无数思考成果的孩子，他不仅在思想上更成熟，在价值观上也更完善——这是做人的根本，也是为文的条件。

那些心灵苍白，思想空洞，没有成熟价值观的人，纵使有一肚子精彩词句，他也没能力摆弄出有灵魂的作品来。许多教师和家长都在批评孩子的作文"不深刻"，可文章中的"深刻"是一个人思想认识水平的刻度，如果孩子从未或很少从书籍中分享前人的社会生活经验、他人的思想成果，以他小小的年纪，有什么办法能"深刻"呢?

每一部书都可以让孩子从中经历一些东西，学到一些东西。杜威、陶行知等伟大的教育家都特别强调从生活中去学习。而每个人的生活都是有限的，不可能事事亲自参与，阅读实质上就构成了儿童对生活的参与性，构成他们经历上的丰富性。

凡古今中外那些流芳几代的经典作品，不论它的内容是什么，其中一定包含着真善美的东西。这些真善美影响着一个人的价值观和思维方式，当然也影响着一个人的写作。你是什么样的人就会说什么样的话，你有怎样的思想意识，就会写出怎样的文字。

一个不阅读的人是蒙昧的，一个不阅读的家庭是无趣的，一个不阅读的民族是浅薄的。政府提倡素质教育，可现在一提及素质教育，人们总是想到琴棋书画类的"小技"，最恶俗的如用打高尔夫球培养"绅士风度"，用跳校园集体舞培养"艺术气质"。

为什么没有人想到推广普及阅读呢，可能是阅读不容易造势，不容易很快形成让人看得见的"成果"吧。教育部以语文课程标准的形式规定了中学生必读的 30 本中外名著，哪所学校把这当回事呢？有多少家长知道这回事呢?

无论从调查数据显示，还是从我们的常识来看，当前中小学校图书馆 90% 以上都是名存实亡的。也就是说孩子们几乎不可能从学校借到他们想要读的书。

孩子对于我们来说是唯一，他的成长不能等待，所以当下这个缺陷必须由家庭尽快弥补。家长们与其高兴了领孩子吃麦当劳，不如领着他去逛书店；与其用手机、随身听装备孩子，不如在他书桌上常放几本好书。特别是那些发愁孩子不会写作文，想花高价给孩子报速成班的家长，把那些钱用来给孩子买书吧！请花些心思，引导孩子发现阅读的乐趣，让他视阅读为一件和看电视、玩游戏一样有意思的事吧！

孩子的阅读就是最好的修炼过程，润物细无声地滋润着他的潜能，总有一天你会惊喜地发现，孩子手中的笔已不知在什么时候发芽，开出了芬芳的花朵。

特别提示

从小的阅读差别才是重要的“输赢”差别，从没有获得阅读熏陶的孩子，是真正从起点上就落后了一步。

中学生不爱阅读，这是做小学生时候形成的问题；小学生不爱阅读，是因为学前和上学后家长和学校都没有用心调动他阅读的兴趣。假如家长们能及早培养孩子对阅读的兴趣，让阅读像吃饭一样，成为孩子生活中非常自然地存在着的一部分，到高中毕业读几百万字就是件非常自然的事。

对于写作技能还比较幼稚的人，尤其对于低年级学生，学习写作一定要首先回到阅读中。好的作品中本身就包含着高超的写作技巧，阅读过程就是学习写作技巧过程。

通过阅读提高写作能力，表面上看这是个漫长的过程，实际上它是最经济、最有效、最省心的办法，是真正的“捷径”。写作和做人一样，是个长期修炼的过程。采用一些蝇营狗苟的技巧，利用几天的功夫，绝不可能教会孩子们写作文。

每个人的生活都是有限的，不可能事事亲自参与，阅读实质上就构成了儿童对生活的参与性，构成他们经历上的丰富性。

“好阅读”与“坏阅读”

应该让儿童感觉到阅读是件有趣的事，除了有趣没有任何其它目的。恰是这种“没有任何其它目的”，才能让孩子喜爱这项活动。

儿童的语言中，事情总是充满“好”“坏”之分。我现在就借用他们的话语模式，谈一下儿童课外阅读中哪些做法是好的，值得提倡；哪些做法不好，要注意避免。请允许我以孩子的口吻，简单地把前一种称为“好阅读”，后一种称为“坏阅读”。

好阅读尽量用书面语，坏阅读抛开书面文字大量使用口语。

这一点是针对在孩子还不识字，由大人给孩子讲故事阶段的阅读而言的。

家长在给孩子讲故事时，担心孩子听不懂，就尽量用通俗的口语来讲。这样做不太好。正确的方法是，从一开始，就应该尽量使用标准的、词汇丰富的语言给孩子讲故事。尽早让孩子接触有情节有文字的图书，从你给他买了有文字说明的图书起，就要给孩子“读”故事，不要“讲”故事。这一点，在本书《让孩子识字不难》一文中有较为详细的说明，这里不再赘述。

好阅读要求快快读，坏阅读要求慢慢读。

在课外阅读上，一些家长和老师犯的最无聊的一个错误就是要求孩子慢慢读，一字一句地读。这是不对的。

衡量一个人的阅读能力高低有三个方面：理解、记忆、速度。这三方面相辅相成、互相促进。

速度是阅读能力非常重要的一个方面。一字一字读的人阅读能力最低，一行一行的较好，能达到“一目十行”的最好。一目十行是个比喻，指人的阅读已达到一种非常熟练、自如的程度，阅读的视角宽，注意范围大，一次扫视可以从一行扩展到几行。

阅读必须达到一种半自动化的程度，阅读的内容才能被整体把握和吸收，才有利于理解和记忆。一字一字地读会阻碍这种半自动化状态的形成，所感知的阅读材料是零散和不完整的。

人的阅读速度既不是天生，也不是主观上想快就能快起来，且不可能用某种训练方法轻易获得。速度取决于阅读量，是在“量”的基础上自然生成的。儿童在这方面进步惊人，一个酷爱读书的小学生，他的阅读速度很快就会形成，且由于他们在阅读中想法单纯，急于知道后面的故事情节，所以速度常常超过那些同样酷爱读书的成年人。阅读量不相上下的孩子，他们的阅读速度大体相同。所以在提高阅读速度上，也不需要人为地去做什么，只要保证孩子有足够的阅读量就可以。

我女儿圆圆小学时就读完了金庸全部武侠小说，共十四部，大约三、四十本。我只给她买了一套《倚天屠龙记》，其余的都是租来看。当时租金是每本书一天 5 角钱。她开始读得慢，很快就越读越快，在天天上学的情况下，每本书只需要 1－1.5 元，即 2－3 天就读完；到了假期，则每天读一本。我估算了一下，这个 8 岁的小孩子，她当时读一本 20 万字的小说，累计阅读时间大约只需要四、五个小时。她的这个速度并非神奇，别的孩子读了那么多书，速度自然也会达到这么快。

在提高孩子阅读速度上，有一些细节要注意：

第一，不要让孩子低低地读出声来。

学校里会经常要求孩子们低声读课文，那只是读课文，不属于我们这里说的课外阅读范畴。课外阅读不应该出声。出声读，既不能很好地理解文章的意思，也不能增加速度，是一种不好的阅读方式。

第二，不要一遇到生字就要求孩子查字典。

孩子在初期阅读时，生字肯定不少，不停地查字典是对阅读的不断打扰，会破坏他的兴趣。孩子刚开始读篇幅较大的作品，原本就对自己的识字量底气不足，担心是否能读懂。家长倒是应鼓励孩子，有不认识的字没关系，只要能看懂就行。如果有些生字影响了理解，或者在作品中是关键字，可以问家长。这样让孩子觉得很便捷，阅读起来有轻松感。我见过有的家长明明认识那个字，却偏偏不告诉孩子，让孩子自己去查字典，可能是认为查字典可以让孩子记得更牢。这种做法没有意义，事实是大部分孩子在阅读过程中都不喜欢被什么事情打断。有些孩子喜欢查字典，当然也不要阻拦，重要的是尊重孩子自己的选择，让他能愉快顺利地阅读。

第三，可能的话，尽量租书看或借书看。

租书或借书可以促进孩子尽快把一本书看完。圆圆看全套的金庸武侠小说基本上都是租着看的，她为了省租金，就有意识地抓紧时间看，每本书最多借三天，到了假期一天一本。多借几天虽然多花不了几个钱，但 1 元钱左右就能读一本书这种感觉很让她兴奋，这无意中也促进了她快速阅读的愿望。

好阅读在乎读了多少，坏阅读计较记住多少。

许多家长在孩子读完一本书后，总喜欢考察他“记住了多少”。

有位家长，也听取了别人的建议，同意让孩子看课外书。孩子刚读了第一本小说，家长就迫不及待地要孩子复述这个故事，背会其中的“优美段落”，要孩子在写作中用上小说中的一些词语和素材，甚至还要求孩子写读后感。到孩子读了第二本小说，她就责怪孩子把第一本小说中的故事情节和人物忘得差不多了，认为前一本书白读了。家长这样做简直是故意给孩子制造绊脚石。这反映了家长的两个问题，一是不理解阅读，二是功利心太切。这样做的结果，只能是搞得孩子厌恶阅读。

当儿童面对一本书时，如果有人向他提出了识记的要求，他就会把注意力转移到识记上，而把阅读的兴趣放到次要的地位。一旦孩子意识到读完一本书后有那么多任务等着他，他就不会想再去读书。

破坏兴趣，就是在扼杀阅读。

应该让儿童感觉到阅读是件有趣的事，除了有趣没有任何其它目的。恰是这种“没有任何其它目的”，才能让孩子喜爱这项活动。

儿童阶段的阅读大多是童话和小说，孩子只要喜欢读，说明他已被书中的故事吸引，他和书中人物一起经历过种种事件，并最后一起迎来一个结局，这本书就在孩子的生命中留下了痕迹。具体内容根本不需要孩子专门去记忆，即使他把三个月前读的一本小说的主人公名字都忘记了，也不能说他白读了。

至于背诵作品中一些“文字优美的段落”，更是和学习语言没有必然的联系。如果段落真优美得打动了孩子，他自然会去模仿和记忆；如果“优美段落”是家长选定的，孩子不一定承认它优美，这样的背诵就没什么意义。阅读是一种润物无声的影响，在语言上也是这样。背会别人的段落不等于自己就能写出这样的段落，语言学习最重要的是形成自己的语言组织能力和风格，与其背诵一段孩子并不喜欢的文字，不如让他用这个时间多读一本书。

俗话说“内行看门道，外行看热闹”。中小学阶段的课外阅读差不多都属于“外行”阶段，孩子能看“热闹”就已很好，不经历这个阶段，也难以达到内行的阶段。家长和教师最好不要急于让孩子读了一本书就看到这个意义，体会出那个感想，记住多少东西。你对孩子看电视、玩游戏怀有怎样无功利的心态，就应该对他的阅读给出怎样无功利的言行。

阅读的功能在于“熏陶”而不是“搬运”。眼前可能看不出什么，但只要他读得足够多，丰厚底蕴迟早会在孩子身上显现出来。

事实是，家长越少对儿童提出不适当的记忆与背诵要求，儿童通过阅读掌握的知识越多。苏霍姆林斯基对此有深入研究，他发现，“人所掌握的知识的数量也取决于脑力劳动的情感色彩：如果跟书籍的精神交往对人是一种乐趣，并不以识记为目的，那么大量事物、真理和规律性就很容易进入他的意识”。①

好阅读读字，坏阅读读图。

有位家长说他的孩子整天都在读书，他给孩子的钱，孩子大多用来买书了，一套几十本，没几天就读完了，可他的孩子作文水平却很差，不知是怎么回事。

我问他孩子都读些什么书，他说基本上都是漫画书——难怪。

我对这位家长说，看漫画不叫读书，漫画不是书，漫画只是以书的形式出现的电视。你说你的孩子一直在“读书”，其实他一直在“看电视”。

---

①（苏）苏霍姆林斯基，《给教师的建议》，杜殿坤编译，教育科学出版社，1984 年 6 月第 2 版，391 页。

当下社会正处于一个“读图”时代。所谓“读图”就是看漫画、电视或电脑等，是以图像为主的接受信息方式。读图时代的到来对传统的阅读形成冲击。一个60年代出生的孩子，从小生活在信息匮乏的环境中，到上了中学后偶然遇到一本书，他会如获至宝地去阅读，他阅读的兴趣可能就此建立；但一个90年代出生的孩子，从一出生就被各种信息刺激包围，如果他童年的大部分时间是在电视前度过，他对图像会更感兴趣，图像占据了他的输入渠道，建立阅读文字兴趣的最好时光错过了，以后很难对阅读产生兴趣。

现在患“电视痴迷症”的孩子太多了，这和家长的一些观念有关。一些家长虽然也希望孩子长大后是个爱读书的人，但并不在意儿童的早期阅读，把孩子的早期阅读看得可有可无。有的认为电视里也有知识，让小孩子多看电视也能长知识；有的认为孩子没识多少字之前，先看电视，等识字多了再读书；还有的认为孩子就应该活得自由自在的，只要写完了作业，他想干什么就去干什么。他们不知道这是在错失良机，这种想法让孩子与一个好习惯失之交臂。这种损失多半会影响一生。

“读图”取代不了“读字”的作用。“读字”之所以优于“读图”，在于以下原因。

文字是一种抽象的语言符号，可以刺激儿童语言中枢的发展，并且这种符号与儿童将来学习中使用的符号是一回事，他们在阅读中接触得多了，到课程学习中对这种符号的使用就熟练而自如，这就是“读字”可以让一个孩子变得聪明的简单陈述。

而漫画、电视和电脑都是以图像来吸引人，尤其电视，这种刺激信号不需要任何转换和互动，孩子只需要坐在电视前被动接受即可。看电视当然也可以让孩子多知道一些事，但它的“读图”方式和被动接受性相对于阅读来说，在智力启蒙方面的作用微乎其微。学龄前儿童如果把许多时间都消磨在电视前，他的智力启蒙就受到损害。从进入小学开始，他的学习能力就会低于那些经常读书的孩子。

而且，习惯“读图”的孩子，已习惯被动接受，不习惯主动吸收，他在学习上也往往显现出意志力缺乏。台湾著名文化学者李敖用他一贯激烈的口气说“电视是批量生产傻瓜的机器”。

孩子“读字”的时间开始得越早越好。读书和识字量没有必然关系，和年级更没关系，随时都可以开始。儿童最早的阅读就是听家长讲故事，从父母给孩子讲慢慢过渡到孩子自己看，从看简单的连环画慢慢过渡到看文字作品，从内容浅显的童话慢慢过渡到名著等等。只要去做，这些过渡都会非常自然到来。

儿童的天性都喜欢阅读，凡那些表现出不喜欢阅读的孩子，都是因为家长没有在合适的时机给他们提供合适的阅读环境。要么是家中很少买书；要么是买了书懒得给孩子讲；要么是整天用电视机哄孩子，总之，孩子从小与阅读是隔离的。

其实“读字”并不完全反对“读图”，这两种阅读完全可以在孩子的生活中共存。我的女儿圆圆也非常喜欢各种“读图”活动，她从小到大一直喜欢看动画片，上大学了还经常看，书架里有很多漫画书，但这些不影响她的“读字”活动。她对“读字”的兴趣早就稳定地形成，她知道如何按轻重缓急，按自己的需求分配阅读时间和阅读内容。

那些从小到大，把大部分业余时间用来“读图”而不是“读字”的孩子，他的阅读其实仍停留在初期阶段，阅读所带来的一系列智力成长也不可能实现。这种损失源于他早年生活中“读字”活动没有及时出现——这是个很大的遗憾。这样一个遗憾，难道不该归咎于家长和教师，乃至全社会对儿童阅读的轻视吗？

此外提醒家长们注意的是，让孩子读正版原著，不要读“缩写本”或“缩印本”。

“缩写本”指把名著进行大量删节，变成字数、内容和语言都比较简单的改编版。我认为这是把一只新鲜苹果做成果脯的行为，至少我在书店看到的几个所谓“儿童版”《三国演义》这类的书给我留下了这样的印象。建议给孩子选择知名度较高出版社出的原版作品。

“缩印本”指总字数不减少，但把文字缩小，每页排得密密麻麻的那种书。这种书可能多半出自一些不知名的小出版社或盗版者手中。比如把一部《红楼梦》做成一本书。这样的书可能仅仅方便携带，但读起来很累，阅读感觉不好，容易使孩子厌倦；此外错别字可能也比较多。所以也不要给孩子读缩印本。

每个人都喜欢“好东西”，不喜欢“坏东西”，孩子更是把好与坏区分得势不两立，他们纯如一张白纸的生命底片上会留下怎样的痕迹，与他们成长中千万个细节的好坏有必然的联系。教育全在细节中，每个看似微小的“好”、“坏”细节，对孩子的影响都可能是巨大的。阅读对孩子的成长很重要，家长和教师要尽量给孩子提供“好阅读”，避免“坏阅读”，这也是你给孩子提供良好教育不可或缺的一部分。

特别提示

好阅读尽量用书面语，坏阅读抛开书面文字大量使用口语。

好阅读要求孩子快快读，坏阅读要求慢慢读。

好阅读在乎读了多少，坏阅读计较记住多少。

好阅读读字，坏阅读读图。

尽量不要让孩子读“缩写本”或“缩印本”。

阅读需要诱惑

在教育中，想要孩子接受什么，就去诱惑他；想要他排斥什么，就去强迫他——这是非常有效的一招。凡达不到目的，做得事与愿违的家长，一定是把方法用反了。

圆圆刚上小学二年级时，我感觉她的识字量及阅读水平已具备了再上一个台阶的可能，就建议她读长篇小说。圆圆听到这个建议的第一反应是不可思议。

她经常看到我读小说，那么厚的一本，那么多字，基本上没插图。她本能地觉得长篇小说很难读，也没意思，只能是大人读。而她在这之前读的书都是以图为主的儿童读物。我理解她的为难，就没再说什么。

考虑我书架上那些小说当时没有太适合她的，我去买了金庸的《倚天屠龙记》。以前我从没读过金庸的小说，只看过由他的小说改编的电视剧。从电视剧中猜测小说也是有魅力的，应该能为儿童所喜爱。我没对圆圆说这是为了让她读才买的，像平时拿回任何一本给我自己看的小说一样，干完活就自己去读了。

那本书确实是比较好看，有很多悬念，我每天读完了顺口赞叹一句说这本书很好看，然后有意无意地把一些情节讲给圆圆听，讲到引人入胜时就说我正读到这里，后面还不知道呢，等读完了再给你讲。

这样几次，搔得圆圆心里痒痒，看她着急，我就顺水推舟说要么你自己看去吧，妈妈没时间一下子看那么多。圆圆还是顾虑她能不能读得了小说，我就说，你试试，有不认识的字没关系，把大概意思看懂就行，哪些字影响理解，就问妈妈。她听我这样说，就开始试着读起来。

阅读是个并不难进入的过程，重要的是让孩子无所顾忌地拿起一本书，开始读了。等她读得超过我读的部分，我就经常假装没时间看，又表现出急于知道某个人后来怎样了，让她把看到的情节讲给我听，并和她一起聊这里面有趣的人和事。这让圆圆越读越有兴趣了，到读完这部书，她开始对自己的阅读能力有了信心。

读完这本书后，我和圆圆一起看了一下该书的前言，知道金庸一共写了十四部武侠小说，取每部第一个字连成一副对联："飞雪连天射白鹿，笑书神侠倚碧鸳"。这样美的文字也给了圆圆好奇，她说还想看金庸的小说。我就说这么多书要是买的话挺费钱，不如租来看吧。于是带她去租书。

这以后，她越读越多，越读越快，阅读兴趣和能力很快呈现出良好稳定的状态。一口气读完了金庸全部的武侠小说。从此发现了读长篇小说的乐趣，再往后读长篇小说就成了一件非常简单的事。

我当时的一位同事，说她儿子不喜欢任何阅读，连故事书都不读，似乎对读字有一种恐惧，作文写得很差。当妈的为此很发愁。她知道圆圆读了很多书，就特别希望她儿子和圆圆认识，受些影响，也能喜欢读书。

有一天我领圆圆到她家玩，她儿子比圆圆高一个年级，当时读小学五年级，看我们来了很高兴。

我们刚坐下，同事就对她儿子说，你看圆圆比你小两岁，人家已读了好多书，你以后也要多读些书，不能整天光是玩儿。

这种对比让小男孩显出难为情。

我赶快让两个孩子到另外一个屋玩，然后提醒同事不该对着外人这样说孩子，这样说会让孩子对阅读更没信心，而且觉得很丢面子。孩子其实是很要面子的，如果你想让他做什么事，应该恰当地对着外人流露出对他这方面的赞赏。

我还提醒她说，如果你想让孩子喜欢课外阅读，就千万不要直接要求他"读书去"，也不要总拿他爱不爱读书这事当话题来聊，更不要用阅读的事来教训他。

接下来我把自己如何"诱惑"圆圆读小说的过程对她讲了，想她应该能从中体会出一些东西来。

我们走的时候，男孩也出来送。他妈妈也许是出于客气，又对儿子说，你看圆圆已经把金庸的小说都看完了，回头我也给你租几本来看。男孩子有些迟疑地点点头。

我隐隐觉得她这样说还是不太妥当。她其实仍然在用一个孩子的强，对比另一个孩子弱，而且她的话说得实在太明白，目的性太强了，没给“诱惑”留下一点余地。

后来这位同事唉声叹气地对我说，她租了金庸的书，但她儿子就是不读，一本书三天看了三页，然后就再不肯往下看了。

我不得不坦率地对她说，你找了个榜样，却没找到激励孩子的突破口，只是用别的孩子的好，对比出了他的不足，所以没从心里打动孩子。儿童阅读靠的是对读本的兴趣，一个小孩子，怎么可能为了不比别人落后和家长的要求而去读呢！

她问我怎么办，我考虑金庸已给孩子带来压力，就说，你暂时不要再提读小说的事，他对文字那么恐惧，只能先从最简单的东西开始读起。这样吧，你先订份晚报，上面天天有一些有趣的社会新闻，这谁都爱看，是最消遣的东西。你每天看到哪条新闻有趣，就推荐给孩子读，不要多，每天一两条就够了。先引诱他读报纸，如果他能经常浏览报纸，慢慢就会觉得阅读不那么可怕，然后再想办法让他读小说。

过了几天，这位同事见我的面还是摇头，说她儿子连报纸也不肯看。我奇怪这个孩子为什么对文字这么刀枪不入。细细地了解过程后，发现家长的做法总是不得要领。这种情况下，孩子要是愿意去读才怪呢。

原来，这位同事那几天每天下班买份晚报，回家后就把报纸递给孩子。她也试图使用“诱惑”办法，就总对孩子说，读报纸有好处，这张报纸很好看，你至少要读一到两篇文章；想读哪篇读哪篇。她为了检查孩子读没读，每天要在孩子睡觉前让孩子把读过的内容讲给她听。孩子只读了几天，又开始为了读报纸和她顶牛。

这位妈妈虽然每次把该做的好像都做了，却总是达不到目的，她说她对儿子的阅读简直绝望了。

我不得不再一次坦率地对她说，你的行动中有一点“诱惑”，但实质上还是在“指令”。你规定他至少要读一、两篇，还去检查孩子读没读，这样读报纸就变成了“任务”。你要把自己放到孩子的位置上好好想想，感受一下什么才叫诱惑；如果你总是站在家长的角度上想问题，就很容易一次次地把诱惑变成指令，一次次地失去效果。

并不是所有的家长都这么一根筋，很多人一旦理解了阅读的重要，也能同时理解诱惑的重要，并会创造一些诱惑的手段。但其中不少人的手段也往往失效，因为这些手段所制造的诱惑敌不过另一个诱惑：电视机。

如果一个孩子从小建立起了阅读的兴趣，他一般不会让电视夺走自己的阅读时间；但如果孩子一直以来很少接触书籍，在电视机前长大，你想要让他半路开始阅读，那是比较难的，需要动用更多的手段。

家长绝不可以采用强行关电视的方法来让孩子读书。即使关了电视，也不可能让孩子心甘情愿地拿起书；即使他拿起了书，也不可能用心去读。有些家长问我这种情况怎么办，我给他们支过一个“歪”招，一些人用了效果很好。

我建议他们把电视机的某根线摘开，或把一个什么配件取下，使电视不能正常播放。家长假装说电视机坏了，然后找出各种借口拖延修电视的时间。少则一两个月，多则半年一年。在这段时间里，父母开始读一些书，然后适时地给孩子推荐一本有趣的书，让他在百无聊赖中发现阅读的乐趣。等到孩子真正一本接一本地开始读书了，再去“修”电视。

为了防止电视“修好”后，孩子又回到没完没了看电视的状态，家长可以利用这个契机提出看电视机的规定。并且要以身作则。

在看电视的规定上，我认为不规定时间，只规定看哪几个节目较好，这样比较好掌控。规则一旦定出来，就要执行，父母首先不做破坏者，也要少看电视，抽时间看些书，这对孩子是无言的教育。这里面的核心也是不动声色地诱惑，不要有冲突。

也许有些家长觉得这招有些“馊”，操作起来太麻烦，不如直接关电视方便。更有许多父母，他们不希望孩子看电视，对自己看电视可是一点不想限制。

不止一位做妈妈的听我这样建议，都拼命摇头，说自己晚上没事干，不看电视干什么呢；或是丈夫不会同意这样，因为丈夫工作很累，每天回家要放松。这种时候，我觉得自己黔驴技穷了。

家长要是任性而为，有什么办法不培养一个率性而为的孩子呢。你不想诱惑孩子去读书，那只好让电视诱惑孩子一天又一天地在它面前消磨时间了。

人最难抗拒的就是“诱惑”，最讨厌的是“强迫”，大人和孩子都一样。在教育中，想要孩子接受什么，就去诱惑他；想要他拒绝什么，就去强迫他——这是非常有效的一招。凡达不到目的，做得事与愿违的家长，一定是把方法用反了。

特别提示

如果你想让孩子喜欢课外阅读，就千万不要直接要求他“读书去”，也不要总拿他爱不爱读书这事当话题来聊，更不要用阅读的事来教训他。

家长绝不可以采用强行关电视的方法来让孩子读书。

在看电视的规定上，我认为不规定时间，只规定看哪几个节目较好，这样比较好掌控。规则一旦定出就要执行，父母首先不做破坏者，也要少看电视，抽时间看些书，这对孩子是无言的教育。

不看“有用”的书

不看“有用”的书，不是说不给孩子选好书，而是在选择中要以孩子的兴趣为核心要素，不以“有用”为选择标准。

有一位初一学生的家长，发愁自己的孩子不会写作文，问我怎么能让孩子学会写作文。

当我了解到她的孩子很少读课外书这个情况后，建议她在这方面加强，并给她推荐了两本小说。她给孩子买了这本书，孩子读了，很喜欢，读完了还要买其它小说来看。为此她给我打了电话，显得非常高兴。但过了一段时间，再见她时提到孩子阅读的事，她却又是一脸愁容，说现在孩子又不喜欢读课外书了，不知该怎么办。

原来她在孩子读完这两本小说后，就急忙给孩子买了一本中学生作文选。妈妈的理解是，读课外书是为了提高作文水平，光读小说有什么用，看看作文选，学学人家怎么写，才能学会写作文。可孩子不愿意读作文选。家长就给孩子提条件说：你读完作文选才可以再买其它书。孩子当时虽然答应了，但一直不愿读作文选，结果作文选一直在那里扔着，孩子现在也不再提说要买课外书了，刚刚起步的阅读就这样又一次搁浅了。

这位家长的做法真是让人感叹，她不理解小说的营养价值，也没意识到阅读是需要兴趣相伴的。她认为读小说不如读作文选“有用”。这种想法，好比是想给孩子补充维生素，却拿一盒腌制的果脯取代一筐新鲜苹果，大错特错了。

我一直不赞成学生们读作文选，所以也从不让圆圆读。她的课外阅读书籍大部分是小说，此外有传记、历史、随笔等。只是在高三时，为了把握高考作文写作要点，才读了一本“高考满分作文选”。圆圆高考作文取得了很好的成绩，也许与她研究过那些满分作文有一定的关系；但我在这里想强调的是，如果没有她十几年来持续不断的阅读，和业已形成的良好的文笔，高考前读多少本“满分作文选”也没用。

现在，不少家长不关注孩子的课外阅读，只是热衷于给孩子买作文选，订中小学生作文杂志。这是一个极大的认识误区。

我看过一些中小学生作文选和作文杂志，上面登的文章当然都还文理通顺，对于一个孩子来说，能写出那样的文字已经不容易了。但它们写得再好，也不过是些学生的习作，无论从语言、思想还是可读性上，都非常稚气。这些东西只是习作，不是创作，除了老师或编辑，谁愿意看这些东西呢。

况且很多作文大人指导的痕迹太重，说些言不由衷的话，甚至有文革遗风，八股腔调。既不能在语言词汇上丰富孩子的见识，也不能在思想上引导孩子们的进步，反而教会孩子们在写作中说虚情假意的话。拿这些东西来给孩子读，他们怎么可能喜欢呢。

不少中小学生作文选的出台非常有意思。

三两个人，弄个书号，租间民房，然后以某个作文大赛组委会的名义向全国各地广发征文信函。凡投稿的基本上都能被选中，然后就告诉你作文已获几等奖，获奖作品将集结出版，每本多少钱，至少需要购买几本等。家长把钱寄过去以后，大部分确也能收到登有自己孩子作品的书，只是书很厚，里面的字排得又小又密，从目录来看，获奖的人非常多，找半天才能找到自己孩子的名字。这种作文选的质量可想而知。

如果说上面一种掏钱买发表的事在盛行一段时间后，已显得有些笨拙；下面一种新兴的掏钱买发表就显得比较高明，更容易忽悠得家长和教师动心。

我听一位小学老师对我讲了这样一件事。某国家级教育科研所向她所在的小学发出共同做课题的邀请。所谓“课题”内容，就是小学要征订至少500本该所办的一份杂志。这份杂志专门刊登小学生作文，全年12期，每本6元。教科所给每个合作学校的回报是，每年每所小学可在杂志上发两三篇学生的作文，或一个有关学校的彩色封面。合作校在合作期间可以邀请教科所的专家来学校进行讲座，费用另计。个别教师将来还有机会在教科所的“课题”上署名。杂志不发表非合作校学生的作文，也不对外公开发行（因为没有对外发行刊号）。

这能不能叫“课题”且不说，我们单从学生的角度上看看孩子们收获的是什么。

每个学生一年花72元买这本小学生作文选，每校至少得有500名孩子订阅，那么一所学校一年就要给这本杂志贡献至少3.6万元。然后只有2－3名学生有机会在这本并不公开发行的杂志上发表作品——这还不是最不合算的地方，最不合算的是，这样的杂志孩子们不会有兴趣去读它，72元钱购买来的基本上是一堆废纸。

这位老师感叹说，如果每个孩子用这个钱购买两本小说，然后把所有的书汇集到一起，各个班办个图书角，那是多么有价值啊。据那位老师了解，教科所这个“课题”不仅和小学合作，还和中学合作，合作单位还真不少。

我奇怪地问她，现在不是不允许向学生指派课外辅导资料吗，学校怎么可以组织学生订杂志呢？

这位老师说，学校确实不强迫，总是强调“自愿”。但老师们经不住学校负责人的动员，学生们经不住老师的动员，家长经不住孩子的要求；再加上“课题”、“教科所”这些招牌，一所千人以上的学校想纠集起500个订户很容易。

我能理解这位有良知的教师的忧虑。用读作文选或作文杂志取代日常阅读，是一种对阅读的误解，反映了人们对如何培养学生写作技能的浅薄认识。并非操作者都对此认识不清，社会各方都有自己的利益计算，急功近利可以让人变得既冷漠又盲目。可怜的只是孩子们，他们不光浪费了钱，更浪费了学习机会。

这位老师感叹说，不光是成人，孩子们现在也变得功利了。很多孩子不喜欢课外阅读，又想找到一个写作文的捷径，也以为看作文杂志就能提高作文水平，所以对订这份“国家级教科所”办的杂志很有热情。事实上经她观察，这些杂志到了孩子们手中，他们只是大略地翻一下，看看有没有本校的东西，至于内容，几乎没有人认真地去读。

孩子没有选择能力，这可以理解，“国家级教育科研所”的行为我们也管不着，但家长和教师有责任给孩子介绍一些好书。在阅读书目选择上，至少要己所不欲勿施于人。一本好看的小说和一本作文选摆在面前，问一下自己爱看哪个，答案就出来了。

所以在这里我首先想强调的就是，作为常规阅读材料，作文选没有意义。

还有一种情况。有的家长虽然没买作文选，却只给孩子买散文精选、短篇小说集等。他们认为孩子小，功课紧，适合读篇幅较短的东西。每当我看到家长为孩子挑选诺贝尔奖获奖作者散文精选集之类的书，心里总是由不住怀疑，孩子看吗，尤其是小学阶段的孩子？

考虑到中小学生阅读的延续性和量的积淀，我认为应该重点读长篇小说。首先是小说比较吸引人，能让孩子们读进去；其次是长篇小说一本书讲一个大故事，能吸引孩子一口气读下去几十万字。中小学生对散文，尤其是翻译散文大多不感兴趣；而短篇小说讲得再精彩，读完了也最多只有 1 万字。孩子们可以一鼓作气地读完一个大故事，但很少有人能一篇接一篇地连续读 20 个小故事。经常读长篇小说，更容易养成孩子大量阅读的习惯。好的短篇作品可以给孩子推荐一些，但不要成为主力和唯一。

在读什么的问题上既要给孩子一些引导，也要尊重孩子的意愿，一个中心目的就是尽量调动孩子的阅读兴趣，先考虑有趣，再考虑有用。

我女儿圆圆最早读的长篇小说是金庸的武侠小说。我之所以当时建议她读金庸的书，因为金庸的小说悬念重重，情节有趣，能吸引人读下去；而且他的文字非常规范，笔法老练，读来感觉通俗流畅；里面充满爱恨分明的情感，符合儿童的审美心理；有一些爱情描写，但都有着不食人间烟火的纯洁和干净。所以我后来也向很多人建议，让孩子去读金庸吧。

其实我自己并不是金庸小说的爱好者，假如中学时代看到他的作品，可能会很喜欢，但我看到他的小说时已工作多年，阅读口味已不在这里了。后来读了两部，也只是为了带动圆圆的阅读。

圆圆一接触这些书，果然就被迷住了，用不到半年的时间一口气把金庸十四部武侠小说全部读完。我本来以为她读完这些书后应该读更好的书，就给她推荐几本名著，但发现她兴趣不大。

有一天我们在书店里看到卖《还珠格格》成套的书，她当时正热衷于看这个电视剧，眼睛一亮，就忍不住翻起来，发现里面情节和电视剧基本一样，有些兴奋，就买了一套，这样她就可以在电视剧播出之前了解到故事情节了。我记得那个书一套有很多本，她很快就看完了，因为她对这个故事太感兴趣了。到圣诞节，我又买了整套《还珠格格Ⅱ》作为礼物送给她，圆圆喜欢极了，又一口气把那么多本看完，而且不止看了一次。她经常会随手翻开哪一段，饶有兴趣地读上一会儿。

很多人在批琼瑶小说浅薄，批《还珠格格》没有“品味”，仿佛让孩子读这样的书就是给孩子指歪道。我是这样想的，有没有品味要看针对谁来说。琼瑶的作品确实不是黄钟大吕之作，但琼瑶的文字也非常规范、老到、干净，对于一个8岁的小女孩来说，她喜欢可爱的小燕子，喜欢里面起伏有致的情节，这个书就是适合她的。至于“经典”，我相信只要她有足够的阅读基础，终有一天会对一些经典作品感兴趣。

我见过一位家长，她很注意孩子的阅读，从孩子在幼儿园时就开始讲安徒生童话，孩子上小学识字后让孩子读插图本的安徒生童话，孩子上初中后，她又买来了厚厚的一本纯文字的安徒生童话全集和诺贝尔奖获奖作家散文选。结果可想而知，孩子“不好好读课外书了”。

还有一位家长，他一考虑到孩子需要读些书，就直接买来《安娜卡列尼娜》《钢铁是怎样炼成的》等，结果是他也很直接地把孩子吓住了。

这些家长为孩子提供着“经典”，旁人对他们的选择可能也提不出什么批评。孩子们虽然不知道自己需要哪本书，但他们知道不需要哪本书，对于没有兴趣的东西，他们只有一个态度：拒绝。

所以，在给孩子选择阅读书目时，要了解孩子，然后再给出建议。不要完全用成人的眼光来挑选，更不要以“有没有用”来作为价值判断，要考虑的是孩子的接受水平、他的兴趣所在。

我还见过一位家长，她发现自己正在读初中的孩子爱读韩寒、郭敬明等一些少年成名的人的作品，大惊失色。其实她自己从没读过这些人的作品，不知为什么，就主观地认定这些作品不健康，没意思，总是阻拦孩子去读。结果因此和孩子常发生冲突，凡她推荐的书，孩子一概拒绝，凡她不让看的，孩子就要偷偷去看。

我的建议是，家长自己如果经常读书，心里十分清楚哪本书好，可以推荐给孩子；如果家长总能给孩子推荐一些让他也感到有兴趣的书，孩子其实是很愿意听取家长的指点的。但如果家长自己很少读书，就不要随便对孩子的阅读指手划脚，选择的主动权应交给孩子。

2000 年教育部颁布的语文教学大纲规定出了中学生必读的 30 部名著，中外各 15 部。我不清楚近年有没有修改。这 30 部书都是经典之作，可以作为选择参考。但是否适合全部推荐给中学生，恐怕还需要斟酌，毕竟有些作品离当下孩子们的生活太远，而可读性又不是很强，也许它只是适合孩子们长大了再读。

真正适合孩子的东西他一定不会拒绝，他拒绝的，要么是产品本身不够好，要么是和他的阅读能力不匹配。

在这里提醒家长的是，一定要让孩子到正规的书店买书，不要在地摊或一些不三不四的小店里买，以防买到内容低俗的书刊。凡在正规书店里买到的，并且孩子感兴趣的图书，应该都是适合他看的。

即使对成人来说，持久的阅读兴趣也是来源于书籍的“有趣”而不是“有用”。

不看“有用”的书，不是说不给孩子选好书，而是在选择中要以孩子的兴趣为核心要素，不以“有用”为选择标准。

事实上“有趣”与“有用”并不对立，有趣的书往往也是有用的书。一本好小说对孩子写作的影响绝不亚于一本作文选，还要超过作文选。陶行知先生就曾建议把《红楼梦》当作语文教材来使用。所以，我在这里说“不读有用的书”是一种矫枉过正的说法，目的是强调关注“有趣”。只有“有趣”，才能让孩子实现阅读活动；只有实现了阅读活动，才能实现“有用”。

特别提示

作为常规阅读材料，作文选没有意义。

考虑到中小学生阅读的延续性和量的积淀，我认为应该重点读长篇小说。首先是小说比较吸引人，能让孩子们读进去；其次是长篇小说一本书讲一个大故事，能吸引孩子一口气读下去几十万字。

在读什么的问题上既要给孩子一些引导，也要尊重孩子的意愿，一个中心就是尽量调动孩子的阅读兴趣，先考虑有趣，再考虑有用。

家长自己如果经常读书，心里十分清楚哪本书好，可以推荐给孩子；如果家长总能给孩子推荐一些让他也感到有兴趣的书，孩子其实是很愿意听取家长的指点的。但如果家长自己很少读书，就不要随便对孩子的阅读指手划脚，选择的主动权应交给孩子。

一定要让孩子到正规的书店买书，不要在地摊或一些不三不四的小店里买，以防买到内容低俗的书刊。

学“语文”不是学“语文课本”

如果不关注阅读，死抱着教材学语文，那么学生进入中学后就会越来越力不从心，到头来，在最关键的高考考场上，恐怕也难以获得好成绩。

前几年有一位叫李路珂的女孩一度被人们关注。她两次跳级，15 岁就考上了清华，20 岁攻读清华大学建筑学博士。当人们都用看待天才的目光看她时，她父亲却说，女儿并非智力超常，她与别人的区别只是在于：当别人的孩子正在拼命去读去背一些无关紧要的、最多只能供翻翻而已的文字（主要指语文课本）时，我在让孩子读《论语》、《孟子》、《古文观止》等经典作品。

李路珂的父亲坚持让女儿有大量的课外阅读，认为最好的少年时光应该去读经典作品。他对现在的学校语文教育很不满，认为“在无关紧要的文字上喋喋不休、浪费过多光阴只会毁掉人的一生”。由于他的这种想法与学校教育有矛盾，他让孩子休学三次，以便女儿能无拘无束地自由阅读。大量的课外阅读给李路珂带来了智力和学习上的飞跃，带来生命的早慧和成长的轻松。

李路珂父亲的做法可谓离经叛道，与当下很多教师和家长把语文课本奉为语文学习的圣经形成对比。由此不能不欣赏他的勇气和见识。

看过一本书叫《我们怎样学语文》，里面有当代七十多位知名科学家、文化学者、作家等撰写了自己早年语文学习的经历，按作者们出生或求学的年代，全书从二三十年代到六七十年代分为四个部分。我从书中发现一个有趣的现象——

凡五十年代以前的学界泰斗们，他们对自己当年的语文学习全都充满温情的回忆。他们的语文学习内容，基本上都是中华文化千百年来流传下来的经典名章；他们几乎都遇到一个或几个学养丰厚的语文教师，从最初的语文学习中获得了完善的语言和思想的滋养；都肯定地认为早年的语文学习为他们一生的事业及做人奠定了良好的基础。例如，有人问中国科学院院士杨叔子先生，为什么能成为院士，有什么个人因素。他回答说："重要的因素之一，是人文文化，中华民族的优秀传统文化、中国语文起了重要的、直接或间接的作用。"①

与之形成对比的是七八十年代接受中小学语文教育的这些人，他们对自己所经历的语文教育充满批判，认为教材选编质量不高，教学方法陈腐，思想启蒙贫乏。而他们之所以后来"成才"，在于侥幸获得一些课外读物，正是这些课外读物成全了他们。②

当代著名作家毕飞宇是六十年代出生的人，他上中小学的时间应该在七、八十年代。他在《我所接受的语文教育》一文中说，"如果让我给我们这一代人所受的语文教育打分，我不会打'零分'，因为它不是'零分'，而是负数。我之所以这样说，一点都没有故作惊人的意思。我们在接受了小学、中学的语文教育后，不得不花上很大的力量再来一次自我教育和自我启蒙"③。

他批评的是当时的语文教育。可时过境迁，这么多年了，我们的语文教育依然故我。这种糟糕状态，到现在尚未有结束的迹象。

从教材的编排看。现在小学语文大致还是采用先学拼音、生字，再学词汇、句子这样一个逻辑框架。

拼音真的需要放到语文学习的最前面吗？生字真的需要那样一个个独立地去学吗？

这里有一个貌似合理的逻辑推理：会读文章就得先认字，想认字就得学拼音——事实上，这个表面合理的逻辑并不符合儿童的认知顺序，逆反了人类学习语言文字的天性。颠倒了语言学习的顺序，充满反认知的内质。

语言文字本身就是一种工具，拼音更只是"工具的工具"——它就相当于二胡演奏员偶尔使用到的那块松香，可以让弓毛更润滑，却用不着在每个孩子初

---

① 王丽编，《我们怎样学语文》，作家出版社，2002 年 10 月第 1 版，1 页。

② 王丽编，《我们怎样学语文》，作家出版社，2002 年 10 月第 1 版，361－388 页。

③ 王丽编，《我们怎样学语文》，作家出版社，2002 年 10 月第 1 版，377 页。

学二胡时就先去花费好长时间学习关于松香的知识——可这个“工具的工具”现在却变成了工具本身和目的本身，以至于居然有人提出中国文字以后要用“拼音”完全代替“汉字”。这样荒谬的想法不但被公然提出，竟然还引起讨论，真是不可思议！

同时我们还忘记儿童学习需要的是形象、有趣、整体感知等特点，一上学就把他们拉到枯燥而抽象的字母和生字上来，孩子们为此付出了痛苦的努力，却收获不到学习的快乐，他们花费了许多时间，只学到了很少的东西。

有一次看到华东交通大学母亲教育研究所的王东华先生说了这么句话，觉得说得很好。他说：我们的语文教育最大的问题是什么，是用教西方拼音文字的方法教中国的象形文字。在过去，一年的私塾教两千多字，现在把我们国家两千年优秀的识字教育抛弃了，孩子们到三年级都看不懂东西。

从语文教材的文本选择上看，平庸之作非常多，不少作品从思想性、趣味性到文字的精致性，都算不得上品，却进入了教材。

陶行知在七十多年前就批评说：“中国的教科书，不但没有把最好的文字收进去，并且用零碎的文字做中心，每课教几个字，传授一点零碎的知识。我们读《水浒》、《红楼梦》、《鲁滨逊漂流记》一类的小说时，读了第一节便想读第二节，甚至从早晨读到晚上，从夜晚读到天亮，要把它一口气看完才觉得痛快。以零碎文字做中心的教科书没有这种份量。”他把这种教科书比喻为“没有维它命的菜蔬”和“上等白米”，“吃了叫人害脚气病，寸步难行”。[①]

陶先生还说：“有人说，中国文人是蛀书虫。可是教科书连培养蛀书虫的力量也没有。蛀书虫为什么蛀书，因为书中有好吃的东西，使它吃了又要吃。吃教科书如同吃蜡，吃了一回，再不想吃第二回。”[②] 陶先生在几十年前抨击的现象并未改善，且愈来愈烈。

当代著名作家孙郁曾做过一段时间中学教师，他从自己在七十年代接受的语文教育和后来当教师的经历中，对语文教育深感失望。可到他的女儿长大上学了，他有一回翻女儿的课本，大吃一惊，他曾经教过的令他失望的篇章在女儿的

① 陶行知，《陶行知教育文集》，四川教育出版社，2005年5月第1版，282页。
② 陶行知，《陶行知教育文集》，四川教育出版社，2005年5月第1版，282页。

教科书里比比皆是。①

著名学者、北大中文系教授钱理群先生评价说，我们语文教材的编选基本停留在20世纪60年代的水平。② 这实在是一针见血。

从教学上来看。我国中小学课堂教学仍然沿用生字、解释词语、分析意义、体味思想，以及大量的现代文背诵等这样一种八股教条。

哪些字是生字，哪些词是生词，都是教材规定好的，学生们必须一遍又一遍地去读去写去背这些“生字”和“解词”，即使这些字和词早已是大多数孩子熟知的。

和语文教材同步下发给老师们的“语文教学参考书”早已规定了如何解读每一课。当代著名教育家、特级教师李镇西博士批判现在的语文课成为思想专制的场所，“学《孔乙己》只能理解是对封建科举制度的批判；学《荷塘月色》只能理解这是朱自清对大屠杀的无声抗议……学生的心灵被牢牢地套上精神枷锁，哪有半点创造的精神空间可言？”③

我知道一些孩子为了上课能准确回答老师的提问，会想办法弄本教材参考书来，这样他们在语文课堂上就能“正确”地回答出许多问题。

语文课本上经常有很多现代文背诵要求。由于现代文是口语化的东西，它在文字上是开放的，不像古典文学那样词句严谨。而要孩子背诵的，多半是一些很平常的段落，根本达不到“增一字则多，减一字则少”的境地，但考查时却要求一个字、一个标点都不能错。把一个开放的东西背出严谨来，孩子们唯恐出错，比如不能把“狠狠打了他一下”背成“狠狠地打了他一下”——仅仅是多了一个可有可无的“地”字，那也不行。每一个标点都要死死记住……背诵的目的只是为了“正确”，而不是为了体悟，不是为了把经典刻进记忆和思想中，只是为了考卷上不丢分。手段和目的在这里被完全搞乱了。

从教师的语文素养上看，多年来僵化而单一的教学方式，使语文教师这个群体的专业素养大大退化，“语文教师”这个角色所暗示的学科素养是如此苍白。

---

① 王丽编，《我们怎样学语文》，作家出版社，2002年10月第1版，362页。

② 钱理群，《语文教育门外谈》，广西师范大学出版社，2003年第1版，77页。

③ 李镇西，《民主与教育》，四川少年儿童出版社，2004年3月第1版，214页。

我亲耳听到一位校长在谈到一个教师的工作安排时说“教不了别的，还教不了语文吗！”

圆圆在小学时，老师经常强调“学语文就是要背课文，凡是背课文好的学生，考试成绩就高”。上初中后，遇到更令人吃惊的语文老师。那个老师非常“敬业”，经常给学生留大量作业，其中好多作业没来由。比如把“无精打采”归入“生字”类，要学生们查字典给每个字注出读音来——对于已上初中一年级的学生，这四个字哪个是生字呢？还比如让解释什么是“咳嗽”、“力气”、“骄傲”等，而这些词多半在汉语大词典上都查不到注释，学生们只好用更为复杂的文字来“解释”这些“生词”，这样的作业能让人气破肚皮。

我记得有一次圆圆做这种作业时很烦，说看来“吃饭”、“喝水”也得解释了，于是我们干脆玩游戏，一起对“吃饭”给出这样的注解：“以勺筷等特制工具将食物送进口中，用牙齿磨碎，经咽喉进入肠胃的过程”，解释完后，发现这下出现了更多需要解释的词，比如“勺”、“食物”、“肠胃”——简直是“学无止境”啊！我们苦中作乐地笑了一气。

从阅读量上来看。以目前北京市小学四、五年级课本为例，一本教材大约有2－3万字，而一个四年级儿童的正常阅读量应该达到一学期80－100万字——并非教材的2万字是“浓缩的精华”，可以抵得过一般书籍中的20万或200万字，它就是2万字，不多也不少——这就是说，从学生应该达到的阅读量来说，教材所提供的阅读量远远不够！

语文教育界近些年开始强调学生的课外阅读，并开列出许多古今中外的名著。但大多数学校和教师看重的是当下的考试成绩，对课外阅读并不重视，中小学生的语文学习基本上都局限于语文课本。尤其是小学，教学活动几乎全部紧紧地围绕着课本展开。所谓“课外阅读”，不过是一缕耳旁风。

前两年，社会上开展过一场关于中小学语文教育的讨论，许多人表达了对当前学校语文教育的不满，甚至有许多激烈的言辞。中小学语文课难以承载“语文学习”这样一个重任似乎已形成共识。但辩论过后，情况依旧，有小调整，但换汤不换药，基本上没有改观。

这是个让人心痛的事实，几千年的文明古国，创造出世界上无与伦比的语言文化财富。进入现代社会，我们的科技进步了，可是居然越来越不会学自己的母语了。

我们的语文教育越来越趋向工业化思维。符号化、技术化、标准化的教学和考核，消灭着语文这个学科中特有的千变万化的魅力和它的丰富性。母语学习本该是一件轻松愉快的事，现在它却被异化了，变成一件枯燥而扭曲的事情。语文课越来越变态为一种近乎折磨人的活动，难怪那么多孩子们越来越不喜欢学语文了。

学语文到底该学什么，怎样才能学好语文？

语文教学改革是个宏大课题，需要深入研究，任何个体都无法给出权威答案。但我们毕竟有一些有效的经验，可以运用于当下的学习生活中，取得明显的效果。

从许多人的经验及各种资料中可以归纳出，学好语文有很多要素，但最核心最根本的方式就是阅读，在语文学习上没有阅读量的积淀是不可行的。

前苏联教育家苏霍姆林斯基曾试用过许多的手段来促进学生的脑力劳动，结果得出一条结论：最有效的手段就是扩大他们的阅读范围。①

阅读贫乏的人，一定是语言贫乏的人，同时也是思维贫乏的人。如果我们想让孩子学好语文，却漠视他的课外阅读，这好比给一个本该喝一杯奶的孩子只预备了一匙奶，让一个想学游泳的人进浴盆试水一样。

现在好多中小学都开设了“阅读课”，但这些课基本上不是孩子手里拿本书去读，而是教师讲“阅读方法”，学生做“阅读题”。这宛如当一个人需要喝水时，旁边的人就滔滔不绝地给他讲一大堆关于喝水的知识，并让他回答一些关于喝水的问题；而盛满清水的水杯却从来不肯递给他。

国家每年为中小学图书馆建设投入大笔资金，可很多学校的图书馆只不过是阁楼顶上落满灰尘的一只旧纸箱——仅仅是说起来有那么个东西，实际上跟学校的日常教学生活毫不相干。孩子们一直处于“阅读贫困”中，学校语文教研会的讨论主题经常是“如何讲好阅读课”。

---

① （苏）苏霍姆林斯基，《给教师的建议》，杜殿坤编译，教育科学出版社，1984年6月第2版，18页。

如果学校教育中没能为孩子们提供足够的阅读条件，课外阅读就一定要在家庭中补足。

在我接触的家长中，不少人对阅读与语文学习的关系认识不足，有的家长甚至阻挠孩子的课外阅读。他们很关心孩子的成绩，听人说读课外书对学习有好处，就让孩子读几天，可孩子刚一产生阅读兴趣，开始出现着迷的样子，家长就担心了，怕耽误学习，又赶快把孩子拉回到课本中。这些家长总认为读课外书不是学习，学课本才是学习。

在小学中确实有这么一种现象，一些孩子从不读课外书，考试成绩经常很高，而一些经常读课外书的同学在考试中并未显出优势。

这是因为小学语文考试卷一般都是紧紧围绕着教材来的，考试前紧扣教材的反复训练，确实会让孩子们在卷面上表现出好成绩。事实上，不少人的成绩只是一种假象。并不是孩子们作弊了，而是这样的考试不能考查出学生们真正的“语文水平”，它只是在考查“学课本的水平”。

语文成绩假象一般只能维持在小学阶段，一旦进入中学，尤其是高中，语文考卷和课本的联系越来越弱，成绩与阅读量的相关性就显现出来了。

高考语文试卷，除一些古诗文外，绝大多数内容和教材无关，它考查的基本上就是学生真实的语文水平——我并不是说高考的命题方式是最合理的，在这里无意评价这一点，只是想说明，如果不关注阅读，死抱着教材学语文，那么学生进入中学后就会越来越力不从心，到头来，在最关键的高考考场上，恐怕也难以获得好成绩。而一个语文水平真正良好的学生，他可以从容应对任何形式和水平的考卷，高考中也不会表现得平庸。

著名特级教师魏书生在中学教语文时，虽然肩上有学生升学考试的压力，但他总是在开学的第一个月就领着学生把课本全部学完，剩下的时间进行广泛的阅读和相关学科活动。他也是如此蔑视教材的一个人，却能把普通校的“差班”教到考试成绩超过重点校的“实验班”。他把握住了语文学习的核心，取得好成绩也是件水到渠成的事。

大多数家长和教师做不到像李路珂的父亲或魏书生那样，有勇气并有能力让孩子甩开语文教材来学习，但我们至少不要唯教材是从。首先认识到学语文不是学语文课本，然后才能大胆地把课外阅读引进孩子的学习中。

特别提示

学好语文有很多要素，但最核心最根本的方式就是阅读，在语文学习上没有阅读量的积淀是不可行的。

如果学校教育中没能为孩子们提供足够的阅读条件，课外阅读就一定要在家庭中补足。

考试前紧扣教材的反复训练，确实会让孩子们在卷面上表现出好成绩。事实上，不少人的成绩只是一种假象。并不是孩子们作弊了，而是这样的考试不能考查出学生们真正的“语文水平”，它只是在考查“学课本的水平”。语文成绩假象一般只能维持在小学阶段；一旦进入中学，尤其是高中，语文考卷和课本的联系越来越弱，成绩与阅读量的相关性就显现出来了。

写作文的最大技巧

当一个人干一件事时，如果没有“大技”只有“小技”，他是既干不好也干不出兴趣的。

有一次我到一个朋友家，她发愁正在读初二的儿子不会写作文，问我怎样才能让孩子学会写作文。我说先看看孩子的作文本。小男孩很不情愿的样子，能看出来他是羞于把自己的作文示人。直到男孩和小伙伴们去踢球了，他妈妈才悄悄把他的作文本拿来。

第一篇作文题目是《记一件有趣的事》。小男孩酷爱足球，他开篇就说他认为踢足球是最有趣的事，然后描写他踢球时的愉快，球场上一些精彩的细节，还穿插着写了两个他崇拜的球星。看起来他对这些球星的情况了如指掌，写得津津有味，如数家珍。

男孩的这篇作文写得比较长，语言流畅，情真意切，还有一些生动的比喻。看得出他在写作中投入了自己的感情。虽然整个文章内容与标题框定的外延略有出入，总的来说属上乘之作。我从头看到尾正要叫好时，赫然看到老师给的成绩居然是“零”分，并批示要求他重写。

我万分惊讶，不相信作文还可以打零分，况且是这样的一篇佳作。

赶快又往后翻，看到男孩又写了一篇相同题目的。他妈妈在旁边告诉我，这就是在老师要求下重写的作文。

这次，“一件有趣的事”变成了这样：踢球时有个同学碰伤了腿，他就停止踢球，把这个同学护送到医务室包扎伤口，又把同学送回家中，感觉做了件好事，认为这是件有趣的事。这篇文章的字数写得比较少，叙事粗糙，有种无病呻吟的做作。老师给出的成绩是72分。

朋友告诉我，这一篇内容是儿子编出来的，因为孩子实在想不出该写什么。但凡他能想到的“有趣”的事，除了足球，都是和同学们搞恶作剧一类的事情，他觉得老师更不能让他写那些事，只好编了件“趣事”。

我心中隐隐作痛，仿佛看到有人用锤子蛮横地砸碎一颗浑圆晶莹的珍珠，然后拿起一块石子告诉孩子，这是珍珠。

既然我不能去建议学校让这样的老师下岗，只能希望男孩运气足够好，以后遇到一个好的语文老师，那对他的意义将是非同小可的。

有一次，我在北师大听该校教授、我国著名的教育法专家劳凯声先生的课。他讲到一件事：小时候母亲带他到杭州，他第一次看到火车，觉得非常惊奇，回来兴冲冲地写篇作文，其中有句子说“火车像蛇一样爬行”——多么形象，那是一个孩子眼中真实的感受——却被老师批评说比喻不当。这很挫伤他，好长时间不再喜欢写作文。直到另一位老师出现，情况才出现转变。这位老师偶然间看到他的一首诗，大加赞赏，还在全班同学前念了，并推荐给一个刊物发表。这件事给了他自信，重新激起他对语文课和写作文的兴趣。

学者的童年也有这样的脆弱，可见所有孩子都需要正确教育的呵护。假如劳先生遇到的后一位老师也和前一位一样，那么当前我国教育界也许就少了一位学术领军人物。

这个男孩能有劳先生的运气吗？

有句话说，世上最可怕的两件事是“庸医司性命，俗子议文章”。前者能要人的命，后者能扼杀人的激情和创造力。

现在害怕写作文和不会写作文的孩子非常多，老师和家长总在为此发愁，除了埋怨和批评孩子，有多少人能从作文教学本身来反思一下，从教师或家长的身上寻找问题的根源呢？

有个上小学三年级的女孩，她父母工作很忙，家里请了保姆。有一次老师布置作文题《我帮妈妈干家务》，要求孩子们回家后先帮妈妈干一些家务，然后把干家务的体验写出来。

女孩很认真地按老师说的去做，回家后先擦地、再洗碗，然后在作文中写道：通过干家务，觉得做家务活很累且没意思。平时妈妈让我好好学习，怕我不好好学习将来找不到好工作，我一直对妈妈的话不在意。现在通过干家务，觉得应该好好学习了，担心长大后找不到工作，就得去给别人当保姆。

这个刚开始学习写作文的小女孩，她说的话虽然谈不上"高尚"，却是真心话。可这篇作文受到老师的批评，说思想内容有问题，不应该这样瞧不上保姆，要求重写。

小女孩不知如何重写，就问妈妈，妈妈说：你应该写自己通过做家务体会到妈妈每天干家务多么辛苦，自己要好好学习，报答妈妈。小女孩说：可是你从来不干家务，我们家的活全是阿姨在干，你每天回家就是吃饭、看电视，一点也不辛苦啊。妈妈说：你可以假设咱家没有保姆，家务活全是妈妈干。写作文就要有想象，可以虚构。

教师和妈妈的话表面上看来都没错，但她们没珍惜"真实"的价值，曲解了写作中的"想象"和"虚构"，这实际上是在教孩子说假话。虽然主观用意都是想让孩子写出好作文，却不知道她们对孩子的指点，正是破坏着写作文中需要用到的一个最大的"技巧"——"说真话"。

之所以说"说真话"是写作的最大技巧，在于说真话可以让人产生写作兴趣，发现写作内容，即想写，并有东西可写——没有这两点，写作就是件不可想象的事。

写作激情来源于表达的愿望，写真话才清楚自己想表达什么，才有可表达的内容，才能带来表达的满足感。没有人愿意为说假话去写作。无论日常生活还是写作，说假话总比说真话更费力气，难度更大，并且虚假的东西仅仅带来需求上的满足，不能带来美的愉悦。

如果孩子在写作训练中总是不能说真话，总是被要求写一些虚假的话，表达自己并不存在的"思想感情"，他们的思维就被搞乱了。这样的要求会让他们在写作中不知所措，失去感觉和判断力，失去寻找素材的能力。于是他们遇到的最大问题就是——不知该写什么。

不说真话的写作，使学生们在面对一个命题时，不由自主地绕过自己最熟悉的人和事，放弃自己最真实的情绪和体验，力不从心地搜罗一些俗不可耐的素材，抒写一些自己既没有感觉，又不能把握的“积极向上”的观点。这可以解释为什么目前中小学生有这样的通病：在写作文时没什么可写的，找不到素材和观点，拼了命去凑字数。

这样做出来的作文可能符合“规定”了，但它的负面作用会很快显现出来——不愉快的、做作的写作让孩子们感到为难，感到厌倦，写作的热情和信心被破坏了。这可以解释为什么现在有那么多孩子讨厌写作文。

现在中小学作文教学花样何其多，作文课上，老师会告诉孩子很多“写作技巧”。但那些都属于“小技”的范畴，最大的技巧“说真话”却总是被忽略，甚至被人为地毁坏着。当一个人干一件事时，如果没有“大技”只有“小技”，他是既干不好也干不出兴趣的。失去“大技”，其实连“小技”也难以获得。

尽管教师在讲“作文技法”时都会讲到写作要有“真情实感”，可学生在实际写作中很少被鼓励说真话。来自教师、家长和社会的“道德说教”意识仍强有力地控制着学校教育，从孩子开始自我表达的那一天，就急于让他们学会说“主流话语”，而从不敢给他们留下自我思考和自我表达的空间。教师对作文的指点和评判，使学生们对于说真话心存顾虑，他们被训练得面对作文本时，内心一片虚情假意，到哪里去寻找真情实感呢？

文以载道，文章可以反映一个人的思想境界和品德情操，中小学生的作文训练也确实应该肩负起孩子们思想品德建设的责任。正因为如此，中小学生的作文训练首先应该教会孩子真实表达、自由表达，然后才谈得上“文字水平”与“思想水平”的问题。把孩子引向虚饰的表达，既不能让他们写出好的作文，也达不到思想教育的目的。

当孩子把真实表达改变为矫情表达，他就开始去说言不由衷的话；当孩子把自由表达拘束在大人提出的框框里，他的内心就开始生长奴性思想；当他为作文成绩而曲意逢迎时，他就在磨灭个性，滑入功利和平庸……这些对一个人的思想品德建设又何尝不是破坏性的呢！

鲁迅说过，流氓就是没有自己固定的见解，今天可以这样，明天可以那样，毫无操持可言。从小的流氓语言训练，是会养育出流氓的。①

① 转引自钱理群，《语文教育门外谈》，广西师范大学出版社，2003 年 7 月第 1 版，79 页。

正常的写作其实是个自我思考的过程，所以也是在思想上自我成长的过程。一个孩子面对一个命题能进行独立的思考，他的思考是自由而诚实的，他就会找到自己想表达的内容，他心里就会有很多想说的话，不用为了凑字数而写些空洞无物的话，动笔时就不会发愁。如果一个人的成长环境并没有使他堕落的因素，他绝不会因为在作文中可以自由表达而变得思想不健康；而思想的成熟自然可以带来写作上的得体。

我在对圆圆的作文辅导中，一直向她灌输诚实写作这一点，所以她在作文中一直能流露真性情。

记得她上初中时，有一次学校搞一个母亲节感恩活动，要求每个孩子在周末回家时，给妈妈洗一次脚，然后再写一篇文章，谈自己给妈妈洗脚的感受。

这个“命题”的用意一目了然，它要求学生们写什么其实已摆明了。在这之前我就听说别的学校搞过这样的活动，这之后也听说过某些学校在搞。

大家为什么这么热衷于“洗脚”呢？联想到前几年每到“学雷锋”的日子，就有人上大街给人免费擦皮鞋，享受服务的人多半是来占小便宜的，靠擦皮鞋维持生计的人则可怜巴巴地看着生意被抢——这简直是对雷锋精神的亵渎！

我觉得“洗脚”和“擦皮鞋”这两种“创意”背后，总有什么相同的东西，这个东西让我感到不舒服。

圆圆回家对我说了这事后，我能看出她也有些为难。

平时我们很愿意配合学校做一些事情，这次这个事比较别扭，我们心照不宣地都有些不想做。我对圆圆说：妈妈还这么年青，也很健康，为什么用你来给洗脚呢？哪怕我老了，只要自己能干，洗脚这个事也不愿别人代劳。人与人之间可以互相帮助，互相关爱，但只有一个人需要帮助时，我们才有必要去提供帮助。关爱的方式得体，才能给被关爱者带来快乐，否则的话不如不做。

圆圆小小的心可能还是有些困惑和为难。我就跟她分析说：如果妈妈在工作或生活中需要经常翻山越岭地去走路，双脚的劳动具有特殊的意义，而且回家累得不想动，你给妈妈洗洗脚是有意义的；现在妈妈每天乘车去办公室，大部分时间坐在椅子上，双脚并不比我的双手更辛苦，也不比我的脸经受更多风吹雨淋。这样看来，给妈妈洗脚还不如给妈妈洗手、洗脸呢——可是，这有意义吗？

圆圆觉得我说得有道理，但她还是顾虑作文该怎么写。我于是问她：你认为学校搞这样一个活动的用意是什么？

她说是让孩子理解妈妈、体贴妈妈，通过给妈妈做事来表达对妈妈的爱。我又问她，那么你想做一件事向妈妈表达爱吗？她点点头。

我笑了，像平日里经常做的那样，双手把她的脸蛋掬住，用力往中间挤，她的鼻子就陷在了两个凸起的脸蛋中，嘴像猪鼻子一样拱起来。我亲亲她的小猪嘴说，今天晚上妈妈和爸爸都不加班了，现在我最想咱们三个人一起到外面散步，你好长时间没和爸爸妈妈一起散步了吧。圆圆愉快地说好，我们就一起出去了。那段时间我们三个人都很忙，这样的悠闲还真是难得，正好可以一边散步一边把这段时间积攒的话聊一聊。

回来后，我对圆圆说，如果人人都写自己给妈妈洗脚，由此感悟出应该孝顺妈妈，那就太没有新意了。你今天晚上其实也孝顺了妈妈，因为你放下作业，不害怕浪费时间，陪爸爸妈妈散步，这是让妈妈感觉最享受的，也是我眼下最想要的，这真的比洗脚好多了。

圆圆由此感悟出孝顺妈妈的方式可以多种多样，重要的是要有真情实意。

我平时总告诉圆圆，写作文时，尤其面对一个命题作文时，要调动自己的诚意。因为题目来自老师，乍一看题目，可能自己一下找不到感觉，不知该写什么，那么在动笔之前一定要问自己：就这个题目或这方面内容，我是如何理解的，我最想说什么，我有和别人不一样的想法吗，我最真实的想法到底是什么。

出于思维习惯，她很快找到了写作的内容和想法。我后来看她这篇作文，她如实地写出了自己面对这个题目的感受，写了妈妈和她的交谈，写了我们以散步代替洗脚以及她自己感悟到的东西，文中也表达了对妈妈的尊敬和爱。她写得很诚实也很流畅。

后来学校召集家长开会，教导主任谈到这一次活动，很动情地谈到两个调皮的孩子通过活动出现了转变，以说明这次活动达到了很好的效果。那两个孩子都是写他们给妈妈洗脚，发现妈妈的脚那么粗糙，长满了厚厚的茧子，他们因此很心疼妈妈，决心以后好好爱妈妈，用好好学习来报答妈妈。

因为教导主任念的只是这两个孩子作文中的片段，我没了解到孩子们作文的全貌。我想，如果两个孩子的妈妈都是由于特别的原因，为了工作或家庭让她们的脚受了很大的苦，长出了那样一双脚，那是应该感动孩子的，孩子写出的也是真情；可如果他们的妈妈和别人的妈妈没什么两样，只是因为她们喜欢穿高跟鞋、喜欢运动或不注意脚部护理，那么妈妈的脚凭什么能激起孩子那样的感情呢？脚上的老茧和母爱有什么关系，脚保养得好的妈妈就不是吃苦耐劳的妈妈吗？真担心孩子们在无病呻吟，说虚情假意的话。

当代著名学者，北大中文系教授钱理群先生认为，说与写能力的训练，首先还是要培育一个态度，即要真诚地表达自己的真实的思想与情感。他批评当下教育中“老八股”、“党八股”依然猖獗，并且合流，渗透到中小学语文教育中，从儿童时期毒害青少年，这会后患无穷。他认为这不只是文风问题，更是一个人的素质和国民的精神、道德状态问题。他忧心忡忡地指出，学生在写作中胡编乱造，说违心话，久而久之，成了习惯，心灵就被扭曲了。①

写作中的虚构与虚假是完全不同的两回事，它实质上是有想象力与缺乏想象力的区别。基于真情实感的虚构，是具有想象力的美的东西；虚假的文字是缺少真情实感和想象力的勉强之作，不会有美在其中。

“当你要求儿童说出自己的思想的时候，要保持审慎而细心的态度……应当教会儿童体验和珍藏自己的感情，而不是教他们寻找词句去诉说并不存在的感情。”②

在写作中“说真话”开始是意识问题，到最后就变成了习惯和能力问题。如果一个人从小就被一些虚假训练包围，那么他就可能丧失了说真话的习惯和能力，不是他不想说，是他已经不会说了。要恢复这种能力，也需要下很大的功夫。当代著名作家毕飞宇说，写作“首先是勇气方面，然后才是技术问题”③。写作中说真话的勇气，在孩子越小的时候越容易培养，耽搁了，也许一辈子也找不回来。

当我们苦苦寻找“写作技巧”时，其实技巧多么简单——写作时请首先记住“说真话”。给孩子灌输这一点，它的意义超越了写作本身。就像钱理群先生

---

① 钱理群，《语文教育门外谈》，广西师范大学出版社，2003 年 7 月第 1 版，13－14 页。

② （苏）苏霍姆林斯基，《给教师的建议》，杜殿坤编译，教育科学出版社，1984 年 6 月第 2 版，358 页。

③ 王丽编，《我们怎样学语文》，作家出版社，2002 年 10 月第 1 版，378 页。

说的，“培养一个人怎样写作，在另一个意义上就是培养一个人怎样做人”①。

特别提示

说真话可以让人产生写作兴趣，发现写作内容，即想写，并有东西可写——没有这两点，写作就是件不可想象的事。

目前影响学生们“说真话”的主要原因是来自教师、家长和社会的“道德说教”意识，这种意识使我们如此急于把种种高尚情操栽种在孩子心中，急于让他们学会说“主流话语”，而从不敢给孩子留下自我思考和自我表达的空间。

写作文时，尤其面对一个命题作文时，要调动自己的诚意。因为题目来自老师，乍一看题目，可能自己一下找不到感觉，不知该写什么，那么在动笔之前一定要问自己：就这个题目或这方面内容，我是如何理解的，我最想说什么，我有和别人不一样的想法吗，我最真实的想法到底是什么？

写作中的虚构与虚假是完全不同的两回事，它实质上是有想象力与缺乏想象力的区别。

① 钱理群，《语文教育门外谈》，广西师范大学出版社，2003年7月第1版，78页。

第三章　一生受用的品格教育

孩子是从哪里来的

把"性教育"做成"性启蒙"，比不做还要坏得多。

青少年出现早孕、滥性等问题，根本不是因为他对性知识了解得少，而是因为精神空虚，道德情感发育不良，缺少自爱及爱人的能力。

"孩子是从哪里来的"，这几乎是每个孩子都会问，并让每个家长都难回答的问题。很多人都说应该正确告诉孩子，但怎么个正确法，却往往含糊其词。

我曾看到一篇文章，有位妈妈是这样回答的："妈妈的身体里面有一种叫卵子的细胞，爸爸身体也有一种叫精子的细胞，有一天，它们两人相见了，卵子就热情地邀请精子去她的家里做客，他们俩就一块去了妈妈的肚子里。妈妈专门为他俩准备了一所美丽的宫殿叫子宫，在妈妈的子宫里，卵子和精子合成了一个受精卵，经过妈妈身体里营养物质的哺育，它们成长为一个小胎儿，等到胎儿十个月的时候，妈妈住到了医院，医院里的助产士阿姨就把宝宝接出来了，你这个小生命就诞生了。"——这个回答太复杂了！这不是在回答一个三、四岁的孩子问题，这是在进行一个科普讲座。

卢梭在他的教育名著《爱弥儿》中举过一个例子：一个小男孩子问他妈妈孩子是怎样来的，妈妈告诉他"是女人从肚子里把他屙出来的，屙的时候肚子痛得几乎把命都丢了。"卢梭认为这个回答很经典，因为它告诉孩子的是一个生孩子的结果而不是原因。妈妈在"孩子是怎么来的"后面立即跟上了"痛苦"，这像一层遮挡，阻止了孩子的好奇和想象力。所以它既给予了孩子一个肯定的回答，又不会挑逗他的想象。

卢梭认为性启蒙应尽量延迟，就是不给他们以机会，不使他们产生好奇心。当然绝不能为了延缓而对孩子瞎说八道。如果不得已要告诉孩子，也应该用简短的话语、没有犹豫的口气告诉他，而绝不可带出不好意思的、色情的表情来。①

事实上儿童对性的好奇根本不像成人以为的那样大，成人完全可以避开解释的尴尬，把这个问题用另一个说法坦率地讲出来。

圆圆三、四岁时也问过我这个问题，我当时不假思索地告诉她，是观音送子娘娘送来的。没过多久，她有一天突然问我："我是观音送子娘娘送来的吗?"我说是；她又问："你也是吗?"我说是；她犹疑了一下又问："我爸爸也是吗?"我说也是。她一脸惊奇，片刻后突然很委屈地说"那我怎么在那里没见过你们?"说着眼泪就要下来。

我非常惊讶，明白她是说我们曾经都在观音送子娘娘那里，应该在出生前早就认识啊。3 岁左右的孩子开始对父母怀有深刻的情感，不仅仅是依恋，还有强烈的占有欲。在观音送子娘娘那里我们各不相干、互不认识这样一种情况让她非常失落。

我一下子有些不知所措，明白自己那样给孩子瞎说，把她的认识搞乱了。我赶快抱起圆圆，给她擦擦眼泪说：对不起宝宝，妈妈以前那样给你讲是编了个故事，觉得那样讲很有趣，其实不是那样的。

圆圆瞪大眼睛，好奇地期待着我给她讲出"真相"。

我想了一下，问她"是不是经常有人说小圆圆长得像妈妈，也有人说你长得像爸爸?"她说是。我说："我和爸爸结婚后，想要个孩子，就从爸爸身上拿了一点点东西"，我用手到她的小胳膊上轻轻地做了一个捏走一点点东西的样子——"然后又从妈妈身上拿了一点点东西"，说话间我到自己的脸上做一个揪下一点点东西的动作——"然后把这两点点东西放一块"，我用两个手指做揉搓一起的动作——"放到妈妈肚子里"，我用大拇指做一个往肚脐眼摁的动作——"小圆圆就慢慢在妈妈肚子里长成了。"

圆圆眼睛里闪现着惊奇的光泽，我马上接着说"所以小圆圆长得又像爸爸

① （法）卢梭，《爱弥儿》，李平沤译，人民教育出版社，2001 年 5 月第 2 版，299 页。

又是像妈妈，你自己说说你像谁啊?”我已把话题转移了，圆圆经我提示，就很有兴趣地考虑自己像谁的问题去了，不再追问别的。

又过了几天，她还是想起这事，又问我，我是怎么从妈妈的肚子里出来的?我就告诉她，“到医院把肚子划开取出来的，做手术时因为用了麻药，所以也不痛”。不论是剖腹产还是顺产都可以用这个回答，孩子并不会追究你肚子上有没有刀疤。

又过一段时间，她又好奇地问我从爸爸妈妈身上揪一点什么东西下来，就能做成个小孩子，是不是揪一点点肉，疼不疼。我说：“哦，是揪很小的一点肉，不疼，不过那得长大才有办法揪得不痛，小孩子不能做这种事。哦，吃完饭想去找婷婷玩，还是想找小哲玩?”话题就这样又一次被不露声色地转走了。

性是人的天性，到了该懂的时候自然会懂，就像会走路是人的天性，只需要时间来成全一样。圆圆终究有一天会知道孩子是从哪里来的，但到了那个时候，她就理解了为什么大人要那样说；同时，我也相信，到这个时候，她就已经有了是非观，完全可以进行自我教育了。

正确的两性观绝不可能孤立存在，它是一个人整个价值观、人生观的一部分。孩子只要有良好的价值观和正确的人生观，他一定会同时有健康的两性观。

性教育现在有一种趋势，就是恨不得把所有的性生理知识都告诉孩子们。认为性教育与其遮遮掩掩，不如在孩子年龄尚小还未产生性欲前，就把一切毫无保留地告诉他们，使他们不再对此有疑问，然后就不再有好奇。应该这样吗?

2007 年看到网络上说，台湾的小学给孩子们发了性教育教材，上面不仅有两性生理差异及生殖说明，而且有男女性交的插图。这引起许多家长的抗议。据报道，教材的编写是有医学专家参与的。尽管编写者和推广者出来说这样做是有道理的，但他们并没有说明这样一种教材方案到底是建立在哪一种教育理论上，哪一位教育家的理论可以佐证他们此举的正确性。

另据 2007 年 9 月《广州日报》报道，深圳首部中小学性教育读本遭家长投诉。该读本由深圳市教育局和深圳计划生育中心联合编写。“在适合 9 ~ 12 岁的小学读本中，记者看到，已经开始有用简单的语言讲述避孕、节育知识。而 12 ~ 15 岁的初中读本中开始涉及到月经、手淫等性发育问题，并详细地谈到了怀孕的诊断方法、三种避孕措施和人工流产等内容。该教材开始提及同性恋、性心理障碍等问题，还直面了网络色情、网恋等问题。”

这是性教育课还是性启蒙课？后果是让孩子学会了用理性慎重对待性，还是更开启了他们的好奇，使他们心绪萌动？这些“常识”促成的，是他们对诱惑的拒绝，还是对诱惑的倾心？

现在有一种奇怪的现象，医疗界的人动不动就参与到教育界工作中。

国家让开设学生心理健康课，学校就把这些课承包给医院的心理科；孩子不听话爱捣乱，家长就带着去医院看多动症；需要进行性教育，就请来生殖医学的专家们编教材——这种合作正常吗，它所实现的功能到底是教育的还是反教育的？

我们不反对医疗界和教育界合作，可是儿童教育有其自身的特殊性，简单地把成人逻辑套用到儿童身上，把医疗思维和手段运用到儿童教育中，这是非常荒谬的。读一读卢梭、杜威、苏霍姆林斯基、马卡连柯、陶行知等伟大教育家的著作，只要领会了他们的思想，就可以知道他们会反对这样的“性教育”。

认为“性教育”就是“性知识讲解”，这是一种浅薄的逻辑推理。把“性教育”做成“性启蒙”，比不做还要坏得多！

青少年出现早孕、滥性等问题，根本不是因为他对性知识了解得少，而是因为精神空虚，道德情感发育不良，缺少自爱及爱人的能力。

那些出了问题的孩子，绝不是因为他们比一般孩子性知识少，恰恰相反，他们从各种途径获得了更多的性知识，他们的兴趣被唤起来了。由于他们一贯缺少理性的自我约束力，一贯对自己和他人没有责任感，不计后果地放纵自己。就如同一个经常偷抄别人作业的孩子，他十分清楚自己的行为是不好的，但是他不愿为此付出努力。他不幸从小生活在某种不良的教育环境中，他的自尊在过去的时间里已流失很多，面对自己时脸皮越来越厚了。

我认为性教育的重点应该是世界观和爱情观教育，大体可分为两个阶段。

在孩子成年之前，教育任务是树立孩子正确的世界观，培养自尊自爱的意识，养成善良、理解、豁达、勤劳的品行，使他成为一个生理、心理两方面都健康和谐发展的人。所有这一切，都是为他真正进入谈婚论嫁阶段做准备的。孩子将来成为怎样一个人，他将会以怎样的面貌去和异性相处，基本上都是这一阶段的教育决定的。

到孩子已长大成人，读高中或读大学了，家长可以和孩子直接谈论两性，谈论爱情。家长们不仅要在意识上给孩子以健康的爱情观引导，也要尽力以自己和配偶的相处，为孩子做出榜样。孩子从父母身上领略到美满的男女关系，才会对两性相处有信心，才能以健康的心态为自己找到爱情，找到美好的性，找到一生的幸福。

这里还有一些细节，提醒家长们在儿童的早期性教育中要注意。

如果你看到学龄前儿童有性交模仿，父母一定不要大惊失色，更不要责骂孩子，要口气平静但坚决地告诉他，你反对这种游戏；并尽快把他的注意力转移到别的事上。

孩子有这种举动，可能是父母的动作不小心被孩子看到了，所以做父母的一定要检点自己的行为，坚决不能让孩子看到父母做爱。也可能是别的小朋友这样做让他学到了，所以如果确信家庭中没出现什么问题，就要关注一下和孩子接触的小朋友的情况，要对其他家长有善意的提醒。

我一个朋友给我讲过一件令人不可思议的事。她邻居家的女孩子4岁，来她家里找她的儿子玩，居然教她儿子爬她身上，做模仿动作，并模仿声音。我的朋友大惊失色，赶快找个机会委婉地问小女孩的妈妈。这位妈妈一听，竟不太在意地说，噢，可能是从录像上学的。原来她和丈夫看色情录像，居然不回避孩子，孩子也站在旁边看。他们认为孩子那么小，什么也不懂，看了也没事。

这样的父母简直愚蠢至极，孩子在他们眼睛里只是个小动物，他们根本不考虑孩子是个人。童年期的任何经历都能在他们的头脑中留下印象。污秽的镜头，哪怕是几个月的婴儿都不该让他看到，况且他们的孩子已四岁，已经很懂事了。他们的这种行为对孩子的伤害是巨大的，会影响孩子一生的身心健康。

还有的家庭由于没有洗澡设备，妈妈居然带小男孩到公共浴室洗澡，这也是错误的。不管孩子几岁，都不该带他进异性浴室。如果爸爸不能带他去洗澡，宁可在家里拿大盆给他洗也不要把他带到女澡堂。

在家里，只要孩子能自己洗澡，家长就最好让孩子单独洗。孩子长到一定年龄就不愿让父母看到自己的裸体，他也不喜欢看到父母的裸体，尤其是异性家长的裸体。

孩子十二、三岁进入青春期后，父母就不要单独与异性孩子同床睡觉。有资料说，男孩子如果长期与母亲睡一张床，他长大结婚后可能会出现性功能障碍。女孩子长期与父亲睡一张床，也不利于心理健康发育。

但父母可以当着孩子的面适当表示亲热。如早晨上班前的吻别，久别归来后的拥抱。这样可以让孩子看到父母相亲相爱，体会到家庭生活的幸福。父母做这些动作时要坦然，心中不可以有丝毫龌龊感。孩子从父母那里看到了爱和美，学会了正常地表达情感。

当然，这种时候不要忘了，要同时给孩子一个亲吻和拥抱。

特别提示

性启蒙应尽量延迟，就是不给孩子以机会，不使他们产生好奇心。当然绝不能为了延缓而对孩子瞎说八道。如果不得已要告诉孩子，也应该用简短的话语、没有犹豫的口气告诉他，而绝不可带出不好意思的、色情的表情来。

儿童对性的好奇根本不像成人以为的那样大，成人完全可以避开解释的尴尬，把这个问题用另一个说法坦率地讲出来。

性是人的天性，到了该懂的时候自然会懂，就像会走路是人的天性，只需要时间来成全一样。

那些出了问题的孩子，绝不是因为他们比一般孩子性知识少，恰恰相反，他们从各种途径获得了更多的性知识，他们的兴趣被唤起了。由于他们一贯缺少理性的自我约束力，一贯对自己和他人没有责任感，不计后果地放纵自己。

正确的两性观绝不可能孤立存在，它是一个人整个价值观、人生观的一部分。孩子只要有良好的价值观和正确的人生观，他一定会同时有健康的两性观。性教育的重点应该是世界观和爱情观教育。

家长们不仅要在意识上给孩子以健康的爱情观引导，也要尽力以自己和配偶的相处，为孩子做出榜样。孩子从父母身上领略到美满的男女关系，才会对两性相处有信心，才能以健康的心态为自己找到爱情，找到美好的性，找到一生的幸福。

孩子天生不会说谎

只要没有诱因，孩子就没必要拿说谎来为难自己，孩子天生不会说谎。

孩子天生是不会说谎的。

圆圆四岁时，我和她爸爸带着她在北京已漂了近两年。户口没着落，房子也没有，我们一家和另外一个姓高的朋友合租了一个有三间平房的小院，圆圆管那人叫高叔叔。高叔叔很喜欢圆圆，经常和她说话。当时我们想找个能解决户口和住房的地方安顿下来，正好烟台有两家设计院希望我先生去面谈，于是我们带着圆圆一起去烟台。临走前，因为考虑到能不能谈成还是个悬而未决的事，没必要向别人声张；所以先生在临走前一天遇到小高时，说我们准备回内蒙古老家去。

到烟台后，和一家招聘单位初步谈好条件，决定来这里，但先生需要留下试用一周。于是我带着圆圆先回北京。因为我考虑事情还是要等到先生在那里工作一周后才能最后确定，为稳妥起见，在回京的火车上对圆圆说：你回去见到高叔叔不要对他说我们来烟台了。

圆圆懂事地点点头。

结果，我和她回到那个小院后，圆圆一看到小高，就赶快宣布："高叔叔，我不能告诉你我去哪里了。"小高说："你不是回内蒙古了吗？"圆圆说："不是，我妈妈不让我告诉你我去哪里了。"弄得我只好把实话都讲出来。

我们到烟台后，单位很快把户口给办好，还给了我们一套三室的房子。漂泊几年后，来到这样一个美丽的海滨城市，有了这样一份安稳的生活，这让我们觉得非常幸福，心里很感谢招聘我们过来的院长，于是春节回老家时花二百元买了一对有蒙古特色的工艺小银碗，准备作为老家特产带回去向院长表示感谢。

我和先生从没给任何领导送过礼，这一次送这个小工艺品虽说只是出于感谢，但真拿着“礼物”带着圆圆往院长家走时，心里还是有些不好意思，似乎很害怕别人知道。圆圆不理解我们的心情，她来去都兴高采烈的，很为自己去给别人送了点什么而愉快。所以当我们回来走到楼下，看到和我们同住一个楼的她爸爸单位的同事时，她就兴冲冲地对那人说：“熊伯伯，我们刚才去院长爷爷家，给院长爷爷送礼去了！”她爸爸尴尬得只有嘿嘿笑的份儿。

这些事现在看来只是笑话，很有趣，当时却弄得我们很不自在，有些下不了台。但我们没责怪孩子一句，也没有试图再说任何一点掩饰话来圆这个场。如果当时为了面子，当着孩子的面说些谎话，我们自己可能不尴尬了，却是教给孩子说假话。这样的事不合算。

我们一直注意发展圆圆的诚实品格，除非是极偶尔的情况下出于善意的需要，否则绝不教她说假话；同时我们也注意尽量以身作则，自己首先做诚实的人。

“不说谎”是人生幸福的基本保障，一个假话连篇的人，即使他以世俗的标准看有多么“成功”，他实质上也不是个幸福的人，因为他的道德一直悬空着。

小孩子都非常聪明，能很细腻地体察大人的反应。可能是那次“给院长爷爷送礼”让我们一瞬间脸上流露的窘迫太多，圆圆回家后似乎有一些不安，她觉得自己做错事了。我们立即安慰说，没事，原来只是觉得没必要说，你说了也没关系。她爸爸更嘉奖似地抱起她说：爸爸就这么点秘密，全让你给抖落出来了！宛如她做了件有功的事。

我们都笑起来，圆圆一下子轻松了。

圆圆在一天天长大，越来越懂事，她以后肯定不会因为我们这样一种坦然的态度，就总去“抖落爸爸的秘密”。有些东西随着年龄的增长自然能明白，什么该说什么不该说，她只要有健康的心理，就一定会把握好这个分寸。

如果说某个孩子有说谎的坏毛病，这一定是他的成长环境出了什么问题。

孩子说谎不外乎两个原因，一个是模仿大人，一个是迫于压力。每个孩子最初的谎言都是从这里来的。

首先是模仿大人。虽然没有一个家长故意去教孩子说假话，即使经常说谎的家长也并不喜欢自己的孩子说谎。但如果家长在和孩子相处中，为了哄孩子听话，经常用一些假话来骗他；或者是家长经常对别人说假话，不时地被孩子耳闻目睹，孩子就会慢慢学会说假话。还有一种情况，是家长出于成人社会里的某种掩饰需求，经常说些虚饰的话，虽说并无道德上的不妥，只是一种社会交往技巧，但如果被年龄尚小的孩子注意到，也会给孩子留下说假话的印象，教会他们说假话。

墨子就染丝这件事比喻教育上的影响，“染于苍则苍，染于黄则黄，所入者变，其色亦变。故染不可不慎也。”所以如果孩子出现说谎的毛病，家长一定要首先进行自我反省。

造成孩子说谎的另一个原因就是“压力”，即家长比较严厉，对孩子的每一种过错都不轻易放过，都要批评指责，甚至打骂；或者是家长太强势，说一不二，不尊重孩子的想法，不体恤孩子的一些愿望。这些都会造成孩子的情绪经常性地紧张和不平衡，他们为了逃避处罚、达到愿望或取得平衡，就去说假话。

一位母亲为她孩子的说谎问题来向我咨询。她和她爱人都是博士，从她身上可以看出知识分子的良好修养，我想她孩子说谎应该不是从父母那里模仿的。

她的孩子是个女孩，当时读初二。我和这位母亲就从具体的事情上聊起。

她说，就拿最近的一次说吧。我花1000多元给我女儿买一个彩屏电子词典，一再嘱咐她不要丢了，因为我这个孩子经常丢东西，她从小就有丢三落四的毛病，说过她多少次也改不了，她爸因为这事有一次惩罚她在房间里一动不动站了两个小时。她得到这个彩屏词典也非常喜欢，向我们保证说要认真保管，肯定丢不了。结果这么贵的词典用了一个多月就丢了，丢了她也不跟我说。我发现她词典不在了，问怎么回事，她说是借给同学了。我让她赶快要回来，结果好几天拿不回来。她开始几天总说那个同学忘了给她带来，追问了几天她说要回来了，但转手又借给另一个同学。我有些怀疑，让她两天后必须拿回来。两天后她对我说要回来了，但放在教室里了。我不信，说要第二天亲自跟着她到教室看看，她到这个时候还装得很镇静。直到第二天早晨我真要跟着她去学校，她才哭了，说词典丢了，承认她这些天一直在骗我。

这位母亲说，以前孩子说谎还有些不自在，现在那么多天编谎话骗家长，居然说得像真的，没事人似的。她不能理解自己那么用心教育孩子，孩子怎么能学会撒谎。她说她能原谅孩子丢东西，但不能原谅她说谎骗人。

我能理解这位妈妈的气愤，但这件事让我听得内心隐隐作痛。这位妈妈只看到了孩子丢东西的过失和撒谎的过错，却没有细心体会孩子在那些日子内心所受的煎熬。

我对这位妈妈说：就这件事情中孩子的表现，应该不叫说谎，她只是想隐藏一件事。孩子丢了东西，根本不是你以为的没事人似的，她内心其实很痛苦。正常情况下，孩子应该寻找父母帮助解决，可你的孩子为什么不去寻求你们的帮助，宁可以拖延和撒谎来应付？这是因为她没有把父母当作不幸的分担者。孩子这样的反应肯定是出于经验，我可以猜测，在你们以前的生活中，一定是孩子一做错了事，总会遭到批评，是这样吗？

这位妈妈想了想，点点头说，我们对她要求是挺严的。

我说，你们认为严格对孩子好，但孩子可不觉得好。她知道，这件事告诉了父母，不但词典不能找回来，还会挨一顿批评——她干吗要把一件坏事变成两件呢。所以她宁可选择隐瞒。

这位妈妈有些吃惊地说，这样分析是有些道理，不过我们从来不打不骂孩子，她做错了事，只是批评她几句，最多罚站一会儿。这有什么呀，哪个孩子不挨父母批评呢。再说，纸包不住火，靠说假话拖延那么些天有必要吗？

这位妈妈不知道儿童其实十分好面子，大人以为无所谓的事，儿童往往会看得很严重。我们绝不能以我们的感觉来衡量孩子的压力。大人经常随口批评孩子几句，就像说平常话一样，可它们给孩子留下的，却是非常消极的情绪体验。尽管孩子也知道纸包不住火，事情用不了几天终会露馅，但为了逃避大人训斥，她就能拖几天算几天，这符合儿童的思维方式。

并非孩子在这个过程中不紧张，那几天其实她天天都生活在紧张之中。不管成年人还是孩子，为隐瞒一件事而不断撒谎，是很痛苦的，事实上没有人喜欢撒谎。孩子宁可承受拖延的痛苦，也不告诉家长——这其实是个信号，说明家长和孩子的相处出了问题，孩子在潜意识中已不信任家长，并且排斥家长。作为主动方和强势方的家长必须要进行反思，必须要改变自己了，否则以后可能会因此产生一系列的麻烦。

我把这些想法对家长讲了，她不住地点头。我能感觉到她是在真诚地反思自己。她有些为难地问我，那你说我以后该怎么办，孩子犯了错误难道我们装作没看见，就不说吗，那样能行吗？

我说，这不是个装不装的问题，而是你如何理解孩子的问题。你们以前的失误就是容不得孩子有任何错误，所以批评一直贯穿在生活中，似乎家长不说，孩子就不懂得改变，不说就没有尽到做家长的责任。事实上，犯错误是儿童成长的必修课，家长要学会接纳孩子的错误，用不着一发现孩子哪里做得不好，就批评教育一顿。在让孩子认识错误并改正错误的过程中，“不说”往往是最好的“说”。孩子犯了错误心里已经很难过了，家长给予理解，倒往往比给予批评更能让孩子记住教训。即使说，也要采用不让孩子丢面子的说法。

博士点点头。我看她很愿意听，就继续说：就孩子经常丢东西这个坏毛病，既然已经说过许多遍，而且惩罚过，都没效果，说明这些方法都没用。如果再用下去，不但丢东西的问题解决不了，还让孩子多出了说谎的毛病。以后在这个问题上要用“办法”来帮助她，而不是用“批评”来教育她。

我给她举了自己的例子。比如我女儿圆圆有一次乘出租车把太阳帽摘下来放在旁边座位上，下车忘了拿；又过一段时间和我一起乘出租车，又差点因为同样的原因把新买的一件衣服丢在车上。我们就总结，以后乘出租车，绝不能把东西随手放在座位上，一定要拿在手里，不要嫌麻烦。如果拎了几个袋子，要放在下车的门口，这样就不会丢东西了。

帮助孩子想一些预防方案比批评有效得多。如果孩子真有一个毛病无法改变，只要问题不是太大，可以随他去。用“理解”和“办法”都解决不了的毛病，用“批评”一般来说也解决不了。爱一个人不也包含着对他缺点的接纳吗？

这位博士妈妈是个特别善于学习的人，她是我遇到最能诚恳地探讨并进行反思的家长。我们这次谈话后，她又和我通过几次电话，她对于“不让孩子丢面子”这一点领悟得非常好，夫妻俩在处理方式上想了很多办法，完全不和孩子冲突了。她说孩子不仅不再“说谎”，而且性情也平稳了许多，学习成绩也有明显进步。我仅从她的语气中，就能听出她一家人转变后的轻松。

很多人习惯把儿童的品行问题归咎于孩子自身，所以习惯指责孩子；可我从自己及他人的经历中真切地看到，孩子的品行习惯是如此依赖家长的教育方式。

所以家长在思考改变孩子的问题时，切入点永远应该是如何改变自己的教育方式。哪怕你认为孩子的毛病就是来自孩子自己，你也有责任通过改变你自己唤起孩子的改变。不这样思考，你就永远找不到改变孩子的路径。

2007 年 7 月 30 日我在北京电视台看到一期叫“作业/谎言”的节目，一个女孩不爱写作业，经常因为写作业说谎，父母又打又骂都不管用，全家人来节目现场，求助专家帮忙解决。通过他们的叙述可以一眼看出来，问题的核心是父母不当的教育方法导致孩子厌学，并由于害怕受到惩罚而说谎。所以改变孩子的根本，在于父母教养态度的转变。

但被邀请来的一位“心理专家”却把重点放在教育孩子上，对孩子大谈一通“聪明与智慧”的辩证，最后只对家长轻描淡写地说一句“你们也有一些过错”，根本没认真提醒家长反思自己。

专家的话听起来没什么错，却等于什么也没说出来。大道理谁都会讲，可小小的孩子，她哪里能每天面对让她烦恼的作业时，通过思考“聪明与智慧”而获得写作业的动力？

节目结束前，在主持人的努力下，孩子当场保证说以后要好好写作业，再也不说谎了。看得出，孩子之所以说出那样的“保证”，显然是由于节目现场气氛的胁迫，还有对成人的畏惧，以及对自己“变好”的渴望。

孩子下保证的时候我相信她是认真的；但我也相信，做完节目回到家中，只要日常包围她的“教育生态环境”不改变——主要是父母的态度不改变——她就不会改变，很快又会回到原状。事实是，可怜的孩子不由自主地在节目现场又说了一个大大的“谎言”。

可以推测这个女孩说谎的成因——最初因为没好好写作业，父母就提出批评，并要求她做出保证，于是孩子许下一个好好写作业的诺言。可儿童往往对自己履行承诺的能力没有估计，她只是迫于家长的压力去承诺，既缺少践约的理性也缺少践约的兴趣。如果这个时候家长缺少细致入微的体贴和恰到好处的推动，结果只能是孩子食言，因为有太多的原因会导致她完不成诺言。

孩子的每一次食言都会引起大人的不满，批评她说话不算数，并流露出不满，甚至是鄙视。孩子自己也会因此瞧不上自己。她慢慢失去自信，也失去自尊，对他人的要求和自己说过的话越来越满不在乎了，为了逃避处罚，可以随时拿出假话进行抵挡——她不但学习没搞好，还发展出说谎的坏毛病，脸皮也越来越厚了。

说谎和厚脸皮往往联系着，苏霍姆林斯基说过，“不知羞耻是由不肯履行自己的诺言产生出来的”。① 说谎的次数多了，他自己都辨不清楚哪句是真哪句是假，一个人的道德也随之开始堕落了。

当一个孩子养成说谎的习惯后，他会因为各种各样的原因去说谎。

我有一次听到一位高中生的家长说他的孩子总说谎，比如本来有足够的零花钱，但为了在同学面前摆谱或乱消费，就经常编各种谎话来骗父亲的钱，或者是直接从抽屉里偷钱。父亲认为这是孩子天生带来的贪欲，哀叹自己命苦落这么个儿子。这个父亲的苦恼我能理解，但他这是在乱归因，把结果当原因来理解了。他儿子之所以把说谎骗人看成平常事，在他前面的成长中，一定有一系列的事件损害了他的道德，而不是“对钱的需求”本身让他这样。

所以，在解决儿童说谎问题上，家长一定要体察孩子为什么说谎，不要孤立地看一件事，要看到事情的来龙去脉，看到背后隐藏的症结。从症结入手，才能从根本上解决问题。只要没有诱因，孩子就没必要拿说谎来为难自己，孩子天生不会说谎。

特别提示

孩子说谎不外乎两个原因，一个是模仿大人，一个是迫于压力。每个孩子最初的谎言都是从这里来的。

孩子宁可承受拖延的痛苦，也不告诉家长——这其实是个信号，说明家长和孩子的相处出了问题，孩子在潜意识中已不信任家长，并且排斥家长。作为主动方和强势方的家长必须要进行反思，必须要改变自己了，否则以后可能会因此产生一系列的麻烦。

许多家长的失误就是容不得孩子有任何错误，所以批评一直贯穿在生活中，似乎家长不说，孩子就不懂得改变，不说就没有尽到做家长的责任。事实

① （苏）苏霍姆林斯基，《给教师的建议》，杜殿坤编译，教育科学出版社，1984 年 6 月第 2 版，359 页。

上，犯错误是儿童成长的必修课，家长要学会接纳孩子的错误，用不着一发现孩子哪里做得不好，就批评教育一顿。在让孩子认识错误并改正错误的过程中，“不说”往往是最好的“说”。孩子犯了错误心里已很难过了，家长给予理解，倒往往比给予批评更能让孩子记住教训。即使说，也要采用不让孩子丢面子的说法。

如果孩子真有一个毛病无法改变，只要问题不是太大，可以随他去。用“理解”和“办法”都解决不了的毛病，用“批评”一般来说也解决不了。爱一个人不也包含着对他缺点的接纳吗?

孩子的品行习惯是如此依赖家长的教育方式。所以家长在思考改变孩子的问题时，切入点永远应该是如何改变自己的教养方式；哪怕你认为孩子的毛病就是来自孩子自己，你也有责任通过改变你自己，唤起孩子的改变。不这样思考，你就永远找不到改变孩子的路径。

儿童往往对自己履行承诺的能力没有估计，他只是迫于家长的压力去承诺；既缺少践约的理性也缺少践约的兴趣。如果这个时候家长缺少细致入微的体贴和恰到好处的推动，结果只能是孩子食言，因为有太多的原因会导致她完不成诺言。

可不可以批评老师？

我们一直特别鼓励孩子有独立见解，在任何事情上都不要人云亦云，这与我们一直培养她实事求是的做人态度是一致的，即在任何时候任何场合下，都要真诚地、尽量有高度地看待一个问题，而不是仅仅顺从于他人的思想或某种习俗。这实际上就是在培养她的批判意识。

圆圆小学五年级时，思想品德课讲到为什么要尊重老年人，老师只给出一个答案：因为老年人在年青时为国家做出了贡献。

圆圆回家对我提到这件事情，有些不认同地说："有的老年人年青时还是小偷呢！"

我能理解圆圆的想法，她想到的是除了那些给社会做出贡献的人应该得到尊重，有的老年人虽然年青时行为不端，但到他们老了，作为一个普通人和一个弱势者，我们也应该给他应有的尊重。但以圆圆当时的年龄，她分析不了太多，只是从直觉上认为老师讲得有些偏颇了。

我非常欣赏孩子的看法，她小小的心，已超越了多年来人们常有的功利性的思维方式，开始以人类关怀精神和悲悯情怀来思考问题，这确实是值得赞赏。

于是我和圆圆聊了一会儿这个问题。我肯定了她的想法，帮她理了一下思路，让她更清楚地认识到尊重他人是一种最基本的做人的态度，而不是一个交换行为；并且尊重也是有不同层次的——对那些为社会和国家做出贡献的人，要给予崇敬和爱戴式的尊重；对一个囚犯，也应给予他作为人的最基本的尊重，甚至对动物也要尊重。

我们一直特别鼓励孩子有独立见解，在任何事情上都不要人云亦云，这与我们一直培养她实事求是的做人态度是一致的，即在任何时候任何场合下，都要真诚地、尽量有高度地看待一个问题，而不是仅仅顺从于他人的思想或某种习俗。这实际上就是在培养她的批判意识。

有人说，批判精神是人类文明的重要标志之一，认为自然界和人类社会的发展就是一个宏大的批判过程。从达尔文的生物进化论中可以看到，生物的发展正是源于不断的对自身的批判。西方教育界越来越重视学生的批判性思维能力的培养，认为批判性思维是学习的一个不可分割的部分，把它与“解决问题”并列为思维的两大基本技能。[①]

发展儿童的批判意识应该是教育中的一项重要任务。对于中小学生，尤其是小学生，批判意识的培养并不一定要求孩子提出什么新观点来，而在于首先让他敢于讲出自己的想法。最典型的就是让孩子敢于对教师的一些言行提出质疑。

因为教师是儿童遇到的第一个“权威”，孩子对老师的崇拜和惧怕是天然的。在日常生活中，家长应通过对一些事情的态度来告诉孩子，在和老师相处中既要尊重老师，又要有平等意识，不要惧怕或盲目崇拜，当老师有错误的时候，要有勇气说老师错了。

我的一个老同学对我讲了这样一件事。

她的儿子上小学二年级时，新换了一位语文老师。一年级时的语文老师是个男的，这次换来的是个女的。女老师给孩子们上第一节课时，说要“启发学生的观察力”，就让孩子们说出自己和前任男老师的不同。

孩子们七嘴八舌地找出了好多不同，新老师是长头发，以前老师是短头发；新老师是双眼皮，以前的老师是单眼皮；新老师戴着眼镜，以前的男老师不戴眼镜；甚至有的孩子注意到新老师嘴角有一颗痣，以前的老师没有等等。我这位朋友的儿子从一开始就举手，他本来发现了两位老师间的很多不同，手一直举得高高的，但老师一直没叫他。眼看着自己发现的东西都让别的同学说完了，这孩子急得要命。到最后同学们都已没什么可说的时，这个小男孩子突然又想起一样不

① 陈琦，刘儒德主编，《当代教育心理学》，北京师范大学出版社，1997 年 4 月第 1 版，167 页。

同来，于是又高高举起手。老师叫他起来说，男孩子说："您是女的，没长小鸡鸡，以前的老师长了小鸡鸡。"

全班哄堂大笑，老师非常不高兴。下课后老师把孩子叫到办公室严厉地批评，说他意识不好，思想不健康。

孩子觉得非常委屈，回家问妈妈什么叫"意识不好"。妈妈一听，心里倒没觉得孩子有什么错，嘴上却说：你这个臭小子，脑袋里怎么尽是这些歪歪念头，你这样说，老师能不生气吗，活该老师批评你，以后不能对老师这么没礼貌！

我这位同学只是把这当一件趣事讲给我，我也被小男孩的话逗笑了，但心里很遗憾老师和母亲的做法，觉得她们错失了一个发展孩子创造性思维和敢于表达的机会，把孩子拉得离平庸思维和虚假思维又近了一步。

我们的学校教育或家庭教育长期以来一直在培养"乖孩子"。

在家里，家长代表"正确"，要求孩子"听话"；到了学校，教师代表"权威"，不容许学生有任何"与众不同"。很多孩子长大后被指责为没有思想、缺少创造力，可在他们的思想成长中，不是一直被当作鹦鹉调教着吗，不是一直被当作木偶操纵着吗？他思想上的独立性从哪里去获得呢？

在这个例子中，老师不应该生气，即使孩子的话让她略有尴尬，也应该愉快地予以肯定。小孩子的思想非常单纯，他想的肯定没老师想的多。既然现在是老师做得不妥当，孩子来向家长求助，家长至少应该表示出理解，告诉孩子他的想法没错，他能发现别人发现不了的东西这很值得表扬；同时告诉孩子，老师不应该不高兴；不过既然老师不习惯别人这样说，那么以后我们在课堂上就不说这样的话。

可惜的是当妈妈的随口贬损孩子两句，她自己没在意那些话会对孩子产生怎样的影响，但这个影响肯定是有的，并且是消极的。

另一位母亲对我讲了这样一件事。

她正在上小学四年级的儿子有一天忘记把老师发的一张数学卷子带回家，做卷子是当天的家庭作业。为了能按时完成作业，孩子去他家楼下一个同班同学那里借来卷子，把题目都按卷子上的格式抄下来，然后把它们做完。孩子这样实际上就增加了自己的作业量，因为对于一个小孩子来说，抄一张卷子也不是件轻松事。作业写完后，孩子很高兴，他认为自己没因为忘了带回卷子而耽误写作业，他甚至感觉老师会因此表扬他。

第二天放学时，孩子一见妈妈的面就哭了。原来，老师说他自己抄的卷子不算，要孩子在原卷子上重做一遍。孩子不想做，老师就把他叫到办公室，要求他必须重做，否则不让他放学回家。孩子只好边哭边写，情绪很不好。老师看孩子这样，就说看来你对老师很不服气，放学时让你妈妈来见我。

妈妈带着孩子到办公室找数学老师。数学老师对这位妈妈说，忘了带卷子不对，罚他是为了让他以后不要丢三落四的，再说卷子多写一遍学得更扎实，这不是为他好吗。

尽管这位母亲觉得老师的话很牵强，可她不敢和老师辩论，就一再地谢过老师后，领着孩子回家了。回家后孩子情绪还不好，她就开导孩子说，老师说得有道理，罚你一次以后你就不会把卷子丢教室了，再说多写一次还能多学一次呢，你应该听老师的话，老师这是为你好。

这位家长虽然用这样和老师统一口径的话来教育孩子，但说完后，她看孩子很不愉快，自己心里也不舒服，就有些怀疑自己这样说对不对。事后她很迷惑地问我，遇到这种情况，你说我该怎么办？

这位家长的困惑很有代表性，在她内心实际上有两套价值观，一套是与世俗观念相吻合的，即老师懂教育，老师做的一切都是为了孩子好，不可以被怀疑和批评；另一套是她心底向往的，即孩子应该受到尊重，不可以用这样一种作业方式惩罚孩子。当这两套价值观发生冲突时，她选择了前者，这可能和个人平时缺少批判精神有关，在关键时刻判断力不足，下意识地以观念中固有的套路来行事。

但一个人的口是心非哄不了自己的心也哄不了别人的心，所以她和孩子都难过。

我对这位家长说，你在老师面前约束自己是对的。如果我们没有把握能改变老师的某个想法，就没必要急于和老师探讨谁是谁非，绝不要得罪孩子的老师。但回家后那样和孩子说就没必要。你应该说你的真实想法，站在一个很客观的立场上和孩子谈这件事。你想想，孩子在这个时候，多么希望得到家长的理解啊。

这位家长的眼睛里流露出一丝诧异，似乎想从我这里得到一个证实，她问，你也认为老师这样做不对吗？

我说，这件事上显然老师的处理方式不当。孩子忘了拿卷子是不对，但孩子却积极地想办法，向同学借来卷子，把卷子重抄了一次，按时完成了作业。老师如果能在这件事中看到孩子积极的一面，以赏识的心态看待孩子，他就应该像孩子期待的那样给予表扬。至少什么也不说。可他只盯着孩子的过失，并且非常愚蠢地以写作业作为惩罚，还找个冠冕堂皇的理由说是为了孩子好，这让孩子觉得老师既苛刻，又强词夺理。

这位家长可能觉得我说得有道理，点点头，但她还是表现出很没底气的样子，问我，难道我就对儿子说老师做错了？能这样对孩子说吗？

我理解她的不安，对她说，告诉孩子老师某件事情做得不对，这和背后说老师坏话完全不是一回事，这方面应该有坦然的心态。教师也是普通人，是普通人都会犯一些错误。所以你当然可以坦率地告诉孩子，老师这样做不对。

我看这位家长面有难色，就又对她说，多年来我们已经习惯了不去批评老师，仿佛老师对孩子说什么、做什么都是对的。事实上我国中小学教师这个职业的进入门槛并不高，成为教师的人并非经过了高于其它职业的道德筛选和素质考证，他们甚至在学历上和其它一些行业人员相比，也并无明显优势。如果认为老师是没有错误的，这很不客观，而且这样一种认识实际上也是一种虚幻的期待，给了老师压力，却对他们的职业成长没有好处。未来的教师队伍素质应该是较高的，他们的应有素质和已有素质可能会比较吻合；但我们仍然不能说一个人因为他当了教师，他就变成了一个没有缺点的人。

我的话可能让家长有些吃惊，但她看起来也释然了许多，她想了想还是有些顾虑地说，我一直教育孩子要尊重老师，这样做会不会降低老师的威信，以后老师就不好管他了？

我说，这其实也是你不敢对孩子说老师错了的一个重要原因。不过这种担心是多余的。我们应该尊重老师，但不应该把老师当权威供奉起来。现在全社会一个普遍的错误就是把教师树立成了学生面前的权威，这个现象在小学尤其严重。师生间的关系处处流露着强势与弱势，君主与臣民，有知与无知，正确与错误这样一种极端的意识。这是不对的，这才会造成孩子不尊重老师，有谁会发自内心地尊重一个让自己不太舒服的权威呢？告诉孩子老师做得不对，这不是教他不尊重老师，而是教给他敢于质疑权威。不要小看孩子，只要管得对，没有一个孩子是不好管的，没有一个孩子是不懂得尊重别人的。其实孩子都很有善意，他们天然地对老师就有崇拜和尊重，我们只要不把他往歧路上引，凭感觉他就会找到那条正道。面对一个值得尊重的老师，他的崇拜想挡都挡不住。

看来我的话对这位母亲产生了影响，她问我：具体地，我到底该怎么做，怎么和孩子说这件事？

我说，这件事如果让我来做，我可能会这样处理。首先，如果感觉能和老师沟通，沟通一下最好，让老师认识到这样的“好心”对孩子来说并不是件好事。多做一次作业就可以让孩子学得更扎实的逻辑不是处处成立，当孩子心里有反感情绪时，多做就比少做要坏得多。不少心地善良的老师其实他们是很愿意接受家长的意见的，他们作为教师，自身也有一个学习成长的过程。如果你感觉不能和老师沟通，那就什么也不说，千万不要和老师搞得不愉快。但回家后，无论如何要和孩子正面谈一下。

接下来的话这可能是家长当下最想知道的，她的眼神充满期待。

我说，当你引导孩子去认识一件事或理清一个思想时，最好采用一问一答的方式。让孩子在家长的引导下，把想法讲出来，把思路理清楚，这比单方面由家长讲道理效果要好。

比如这件事，你可以先问孩子是不是觉得不愉快，觉得委屈；要对孩子的情绪首先进行安抚，表示出你的理解。然后问孩子是不是觉得老师做得不对，哪里做得不对，写作业的意义是什么，老师的行为是否实现了这个意义，老师把一张无关紧要的卷子看得那么重反映了他怎样的一种认识，这种认识和孩子的认识主要区别是什么，谁的认识对学习更好，老师怎样做就对了，如果你是老师你将会怎样处理……问答过程中，一定要注意个人思想的客观公正，不要带着情绪说话，目标要指向问题本身，而不要指向老师。通过一连串问答，让孩子明白这件事情的根本错误在于老师观念上的错误，所以自己可以拒绝重写一遍卷子，以后遇到类似的事情也要有勇气说不。

这位家长不住地点头，看来她的思路渐渐清楚了，但她还是有一个很大的顾虑。她说，现在学校管理得比较严，老师虽不打骂孩子，可万一这样做惹得老师生气，给孩子小鞋穿怎么办？

我说，一般情况下，老师当时可能生气，事情过去后应该不会和孩子计较。如果不幸遇到一个心胸狭窄的人，给孩子冷暴力，家长应该赶快协调孩子和老师的关系。这样的人虽然可恶，但也很简单，家长可以在事后想各种方法去和老师沟通，和老师搞好关系，并注意这种关系的保持，直到他不再教孩子。千万不要让孩子独自去承受这种冷暴力。

我想了一下，又补充说，不严重的情况下，我不赞成向校领导反映。弄不好，老师会认为你打他的小报告，他会在情绪上很抵触。毕竟他也是普通人，不愿意被人背后说什么，尤其不愿意有人到领导那里告他的状。

家长不住地点头。我内心也很希望这些话对她有用。

教师是受人尊敬的职业。我们应该始终教导孩子尊敬老师，但在这件事情上不要做得刻板和过分了。要允许孩子对老师的某些行为提出质疑，允许孩子批评老师，允许孩子在老师面前有自己的想法和做法。如果家长因为这些事训斥或嘲讽孩子，不但压抑了孩子的批判思想，同时也在教他说些言不由衷的话，让孩子以后变得矫揉造作和思想上奴性十足。

孩子在发展自己的独立思想时，可能会出现偏激。哪怕是偏激，我们也要首先用肯定的态度来看待，分析孩子的想法，然后客观地引导他去形成一个正确认识，这就是教育的任务。

另外，一个具有批判精神的人，就是一个有个性的人；而凡是个性的东西一定是独特的，独特了就总会和平庸发生冲突。家长在鼓励孩子发展个性的同时，要引导他理解和接纳各种各样的人和事，健康的批判精神应该是视野开阔的，是有高度的，所以应该是具有宽容气度的。

美国教育家杜威说“理智的自由才是唯一的、永远具有重要性的自由”[①]。这句话提醒我们，思想上的独立和自由如此重要，人的理智不可以有枷锁。这句话读起来有些空，似乎也比较平淡；其实它说得很实，是儿童教育中非常重要的一个理念，值得家长和老师们时刻关注，深入反思，处处实践。

① （美）杜威，《我们怎样思维·经验与教育》，姜文闵译，人民教育出版社，2005年1月第2版，275页。

特别提示

对于中小学生，尤其是小学的孩子来说，批判意识的培养并不一定要求孩子提出什么新观点来，而在于首先让他敢于讲出自己的想法。最典型的就是让孩子敢于对教师的一些言行提出质疑。

告诉孩子老师某件事情做得不对，这和背后说老师坏话完全不是一回事，这方面应该有坦然的心态。

当你引导孩子去认识一件事或理清一个思想时，最好采用一问一答的方式。让孩子在家长的引导下，把想法讲出来，把思路理清楚，这比单方面由家长讲道理效果要好。

我们应该始终教导孩子尊敬老师，但在这件事情上不要做得刻板和过分了。要允许孩子对老师的某些行为提出质疑，允许孩子批评老师，允许孩子在老师面前有自己的想法和做法。如果家长因为这些事训斥或嘲讽孩子，不但压抑了孩子的批判思想，同时也在教他说些言不由衷的话，让孩子以后变得矫揉造作和思想上奴性十足。

家长在鼓励孩子发展个性的同时，要引导他理解和接纳各种各样的人和事，健康的批判精神应该是视野开阔的，是有高度的，所以应该是具有宽容气度的。

遇到一个“坏小子”

爱孩子，就帮他创造一个和谐的局面，不要给他制造麻烦。

圆圆跳级升入四年级后，学习上没什么困难，很快和新班级的同学们就处熟了，有了自己最要好的几个朋友。总的来说，情况都很好。只有一件事让她觉得烦恼，就是时常受到班里一个小男孩的欺负。

这个男孩子是所谓的“差生”，在这里我把他叫做孙小力。他坐在圆圆后面。听说他以前也欺负班里别的女同学，自从圆圆来了后，主要精力就放在欺负圆圆上。

他上课总是从后面揪圆圆的小辫。下课后，把她的课本抢了扔到远处另一个同学桌子上，看她着急地绕一大圈去找书，快要接近书时，他又跑前面抢了，放到另一个远处的桌子上。经常是快要上课了，圆圆还满教室忙着追书。有时圆圆下课了正和别的同学在一起玩，冷不丁被他推一把，差点摔倒。

圆圆经常回家向我抱怨，看起来这个小男孩让她有些发愁了。圆圆班里的同学见了我的面还告状说，阿姨，我们班孙小力总欺负圆圆，你去告老师吧。

我一直没去找老师，一是觉得小男孩难免淘气，不是多大的事，只是告诉圆圆甭在意他。二是觉得圆圆已为这事和老师说过了，我再去说，老师再把他批评一顿也解决不了问题。我希望圆圆能自己解决这些问题，凭我的感觉，这个小男孩给圆圆带来的只是烦恼，她回家说说也就没事了，构不成对她心理的伤害，所以我也不着急出面。

四年级时的欺负手段还不太严重，上了五年级却有些过分了。除了以前的那些恶作剧，还出现了“骚扰”行为。有一次他把电话打到家里，正好圆圆接的，他在电话里大喊一句“我爱你”。圆圆吓得把听筒扔了，气愤地过来对我说，孙小力怎么知道咱们家电话号码的？咱们赶紧换电话吧！

我开始认真琢磨这个孙小力了，觉得这个仅仅 10 岁的孩子也许真的有些问题，一时没想好该怎么办。但很快发生的另一件事让我不能不赶快行动了。

那天圆圆放学回家看起来情绪很不好，一进门就要换衣服，洗头发。我问为什么，她哼叽了半天，才有些不情愿地告诉我，今天下午在教室外和同学玩，孙小力从后面一把抱住她，还亲了一下她的头发。老师正好看见了，把他批评一顿，并罚他站了。看来这事确实让圆圆非常不开心了，她强忍着才没哭，问我能不能去和校长说一下，把孙小力开除了。

圆圆爸爸早对这小男孩不满了，这时气坏了，说要去找这个坏小子的家长，让家长揍他一顿。凭我的直觉，这样的孩子，找他的家长也没用，家长揍他一顿，他以后不一定使什么坏呢。我也不期望老师能有办法解决，我想找到一个根本的解决办法。

我对圆圆说，妈妈明天在你放学时到校门口等你，和孙小力谈谈。

我第二天买了一本郑渊洁的童话《皮皮鲁》，这是我和圆圆都喜欢的童话书。这一方面算作是件“行贿”品，另一方面我想让他读一点书。读书对道德养成有促进作用，前苏联教育家苏霍姆林斯基说：“我坚定地相信，少年的自我教育是从读一本好书开始的。”

到圆圆学校门口等她。她早早出来，又和我一起等孙小力出来。一会儿，圆圆指给我一个穿得松松垮垮，显得有些邋遢的孩子，并把他喊过来。

我对他说我是圆圆的妈妈，想找他谈谈。他可能以为我是来找他算账的，眼睛里流露出害怕，转而又流露出挑衅和不在乎的样子。

“别紧张，阿姨只是来和你随便谈谈，我们说说话好吗？”我蹲下。他表情有些诧异，但情绪有所缓和。这时旁边有几个同学围过来，我不想让他们围在旁边，拉孙小力往远处走走，但那几个小男孩还是跟过来了。只好不管他们了。

我和颜悦色地问孙小力：“你说圆圆是个好同学还是个坏同学？”

他回答：“好同学”。有些羞涩。

我问：“她什么好呢，你说说。”

他脱口而出："学习好。"想了一下又说："不捣乱。"就沉默了。

我问："还有吗？"

他又想想，说："不骂人，不欺负别人"。

我再问："那她的缺点是什么呢？"

他略有些不好意思，低低地说："没缺点。"

我说："圆圆是个好同学，要是有人欺负她，那你说对不对啊？"

他摇摇头。

"那你会欺负她吗？"

他又迟疑一下，摇摇头。

我微笑着拍拍他的胳膊说："真是个好孩子。"

这时旁边几个小男孩不满了，纷纷说，阿姨你别相信他，他经常欺负圆圆，他给老师保证过好多次了，保证完了就又犯错误。说得孙小力一脸的不满和微微的羞愧。

我对那几个男孩子说："孙小力以前是那样子，但以后不那样了。我充满信任地问孙小力："你说是不是？"孙小力眼睛里一下充满光泽，他点点头。

我在这一瞬间也看到了这个孩子的善良，隐约地觉得孩子这样，肯定和他父母的教养方式有关，就想找他父母谈谈，希望能彻底解决一下这个孩子的问题。于是我问："你爸爸妈妈在哪个单位上班，我可以找他们谈谈吗？你放心，保证不是告状。"这个孩子一下显得非常为难，情绪一落千丈。

这时围观的一个孩子在旁边小声对我说，阿姨你别问了。我立即意识到这个孙小力的家庭可能有问题，话头赶快打住，向他表示道歉说，噢，对不起，不说这个了。我拿出《皮皮鲁》对他说，这本书很好看，圆圆就很爱看这个书，你想不想看看啊？

他点点头。看了一下书，眼皮又耷拉下去了。

我把书放到他手中说，这本书送给你，回家看去吧。另外，圆圆在家里有很多好看的书，你要是想看的话，可以让她带来，借给你看，你看完一本还回去，然后再借一本。好不好？

他双手拿住《皮皮鲁》，眼睛里闪现出光泽。又点点头。

跟前围的孩子越来越多了，我怕孙小力有心理压力，就说，那我们今天就这样，好不好？他还是点点头。样子显得很乖，他肯定是没想到我会这样和他解决问题。

我领着圆圆往家走，刚才不让我问孙小力父母单位的那个小男孩凑过来，神秘地对我说，孙小力的爸爸在监狱里呢。我有些惊讶，然后对那个男孩子说，他爸爸在监狱，他心里肯定很难过，不愿让别人知道。这事我们知道就行了，以后别再对别人说了，好不好？男孩子立即很懂事地点点头。

从那以后，孙小力果然再没欺负过圆圆。过了一段时间，我又让圆圆带给他一本郑渊洁的童话书。我问圆圆，孙小力看没看这两本书，她说不知道，也不愿意去问他。可能她还是尽量躲着孙小力，不想招惹他。但听她说孙小力现在不欺负女生了，可还是动不动就因为其它原因挨老师的批评。有一次圆圆去老师办公室送作业本，老师把孙小力的妈妈叫来了，他妈妈看样子很生气，突然站起来踢了孙小力几脚。

圆圆说这件事时，口气里流露出惊恐，那样的场面对她来说太不可思议了。

我对圆圆说，他妈妈这样确实不对，太伤孩子的自尊心了。这样的家庭，孩子有什么办法呢。他的错其实不是他的错，是他父母的错。所以你不要歧视他，遇到有别的同学对孙小力说歧视污辱的话，你也要去制止。不要把他当成坏孩子看，他就是个普通的同学，大家现在对他一视同仁，他长大才能做个正常人。

我后来从一个关于动物的电视节目听到一句话，说心灵受到创伤的小象性成熟早，且攻击性强。这也许能解释这个孩子为什么会出现那些情况。

我有些心疼这个孙小力，很想帮帮他，想找他妈妈谈谈，改变一下教育方式，孩子的可塑性是多么大啊。可他妈妈那个样子，我有些害怕她，没有把握能和她沟通。而且我当时工作特别忙，经常加班。后来不再听圆圆说到孙小力，我也没再去想这个问题。现在想来有些后悔，也许我当时找他妈妈谈谈更好。但愿这个孩子现在已变得很好。圆圆上完五年级我们就离开了烟台，此后也再没这个孩子的消息了。但愿他能正常地成长。

2006 年我从报纸上看到一个事件，北京某所小学一位女孩子的父母，因为他们的女儿在学校和一个男孩子发生了一点小冲突，回家向父母哭诉，夫妇俩第二天就到校去找这个小男孩算账。夫妻俩直接找到小男孩，把男孩暴打一顿，导致男孩死亡。这起悲惨的事件使两个家庭破灭。这对父母，他们不但葬送了他们自己的未来，也让他们深爱的女儿只能在孤独中成长，没有父母相伴。

退一步，即使男孩没出事，家长这样一种做法仍然可恶。从远处说，他们这样的行为，如何能教会孩子做人处事？从近处说，这样去学校丢人现眼，以后让他们的女儿如何在学校中抬起头来？他们既是在夺走女儿当下学校生活的快乐，也是教给她做个报复心强的人，夺走她未来的幸福。

每个孩子在学校都有可能遇到“坏同学”，家长如果需要出面，目的应该是帮助孩子解决问题，化解矛盾，而不是去报复。针对不同的对象可以有不同的处理方式，有一个底线，就是在生理及心理上都不能伤害那个“小敌手”，而是像尊重自己的孩子一样，尊重那个孩子。同时要考虑所采用方式对自己孩子人格行为的影响，以及对他今后人际关系的影响。爱孩子，就帮他创造一个和谐的局面，不要给他制造麻烦。

特别提示

“他的错其实是他父母的错。所以不要歧视他，不要把他当成坏孩子看，他就是个普通的同学。大家对他现在一视同仁，他长大才能做个正常人。”

读书对道德养成有促进作用，前苏联教育家苏霍姆林斯基说：“我坚定地相信，少年的自我教育是从读一本好书开始的。”

每个孩子在学校都有可能遇到“坏同学”，家长如果出面，目的应该是帮助孩子解决问题，化解矛盾，而不是去报复。

比黄金珍贵的四个字

我们几乎可以从一切值得尊敬的人身上看到这四个字，也可以从一切人格缺损者身上感觉到他们在这方面的缺失。给孩子什么，能比给这四个字重要呢。

如果让我说出对孩子未来的希望，我希望她将来有一份不错的工作，能从事自己喜欢的职业；希望她有良好的人际关系，有几个一生都能谈得来的知心朋友；希望她能得到一份不错的爱情，有幸福美满的家庭生活……我的希望一定和别的母亲一样，哪个母亲不是这样想的呢！

这些希望的实现，不是靠运气，不能由上帝从空中送来，它靠的是自己。

这些年来，目睹了许多人以及他们不同的人生，越来越觉得“性格即命运”这句话近乎真理。因此，当我殷殷期盼孩子一生幸福时，对她的心理健康就充满切切之意。

心理健康的要素很多，它犹如一座花园，里面盛开着自信、友善、诚实、理解等美丽的花草树木——它们植根的土壤则是四个字，没有这四个字，这座园子里的很多东西就不能生长。所以我想，如果让我为女儿的人生厅堂里悬挂一纸座右铭，给她以一生的指引和护佑，我要写下的就是这四个字：实事求是。

这四个字如此朴素，朴素得宛如空气，常常叫人淡忘，却是人生中无时无刻不能离开的东西。我们几乎可以从一切值得尊敬的人身上看到这四个字，也可以从一切人格缺损者身上感觉到他们在这方面的缺失。给孩子什么能比给这四个字重要呢——这一点都不玄虚——人生缺少这四个字，就犹如生命缺少空气一样。所以，它真比黄金更珍贵。

我们非常容易做到的，是从理念上、词语上告知孩子要“实事求是”；我们同样非常容易犯下的错误，则是言行上的不实事求是。这种错误往往在不经意间出现，也许它并不代表我们根本的人格品质，但它会给孩子带来不好的影响，使孩子不知不觉走到实事求是的对立面去。

比如有的家长当着孩子的面说“有钱人没有一个好人”，然后又抱怨自己家里的钱太少，接下来把赚不到钱归因于社会或他人的影响。这一圈话说下来，孩子就被搞糊涂了。还有的家长，一方面要求孩子做事踏实，另一方面自己却爱虚荣爱摆谱。这样的家长，即使把“实事求是”整天挂在嘴边，孩子也难以领悟到这四个字的内涵，难以内化成自己的思想。

所以，如果希望孩子真正获得四个字，家长一定要关注自己的行为，反思自己的言行是否实事求是。身教重于言传，这方面尤其如此。

在对圆圆的教育中，我和先生不一定总对她提到“实事求是”四个字，但一直尽可能地按这四个字去做。首先是自己做出表率，尽量按这四个字去行事。其次是在对她的教育中尽量遵守这四个字。

我们从未要求她考试成绩达到多少，从不跟别人比较名次，是要她在学习上实事求是；我们绝不强迫她做任何不想做的事，是因为我们愿意实事求是地考虑孩子的心理感受，不追求孩子表面上的服从；我们特别愿意接受来自他人的意见，包括孩子的意见，一家人经常坐在一起开“提意见会”，这让孩子学会用实事求是的眼光看待自己和他人身上的缺点，客观面对，积极改善……实事求是的教育在一切生活细节中，随处可以发生。

圆圆小学一年级第一学期结束时，班里选三好生，无记名投票，每人可以选三个人。圆圆回家告诉我她得票最多，全班45人，她得了43票，缺的那两票是两个男生没投自己。我问她怎么知道谁没投她，圆圆说是那两男孩子下课后自己跑来告诉她的。

我虽然为圆圆得票多而高兴，却在一瞬间闪过这样的念头：看来圆圆自己投了自己一票，这合适吗？那两个男孩子不投她的票，是不是对她有什么意见了？但我很快意识到自己的俗气。

孩子为什么不可以坦然地投自己一票？小男孩不投圆圆的票怎么就是对她有意见了？他们只是些6、7岁的孩子，心地都那样纯洁，脑袋里哪有我这些俗不可耐的想法。圆圆对我讲这些时口气那样自然愉快，说到那两男孩子时宛若说到投了她票的同学，毫无异样。我庆幸自己没有失口，否则只要我两句惊讶的话，就足以让孩子不知所措，让她的心田遭到污染了。我只是亲亲圆圆的小脸蛋，满怀欣赏地对她说，看来宝贝做得不错。

第二天，圆圆写完作业后忽然想起什么来，问我，“妈妈你说自己能不能给自己投票?”我肯定地说，能啊，只要觉得自己够三好生条件，就可以给自己投，你不就是这样做的吗?圆圆有些奇怪地告诉我，她同桌的小男孩今天对她说，选三好只能选别人，不能选自己，选自己就是不谦虚。

我猜测也许是昨天晚上男孩受到某个大人的“教导”了。但我没讲出我的猜测，只是笑笑对圆圆说，他理解错了，你去告诉他，如果觉得自己条件不够就不要投自己，如果觉得够了，并且希望自己当三好生，就可以投自己。要是心里想当三好生，并且觉得自己够三好生条件，却故意不投自己，那才不对呢。这些都和谦虚或骄傲没有关系。

此后圆圆每学期选“三好”都投自己一票，因为她一直成绩名列前茅，担任班干部，她对自己有自信。

但她也渐渐发现了同学们在这方面一些微妙的想法和做法。大家越来越在乎谁投了谁的票，同时没有人愿意承认给自己投票。圆圆慢慢能感觉到别人为什么这样做了，但是当有同学问她投了谁的票时，她总是不会隐瞒，如实地说也投了自己一票。她这样说时，感觉到一些别扭，就回家跟我说她的困惑。

我对她说，怎么做的就怎么去说，真实是最好最美的。你投票给谁，谁投票给你，只要你觉得事情做得正确，没什么不好意思，装模作样才不对，才应该不好意思。

家长这些话让圆圆觉得坦然了，她也一直在这个事上怎么做就怎么说。

圆圆上初一时班里也搞了投票选三好生，她还像以前一样投了自己一票。回宿舍有人问起时，圆圆坦率地承认投了自己一票。但那次圆圆没当选三好生，因为体育成绩没达到评三好要求的“良”，她失去了评选资格。圆圆之所以投自己一票，是因为在这之前我们俩谈起过一次这件事，她希望一直保持“三好生”的荣誉，担心自己上初中后体育成绩一下子变得不好，会影响评三好。我安慰她说，学校会考虑你只有10岁，比同学们小两、三岁，别人都开始进入青春期，发育起来了，你还是小学生的年龄和体格，体育方面应该会适当放宽。

我还提起她班主任在家长会上表扬了四个天天坚持晨练的孩子，其中就有圆圆这件事，认为以她的表现，评三好应该没问题。

但学校没考虑她的具体情况。所以到第二年又选三好生时，圆圆就没再投自己，全投了别人，因为她的体育还是没达到“良”。

可这次圆圆回宿舍说没投自己，竟然有同学认为她也是学聪明了，隐瞒了。圆圆回家对我讲到这件事，觉得别人干吗会那样理解，想得太复杂了。我觉得圆圆在这方面已形成了比较稳定的认识。

过了不长时间，班里又投票选班干部。圆圆把票投给了一个平时不太喜欢的同学，她说因为那个同学工作能力挺强的，适合担任那个职务。班干部在初中生那里往往是一种荣耀，所以初中生手中的一票投给谁往往受情绪影响，他们可能在投票时更关注自己和谁关系好。圆圆能以工作能力来考虑投票给谁，这种实事求是的精神非常可贵。

一个孩子在未来生活中的踏实度，取决于他成长中多大程度上受到实事求是这四个字的影响，取决于他长大成人后的思维方式与这四个字有多接近。

实事求是的主要对立面不是虚假，是虚浮——虚荣、浮躁，以及这之下的偏执和嫉妒等——看似小问题，在不经意间流露，却有相当的破坏力。

现在家家一个孩子，望子成龙心切使得不少家长虚荣心、浮躁心跟着上涨，偏执行为频频出现。孩子在虚浮的生活中非常痛苦，更容易遭受失败；家长却不知道自己对孩子做了什么。

我接触了不少家长，不断地帮助一些家长解决子女教育中的一些问题，但也不断地感叹一些问题的微妙和难以解决。我越来越发现，很多父母亲不当的教子方法其实不是由于他们教育知识欠缺，而是由于虚荣和浮躁。

下面一个例子是我刚刚遇到的，很有代表性。

一个认识的人给我打电话，说她亲戚的女儿现在有些心理问题，问我可不可以给女孩做一下心理辅导。这个女孩已经二十五岁了，父亲是一位中学高级教师，在一所很有名的中学教书，并且总是带高中毕业班，他教的毕业生大部分都上了清华北大等名校，他个人在行业里也小有名气。女孩的妈妈也是个中学老师。女孩在这样的家庭中一直被严格要求，从小学习不错，高中就读于父亲所在的中学。

按女孩当时在学校的排名，有可能考上清华，但没把握。填报志愿时，父亲说你要是不考上清华，我以后教书就没说服力了，力主女儿报清华。妈妈也劝孩子说，你要是考上清华，我在学校管学生都有了底气。

为了让孩子没有其它的想法，他们建议孩子只报了一个志愿，没报第二志愿。结果女孩差 8 分没考上，只好去复读。一年后再次填报志愿时，女孩有些胆怯，第一志愿不敢报清华，想报另一所较有名气的大学。但父母认为那所学校以去年的分数就可以上，既然都补习一年了，就应该争口气考上清华，于是又怂恿孩子报了清华。这次幸好在清华后填了第二志愿，结果还是差了几分，没被清华录取，上了第二志愿的大学。第二志愿大学其实也不错，但这一家人却总认为不上清华就委屈万分，做父母的总是因为孩子补习了一年才考个普通大学而觉得没面子，唉声叹气，言语间有很多不满，弄得孩子读了四年大学一直很郁闷，中间甚至休了半年学。

女孩本科毕业时又去考清华的硕士，还是没考上，就想出国留学。申请了两所国外名校，不知为什么都没成功。又一次备受打击。她父母后来通过关系帮她找了个不错的工作，按说应该高兴，可让女孩不爽的是和她一起来单位的另外两名同届毕业生都来自名校。干了一年后，那两位中的一位被提拔当了一个小负责人，这让女孩终于受不了，没请假就离家出走半个月，回来后再也不肯去上班了。

现在女孩每天把自己关在屋里，除了上网和睡觉，别的什么都不干。在众人的苦苦劝说下，去看了一次心理医生，医生说她是抑郁症，跟她谈了一次话，开了药。但这又有一个多月过去了，没有一点作用，现在女孩不但把自己整天关在屋里，甚至连窗帘也不允许别人给她拉开。

女孩的父亲也快要崩溃了。他一直争强好胜，在任何事上都不服输，孩子这几年来的不顺对他的打击非常大，他觉得作为家长他太失败了，太没面子了。

我听完这种情况后非常为女孩惋惜，但告诉对方我做不了这个心理辅导，不是不想帮，是帮不了。

从他的叙述中，特别是对一些细节的描述中，我已清晰地看见女孩怎样走到今天。虽然我听到的是一件相对孤立的事情，但几乎可以肯定，她父母能在孩子考大学这件事上那样想问题，在平时的生活中也一定充满了那样一种思维方式。

所以女孩子的问题不是一朝一夕的事，而是积淀已久的一个问题，高考只是把问题往更坏处推了一把。

虚荣的家长累坏了自己，也坑了孩子。

如果时光能倒转，我会愿意去帮忙，我要赶快去对她父母说，在对孩子的教育中，一切都应尽可能从实事求是的角度出发，越是实事求是，你女儿的人生就越是顺利，她的生活才可能更幸福，才会让你们更骄傲。

卢梭说“最高尚的道德是消极的，同时也是最难于实践的，因为这种道德不是为了做给人家看的。”① 把这句话从对待他人那里推广到对待自己上，就可以这样理解：人在针对自我做一件事时，也必须要实事求是，做什么事情“不是为了做给人家看”，这就是人对自己的真实，也是对自己的善待——不过它可能同样是“难于实践的”。

家长往往不容易对自己的虚浮产生警觉，这也是虚荣和浮躁经常发生的原因——小到胡乱奖赏和惩罚孩子，虚话大话连连，言语间贬损对手；大到在孩子选专业、选工作甚至选对象等方面乱指挥——日日月月，点点滴滴，不知不觉中搞乱孩子的价值观，使他们的双脚不能踩在地上。

不踏实是生命中的硬伤，扭曲人的思维方式，使人既无法客观地面对他人，也无法真实地面对自己。

没有实事求是精神的人，即使他很精明，也往往目光短浅；即使他很努力，也总是后继乏力；即使他很自大，也暗中没有底气；即使他想要去爱，也不会好好把握。他既缺少平和与宁静，做不成一个平凡而幸福的人；也缺少个性和创造力，很难成为一个出类拔萃的人。

培养孩子实事求是的精神，除了家长以身作则，注意从言行上影响，我认为阅读也有很好的作用。尤其是一些人物传记，对儿童的影响很大。

那些杰出人物，无论是科学家、艺术家，还是政治家、企业家，他们对事业的热爱、坚定的意志、开创性的勇气、有高度的认识，无不透露着实事求是的思维方式，无不充满着实事求是的精神。他们的成果，莫不是植根于实事求是这一

---

① （法）卢梭，《爱弥儿》，李平沤译，人民教育出版社，2001年5月第2版，113页。

坚实的土壤。阅读伟大人物的传记，就是在和一些优秀的人、优秀的思想交流，就是在形成自己真善美的情怀。

实事求是是个很大的话题，探究没有穷尽；实事求是又是个非常简单的事情，无需任何技巧即可处处实现。这四个字素颜无痕，却给人以最好的保护；极尽平实，却给人带来光彩。我想再一次地说，给予孩子这四个字，真是比给他黄金更珍贵啊！

特别提示

实事求是的主要对立面不是虚假，是虚浮——虚荣、浮躁，以及这之下的偏执和嫉妒等。

很多父母亲不当的教子方法其实不是由于他们教育知识欠缺，而是由于虚荣和浮躁。

家长往往不容易对自己的虚浮产生警觉，这也是虚荣和浮躁经常发生的原因——小到胡乱奖赏和惩罚孩子，虚话大话连连，言语间贬损对手；大到在孩子选专业、选工作甚至选对象等方面乱指挥——日日月月，点点滴滴，不知不觉中搞乱孩子的价值观，使他们的双脚不能踩在地上。不踏实是生命中的硬伤，扭曲人的思维方式，使人既无法客观地面对他人，也无法真实地面对自己。

培养孩子实事求是的精神，阅读也有很好的作用。尤其是一些人物传记，对儿童的影响很大。阅读伟大人物的传记，就是在和一些优秀的人、优秀的思想交流，就是在形成自己真善美的情怀。

“成人仪式”写给女儿的信

2006 年 12 月 29 日，圆圆所在的中学举行“18 岁成人仪式”。学校提前给家长布置了一个作业：给孩子写一封信。在仪式上由孩子自己拆开。下面就是我们写给圆圆的信。

亲爱的孩子：

感谢学校提供了这样一个机会，让我们有机会用写信这样一种方式和你说话。面对这样一个主题，拿起笔时，我们无法不感到微微的惊讶——那个 1991 年出生的小婴儿，怎么仿佛是一眨眼间就“成人”了。尽管从你出生起我们就一直朝夕相处，我们看着你一天天长大，从你会笑、会翻身、喊出妈妈爸爸、学走路、上小学、进入中学……所有你的成长，我们都亲眼一样样见证，但你已“长大成人”这个事实仍然让我们惊叹不已！

在写这封信前，爸爸妈妈先商量了一下要写些什么，我们竟不约而同地首先想到的是对你的欣赏。宝贝，这真是我们非常想对你说的，我们欣赏你！

我们不知道为什么你从小就那么聪明懂事。在我们的记忆中，你几乎从来不哭，小嘴像喇叭花似的经常乐。幼儿园体检时别的孩子因为怕打针哭成一堆，只有你一人对护士说：阿姨，我不哭。你还像一个小诗人一样，当妈妈在炎热的夏天带两岁的你走过一片树荫时，你说“我们戴上了大树草帽”。你才七岁时就能忍住香，把唯一的一块蛋糕自觉地让给来家里做客的小弟弟。还是小学生的你对安全的认知比妈妈还敏感，提醒妈妈避开了可能的危险……你有太多有趣的事让我们回味了。

你经常和爸爸开玩笑，各自拍着自己的肚子说“满腹经纶”，然后拍着对方的肚子说“一包屎”，乐得哈哈大笑。平时你却是如此平和，尽管你从小学到中学一直表现得优秀，但你从来不认为自己有什么比别人了不起的地方，这也恰恰是我们欣赏的一点：谦虚。你的谦虚真是骨子里长成的，一点也不是做姿态。我们也因此欣慰，相信你将来的发展空间会很大的。

你现在只有16岁，在年龄上还有两年多才到18岁，但你的价值观、做事的方式、思维水平、判断能力等如此成熟，这让我们不得不佩服。我们会经常就一些问题征求你的看法，这种征求也是出自真心，因为你总是分析得很大气。这让我们认识到，成熟不仅仅是一种年龄增长，也是一种美德积累。

“成人仪式”是一个了不起的标志，她是对你以前所有日子的赞美，更是对今后岁月的一个温馨提示。它标志着你的翅膀已经坚硬，可以独自飞向蓝天了。以前你是在家庭与学校的呵护下生活，今后就要对自己和家庭负有责任，对社会做贡献了。

爸爸和妈妈希望长大成人的你在未来的生活中，首先要做好人，做一个善良、宽容、正派的人；学会解决生活中的矛盾和不快，遇事不要太计较，让自己生活得快乐。同时希望你有好的生活习惯，在时间允许的情况下多参加体育运动，保证身体健康。

对你的希望很多，在这里先只写这两条吧。

最后要说的是，在这样一个仪式中，你要感谢你遇到的所有的人和事，你的父母、老师、同学、好友，以及学校、社会——是这一切成全了可爱的你。

爸爸妈妈也特别想在这里对你说一声：谢谢你，我们的宝贝！

希望你每天快乐！

爸爸

妈妈

2006－12－22

第四章 培养良好的学习习惯

“不陪”才能培养好习惯

家长陪孩子学习的时间越长，扮演的角色越接近监工。而孩子从骨子里是不喜欢一个监工的，他最多表面上暂时屈从他，内心绝不会听他的话。所以说，陪孩子写作业，不是培养孩子的好习惯，而是在瓦解好习惯，是对儿童自制力的日渐磨损。

一个人，首先是个自由的人，才可能成为一个自觉的人。

陪孩子写作业，现在已成了许多家长的“功课”。

孩子上小学后，整个家庭生活方式都会发生变化。孩子的生活中开始有了一种叫“作业”的东西，它仿佛是第一张多米诺骨牌，能带来此后一连串的变化——作业事关孩子的学习成绩，成绩事关未来的升学，升学又决定了事业前途……每个对孩子负责的家长，怎么能不在意这件事呢。于是很多家长放弃自己的一些活动，天天陪着孩子写作业，他们希望以此培养出孩子爱学习，规规矩矩写作业的好习惯。

家长们陪的方式略有不同，有的是在孩子写作业时搬个凳子坐在旁边盯着，非常形象地“陪”；有的是不时地过来，先了解一下要写什么，再不时地过来看看写得怎样，最后还要细心地检查。无论何种陪法，都是在孩子的学习上家长全程参与，从头关照到尾。

孩子需要“陪”吗？我认为不需要。

圆圆刚上学时，学校给新生家长开会，提出家长应该经常陪着孩子做功课，每天检查孩子的作业等要求。但我们没那样做。我们只是在最初几天，当孩子对学校生活、写作业这些事都还比较陌生时，在旁边给予她一些指导和提醒，让她尽快熟知一些基本的规则和做法。这个时间只有一周，后来就没再管她——既不陪写，也不刻意检查她的作业，最多是提醒她一句：该写作业了。这不是家长不作为，而是意在培养她自己形成良好的写作业习惯。

刚上学的一段时间里，圆圆对写作业感到很新鲜，回家第一件事就是要写作业，那神情就像对待刚买回来的一个洋娃娃似的。时间稍长，她就失去新鲜感了。回家就先吃东西、玩耍、看电视，一直磨蹭着不去写作业。当我们发现已经有好几天，圆圆都是需要我们提醒才去做作业时，就决定以后连提醒这句话也省了。我和她爸爸达成默契，我们装作完全忘掉写作业这回事，只忙活自己的事情，每天任凭她玩够了再去写作业。

很快，她就把自己搞乱了。有一天回家后，她一直没写作业。先看动画片，饭后玩了一会儿玩具，然后又看书，又看会儿电视。到了已该洗脸刷牙，躺床上要睡觉时，才想起今天忘了写作业，急得哭起来。我和她爸爸其实早就着急了，但我们一直装着没注意她的作业问题。这时我们才做出和她一样着急的神情，说：是吗，你今天没写作业啊？

我们说这话时，只是表示了微微的惊讶，没有一点责怪的意思——这个时候千万不要责怪啊，她哭，就说明她已经知道自己把事情做坏了。家长如果再带着抱怨和批评的口气说“你怎么能忘记写作业呢，现在着急了吧！”孩子就能从中听出“你真不像话”、“活该”的意味，她就会忘记自责，开始对抗家长的批评。我们亲亲她的小脸蛋，语气平和而友好地对她说，宝贝不要哭了，谁都会有忘记什么事情的时候。我们现在想想怎么办吧。听我们这样说，圆圆停止了哭泣。父母这样理解她，可能给了她很大安慰，她情绪平静了不少。

她爸爸心里早就着急了，这时不由自主地说，那就晚睡一会儿，赶快写吧。看得出圆圆当时已困了，她听爸爸这样说，有些不情愿，表现出发愁的样子。

家长一着急就会替孩子做决定，这是错误的。人的天性是愿意遵从自己的思想，排斥来自他人的命令。所以在培养孩子的过程中，为了形成儿童的自觉意识，也为了他更好地执行决定，应该尽量让孩子自己去思考和选择。哪怕是相同的决定，如果它不是来自家长的指令，而是来自儿童自己的意愿，他会更愿意去执行。

我赶快对圆圆说，你愿意今天写，就晚睡一会儿，今天去写；要是想明天早上写，妈妈就提前一小时过来叫你；如果早上也不想写，明天就去学校和老师说一下今天的作业忘了写了，这一次就不写了。

圆圆当时面临的不外乎这几种选择。她想了一下，知道最后一种选择不合适，立即否定了。我敢肯定刚上小学的孩子，如果他以前不曾遭遇学前班或幼儿园布置作业的困惑，如果他的自尊心不曾受到损害，他是不会同意不写作业的。每个学龄儿童心中都有对作业的责任意识；还有自尊和对老师批评的惧怕，这些让他不会随便放弃作业。

圆圆当时虽然很想睡觉，但可能是她觉得不写完心里总有个事，不舒服，就说要现在写。我们说好，那就现在写吧。她无可奈何地下床，从书包中掏出书本，说不想在自己的小屋写，要到客厅写，可能是觉得小屋容易勾起睡觉的愿望吧。我和她爸爸再也没说什么，只给她找个小凳，让她到茶几上写，我们就各自干各自的事去了。

过了一小会儿我们也该睡了，洗漱完后，我过来看了一下圆圆。她刚刚写完语文和英语，数学还没写。我说：妈妈爸爸去睡觉了，你写完了自己回房间睡觉吧。

平时她睡得早，都是我们送她进房间。这时，她抬起头，有些嫉妒地说，为什么你们大人就没有作业，就是小孩有作业！我们被逗笑了，说我们其实也有作业，爸爸要画那么多图纸，妈妈要写那么多文章，这都是我们的作业，也必须要按时完成。并说我们可不愿意没作业，没作业就下岗了。写作业的道理小孩子自己其实也明白，就不用给她讲了。我们又亲亲她的小脸蛋，像平时一样愉快地跟她打过招呼，就回自己房间了，留下她一人在客厅写作业。

我们假装关灯睡了，静静地听着她的动静。圆圆大约又写了十几分钟，自己收拾书包去睡了，我们才把悬着的心放下。第二天也没提这事，就当什么也没发生过。

在这里我想提醒家长们，对于孩子偶尔所犯的小过失不要大惊小怪，内心一定要坚定一个想法：它只是个“小事”，不是个“错事”，孩子的成长需要经历这些“小事”，它们甚至比做功课还重要。所以，只要鼓励孩子改正就可以了，不要责怪，也不要经常提起，不要让孩子有内疚感和负罪感，否则的话它真能固定成孩子一个难以改正的缺点。

接下来几天，圆圆回家早早就把作业写完了，我们心里很高兴，但没有很夸张地表扬她，只是淡淡地告诉她每天都这样做是个好习惯，应该保持，表情中流露出对她的满意。

早早把作业写完带来的方便和愉快，她自己也能体会到，这个道理一点就透，即使对小孩子，也毋须多说。但她毕竟是孩子，时间稍长，就又开始在写作业方面有些懈怠。距第一次忘记写作业大约十天，圆圆又一次忘了写作业。

本来那天准备睡觉的时间就比平时晚，她想起来作业忘了写，说今天的作业还留得多，得写好长时间，说着又愁得要哭。我们还是采取和前一次大体相同的方法，宽慰过她，就把她一人留在书桌前，我们去睡了。

可能很多家长遇到这种情况会不忍心，觉得自己陪在孩子身边，孩子会有安慰，会写得更快更好。但那样会有几个坏处，一是孩子会在家长面前刻意表现他的痛苦，博得家长同情，这既影响他写作业的专心，又影响速度；二是家长陪写，会让他觉得不完成作业至少不是他一个人的事，是他和家长共同的事，时间长了，会在心理上对家长形成绑架，养成依赖心，这特别不利于他自我责任意识的形成；三是家长坐在旁边多半会忍不住唠叨一句，不论是略有不满地说“赶紧写吧，谁让你又忘了呢”，还是善意地提醒“以后回家好好记着写作业，不要再忘了”，或者是看孩子开始磨洋工，忍不住督促“快点写，你看都几点了”。所有这些话对当时的孩子来说都没有意义，还弄得孩子烦。所以即使你有时间，也不要陪他，即使你当时还不想睡觉，也要假装去睡，情绪上要和平时没有两样，千万不要指责孩子。

有的家长可能会说，我可没有你那么好的脾气，我一看见孩子没写作业，火气就上来了。那么，我要说，如果家长在对待孩子的问题上从不去虔诚地思考，不去理性地处理，只是凭性情做事，一遇到问题就着急，一着急就发脾气，这只能说明你是个任性的家长。一个任性的家长，怎么可能不培养出一个任性的孩子呢？

那天圆圆确实写得比较晚了，我们一直竖起耳朵听她的动静，到她睡觉时都快十二点了。很心疼她睡这么晚，明天还得早起。但这也是她成长中应该体验的“功课”，她从中一定能学到东西。我们并不觉得她忘了写作业是件坏事，倒觉得它是个教育契机，可以促成圆圆自觉意识的养成和学习习惯的培养。

确实，在我们的印象中，圆圆自那以后，再没发生过临睡觉时才想起写作业的事。她很快就学会了安排时间，有时在学校就能抓紧时间完成不少作业，回家也一般写得很快。

家长应该记住这一条：在培养习惯的过程中，如果总是制造孩子的主动性和成就感，他就会在这方面形成一个好的习惯；如果经常让孩子有不自由感和内疚感，他就会在这方面形成坏习惯。

孩子毕竟只是孩子，什么事情没做好，只让他感受因此带来的不便，就已经够了。孩子每有一种失误，感受到失误带来的不便或损失，才会产生相应的调整需求，就像渴了自然想喝水一样。这种调整需求是每个正常孩子都会有的。家长不生气，不过分指导，孩子才能有机会主动调整。如果孩子一做错，家长就批评孩子一顿，要求他做出什么保证，或者由家长直接给出一个解决方案，那孩子就失去了主动调整的机会，这种调节能力也会慢慢丧失掉。可以说，致使儿童无法养成好习惯的“最有效方法”就是：命令、唠叨和指责。所以当家长责怪孩子某个习惯不好时，首先应该反思自己的教育方法。

儿童所有顽固性的坏习惯，几乎都是小问题没得到合理的疏导解决，长期和家长或教师摩擦冲突形成的。陪孩子写作业就是特别容易养成儿童坏习惯的一种做法。

家长陪的目的是希望有两个提高——效率高、质量高。所以一看到孩子磨蹭或不认真，就会告诉他应该抓紧时间，要认真写。天天陪，这些话差不多就会天天说，因为孩子几乎不可能那么安安静静地长时间地坐着，大多数情况下也不会把作业写得那么完善。开始时孩子还会在意家长的话，时间长了也就不在意了，这惹得家长说话时就会有些不耐烦，孩子就在情绪上开始和家长对立，事情于是开始走向恶性循环。

人的天性都是追求自由的，任何为儿童所热爱的事情，当它变成一项被监督完成的活计，让人感到不自由时，其中的兴趣就会荡然无存。家长陪着学习的时间越长，扮演的角色越接近监工。而孩子从骨子里是不喜欢一个监工的，他最多表面上暂时屈从他，内心绝不会听他的话。所以说，陪孩子写作业，不是培养孩子的好习惯，而是在瓦解好习惯，是对儿童自制力的日渐磨损。

我们一定要理解什么叫好习惯。

按时按点地坐在书桌前，并不等于有了按时按点学习的习惯。“习惯的重要性并不止于习惯的执行和动作方面，习惯还指培养理智的和情感的倾向，以及增加动作的轻松、经济和效率。”① “陪”所制造的习惯，只是肢体上的；“不陪”才给孩子留下了让习惯在内心生长的空间。“陪”与其说在帮助孩子，不如说是在给他制造麻烦。

很多媒体、教师或“教育专家”都在建议家长应每天陪着孩子写作业，这种说法不知他们是怎么想出来的。一个人，首先是个自由的人，才可能成为一个自觉的人。

我见过许多看起来确实需要有人陪着学习的孩子，没人陪就一点都坐不住，甚至是孩子自己提出要求，希望家长陪着写作业——但这个事情不能孤立去看。需要家长陪着写作业，这绝不是孩子的天性需求，也不是一个正常要求，这只说明他已养成一个坏习惯。他学习成长中遇到的一系列的摩擦和挫折，已造成了他不会管理自己，造成他内心的无力感和无助感。他对自我管理极为不自信，只好求助于外部力量约束自己。事实上，他的内心是反抗这种“陪”的，所以即使有家长在身边，他也不可能真正把心思放到学习上。

这种情况，家长可以陪孩子一段时间，但一定要想办法从中抽身。不抽身，孩子的独立性将总也不能生成，那么他会越来越苦恼，越来越不自觉，“陪”的效果也将越来越小。同时家长一定要反思自己在过去时间里对孩子的教育哪里出了错误，这种反思也将决定你如何抽身，决定你的帮助是否能对孩子有正面作用。

抽身的原则：第一要有耐心，不要急于求成；第二要在整个过程中尽量制造孩子的愉悦感和成就感，哪怕他开始做得不好，也绝不要制造他的内疚感和失败感。你在抽身之前要让孩子学会自己站立，否则他只能再一次摔倒，且摔得更惨。

前苏联教育家苏霍姆林斯基认为，如果一个人在童年时期就体验过克服自己弱点的满足，那么他就会以批判的态度看待自己。正是从这一点上，开始一个人的自我认识。没有自我认识，就既不可能有自我教育，也不可能有自我纪律。一个年纪幼小的人，不论他把“懒惰是不好的”这句话记得多么牢，理解得多么

① （美）杜威，《民主主义与教育》，王承绪译，人民教育出版社，2001年5月第2版，56页。

清楚，但是如果这种情感没有迫使他在实际行动中管住自己，那么他就永远不会成为一个意志坚强的人。[1] 孩子的弱点如果总是通过大人的操纵去克服，那所谓"克服"就是不存在的虚幻，只能叫做屈服。屈服是不会成为孩子自我认可的一部分的，只要有机会，他就不再想屈服，就要从约束中挣脱出来。

陪孩子写作业还有一个坏处是，有些家长因为陪孩子付出了时间和辛苦，就产生讨债心理，当孩子成绩不好或习惯不好时，就会说：我花那么多时间陪你培养习惯，你居然学成这样！这样的话更让孩子丧失自我管理的信心，同时也会产生负罪感，这对孩子的道德成长也没有好处。

最后想说的是，对于"陪"与"不陪"不要理解得简单化和绝对化。这里主要强调的是家长应该培养孩子在学习上或在其它的一些事情上的自觉、独立意识，防止孩子养成依赖家长、没有自觉性的坏习惯。所以"陪"与"不陪"与其说是行为方式，不如说是一种教育理念，不能简单地从形式上界定。比如有的家长整天忙着喝酒打麻将，确实也没时间没心思陪孩子，孩子干什么他都不管，这样的"不陪"与我们这里说的"不陪"，则完全是两个概念。

特别提示

家长一着急就会替孩子做决定，这是错误的。人的天性是愿意遵从自己的思想，排斥来自他人的命令。所以在培养孩子的过程中，为了形成儿童的自觉意识，也为了他更好地执行决定，应该尽量让孩子自己去思考和选择。哪怕是相同的决定，如果它不是来自家长的指令，而是来自儿童自己的意愿，他会更愿意去执行。

对于孩子偶尔所犯的小过失不要大惊小怪，内心一定要坚定一个想法：它只是个"小事"，不是个"错事"，孩子的成长需要经历这些"小事"，它们甚至比做功课还重要。所以，只要鼓励孩子改正就可以了，不要责怪，也不要

---

① （苏）苏霍姆林斯基，《给教师的建议》，杜殿坤编译，教育科学出版社，1984 年 6 月第 2 版，343 页。

经常提起，不要让孩子有内疚感和负罪感，否则的话它真能固定成孩子一个难以改正的缺点。

在习惯养成中，如果总是制造孩子的主动性和成就感，他就会在这方面形成一个好的习惯；如果经常让孩子有不自由感和内疚感，他就会在这方面形成坏习惯。

家长不生气，不过分指导，孩子才能有机会主动调整。如果孩子一做错，家长就批评孩子一顿，要求他做出什么保证，或者由家长直接给出一个解决方案，那孩子就失去了主动调整的机会，这种调节能力也会慢慢丧失掉。

惩罚你，不让你写作业

成人在教育儿童时之所以屡屡采取不合适的教育方法，使“教育”变成一种破坏性行为，有两个最根本的原因：一是不信任孩子，二是太相信自己。

孩子天生不反感写作业，他们中的一部分人之所以后来变得不爱写作业，是因为在上学的过程中，尤其是小学阶段，写作业的胃口被一些事情弄坏了。被罚写作业，就是弄坏胃口最有效的一招。

《哈佛家训》里有一则故事：三位无聊的年轻人，闲来无事时经常以踹小区的垃圾桶为乐，居民们不堪其扰，多次劝阻，都无济于事，别人越说他们踹得越来劲儿。后来，小区搬来一位老人，想了一个办法让他们不再踹垃圾筒。有一天当他们又踹时，老人来到他们面前说，我喜欢听垃圾筒被踢时发出的声音，如果你们天天这样干，我每天给你们一美元报酬。几个年轻人很高兴，于是他们更使劲地去踹。过了几天，老人对他们说，我最近经济比较紧张，不能给你们那么多了，只能每天给你们 50 美分了。三个年轻人不太满意，再踹时就不那么卖劲了。又过几天，老人又对他们说，我最近没收到养老金支票，只能每天给你们 10 美分了，请你们谅解。“10 美分？你以为我们会为了这区区 10 美分浪费我们的时间?!”一个年轻人大声说，另外两人也说：“太少了，我们不干了!”于是他们扬长而去，不再去踢垃圾筒。

老人是位攻心高手，与其他人的直接劝阻相比，老人的说服工作不着痕迹，却有明显的效果。分析他的方法可以看到，老人先通过“给予”，把几个年轻人的“乐趣”变成一种“责任”，这是第一步，目的是降低“乐趣”。任何事情，当它里面包含有交换、被监督、责任等这些因素时，它的有趣性就会大打折扣。然后，老人通过减少支付，刺激他们对踹垃圾桶这件事产生逆反心理，这是第二步。最后，老人进一步减少支付，并且给出一个让他们不能接受的10美分，使他们在心理上对踢垃圾桶这件事产生排斥感，产生逆反心理。于是，原本令几个年轻人感到有趣的一件事站到了自己的对立面，让他们成为“受害者”。这时再让他们去做，那肯定难了。

这个故事表面上看起来和写作业没有关系，但它里面包含的教育思想却可以运用到儿童的作业管理上。那就是需要教师和家长在调动儿童写作业热情上，适当使用逆向思维，要刺激孩子对写作业的热情，不要刺激起孩子对写作业的厌恶之情。

但现实中，许多教师和家长却把方法用错了。最典型且最愚蠢的做法是以“写作业”作为惩罚手段，来对付学生的某个错误。许多家长或教师的口头禅就是“你要再不听话，就罚你写作业”。

这样的例子太多太普遍了，惩罚手法之多之重，简直是触目惊心。

我听一位家长说她儿子因为忘了带英语作业本，被老师罚写一百遍“我忘记带英语作业本是不对的”这句话。老师这样做，已完全不是为了教育，仅仅是报复心理下的滥施淫威。孩子是弱势者，他没有办法，只能把这句话写一百遍。可以想象，这会让孩子感到多么恶心，英语课在他心中可能永远成为一门恶心课程了。

我还见识过一位老师，对于班里不听话的孩子，不打也不骂，就是下课不让玩，叫到办公室写作业。孩子的顽劣倒是治好了，但经她这样治理的孩子，基本上都永远不再爱学习了。

北京某所小学，要求孩子作业本不许有一个错字，如果出现一个错别字，不仅这一个字要写一百遍，整个这一页内容都要重写一次。这种“株连法”使孩子们在写作业时提心吊胆，生怕写错一个字，他们早已忘了为什么要写作业，他们只是在为“不出错”写作业。孩子们刚刚进入学习的征途，就已经开始迷失学习的方向了。

还有更惨痛的例子。2007年4月25日，广东增城市某中学一名初一的学生，因为英语考试时说话，被老师罚抄单词，从第一课到第十四课，每个单词罚抄10遍。这个孩子当晚自杀。

许多家长和教师，一方面要求孩子热爱学习，一方面又把“学习”当作暴力手段运用于对孩子的惩戒上。当“作业”变成一种刑具时，它在孩子眼里能不恐怖吗，孩子还能对它产生好感吗？

这个问题追究到底，至少可以看出这些成年人的三个问题：一是在教育孩子中不能细腻体察孩子的心理，不考虑把工作做到孩子的心坎上，只是满足于孩子表面的、暂时的服从；二是自己内心不热爱学习，潜意识中把学习当作苦差事，就会在生了气寻找“刑具”时想到写作业；三是权威意识在毫无反击之力的儿童面前变得肆无忌惮，人性中的恶不小心流露出来。

惩罚性质的作业，无不说成是为了孩子，其实它的第一动因只是成人在出恶气，和教育无关。它对儿童的学习只有毁坏，没有成全。从本质上说，它只是教师或家长对学生的一种施暴手段。

孩子天生不反感写作业，他们中的一部分人之所以后来变得不爱写作业，是因为在上学的过程中，尤其是小学阶段，写作业的胃口被一些事情弄坏了。被罚写作业，就是弄坏胃口最有效的一招。正如“满汉全席”人人爱吃，但如果我们这样对待一个人，让他天天吃满汉全席，而且规定他必须顿顿吃够多少，少吃一口就罚多吃一百口——这样做上一段时间试试看，这个人以后再见到吃的不吐才怪呢。

杜威说“一切需要和欲望都含有缺乏”①。让我们记住这句话，并认真琢磨。

反过来可以推导出，想让一个人喜欢和珍惜什么，就不要在这方面给得太多太满，更不能以此作为交换条件或惩罚手段，强行要求他接受，而是要适当地剥夺，让他通过危机感和不满足感，产生珍惜感。同时最最重要的是让他在行事过程中伴有愉快感、成就感和自尊感——这无论在学习还是其它事情上，都是普遍适用的。

圆圆上小学一年级时，有一次写作业非常不认真，字写得歪歪扭扭，极不像

① （美）杜威，《民主主义与教育》，王承绪译，人民教育出版社，2001年5月第2版，272页。

话。她爸爸在无意中瞥了一眼，吃惊她怎么把作业写成这个样子，批评她是在敷衍了事，希望她重写。圆圆不服气，不讲理地嚷嚷，态度很不好。这激怒了她爸爸。他粗暴地一下把圆圆已写了几行的一页作业撕掉，要求她重写。圆圆大哭，一边哭一边开始重写，因为她知道作业不写是不行的。过一小会儿，她爸爸又去看，发现她写得比前一次更差了，好像故意要和他作对似的。他就又批评她，圆圆在情绪上表现得更对抗了。她爸爸十分生气，就又一把撕掉这一页，要求她必须认认真真地写，否则就不行。圆圆又哭起来，扔了笔，赌气说她不写了。爸爸看时间已晚，有些着急，就给她讲道理，说这么晚了，明天还要上学，你只要认认真真地写，一次就写好了，就不用耽误这么多时间了。圆圆才不理会他的这些大道理，就是不写。

我发现她爸爸犯了个错误，这是在干一件南辕北辙的事。赶快走过去，拉开气乎乎的先生，拿起被撕下的作业纸看看，平静地对圆圆说："你这样写确实不对，你看这字都写什么样了。"圆圆听我也这样说，更有些不服气，越发拿出一副"就是不写"的样子。我看看她的态度，还是和颜悦色地对她说："如果你认为写作业是件不好的事，从今天开始，就不用再写作业了。"

我动手去收她的作业本，圆圆在这一瞬间有些迷惑，目瞪口呆地看着我。我拿起她的作业本，合上，对她说："学习是件好事，看来你不想学习。所以……"我把作业本卷在手中，口气确定地告诉她，"我想取消你写作业的权利，以后不许你再写作业了！"

圆圆看我是认真的，一下慌了神，下意识地要把作业本抢回来。她在这一瞬间肯定想到了要是写不完作业，明天到学校会挨老师批评。她急得抱住我胳膊，踮起脚，要把作业本抢回来，嘴里喊着"给我，给我"。我把作业本举起来，不让她够着。我说："你把字写成那个样子，那么不认真，就该剥夺你写作业的资格，别写了。"圆圆急得又要哭，她一边试图抢回作业本，一边说"我要好好写，给我！"

我听她这样说，态度也和缓些，让她先不要抢作业，要和她坐下谈谈。

我问，"刚才爸爸让你好好写，你不愿意，两次都写得那么差。妈妈想问你，你是不是觉得好好写作业是件不好的事，写得差些才好？"圆圆回答说不是，说好好写才好。

我又问她，"是不是好好写作业就非常累，不好好写就很轻松？"她摇摇头说不是。我想想，实事求是对她说："认真写和不认真写可能有一点差别，写得好需要多用一点心，是不是?"她说是，这时神情开朗了一些。

我接着问，"你觉得把作业写得整整齐齐心情更好，还是写得乱七八糟心情更好?"圆圆说写得整整齐齐心情好。

我故意激她，"可写整齐不如写得乱轻松啊。你看，写得乱些只要拿根笔随便往本子上划拉就行，写得整齐却需要认认真真地，把每一笔每个字每一行都写好。我看还是写得差些轻松。"圆圆想一下说："不对，一样轻松！因为，因为……"

她想表达什么，但一下组织不起语言。我就问她"你是不是想说，写好写坏，用的是一样的力气。比如一个字是五画，写好写坏都是五画，既不会多也不会少，是不是这个意思?"我把她心中想说的话说出来了，她非常高兴，眼神明亮地说是，神情已大为坦然。

我抱起她放到我腿上说："嗯，这样说，写好写坏，费的力气差不多，认真写还心里更愉快，是不是?"圆圆说是。我们的谈话到这里已很愉快了。

到这里，我通过对话，已让圆圆主动表达出了"作业应该好好写"这样一个想法。达到这个目的后，剩下的只是再巩固一下她的想法，并且给她一个台阶下了。

我看一下桌上被爸爸撕下来的两张纸说："今天爸爸也做得不对，不应该撕作业本。小圆圆今天把作业写得不整齐，不是正好做了一个试验嘛，知道了把作业写整齐和写得乱，用的力气一样，但写好了心情更好。如果不这样试，哪能知道这些呢，你说是不是?"圆圆点点头，自己也感觉就是这么回事，理直气壮地看爸爸一眼。她爸爸赶快给圆圆道歉，说他不该那样做。

我又说："宝贝肯定从明天就会认真写作业，才不会傻乎乎地乱写，弄得自己不高兴呢，是不是?"圆圆肯定地点点头说就是。

我用赞许和信任的目光看着她说："这样的话，妈妈就把本子还给你。看来妈妈也错怪小圆圆了。"失而复得的作业本回到手中，圆圆完全没有了和家长的对抗及对作业的抵触，重新摊开了本子，流露出珍惜的神情。

这时我想到孩子在行为上容易出现反复，还是要给她打个预防针，尽量让她面对作业时有良好的心态，在出现反复时能有自我调整的心理基础。我就说："如果你哪天不想认真写作业，也可以把作业写乱了，再做一次试验，看看认真写和不认真写有多大差别，体会一下哪样更好。”圆圆说“不用试了，认真写更好”，看得出这是她的真心话。

我没再说别的，亲亲她的小脸蛋，走开了。等她晚上睡觉后，我们悄悄从她书包中拿出作业本来看，果然写得整整齐齐的。此后，圆圆一直能好好地写作业，再不让我们操心。

我听到很多家长抱怨孩子不好好写作业，就把这种“惩罚你，不让你写作业”的思想讲给他们。其中一些家长一听就摇头，说：我的孩子，你要罚他不写作业，他高兴死了，哪里会再抢过本来，他根本不怕第二天老师批评。

这样的孩子确实有，但这种行为已不代表儿童的天性，只是天性被屡屡扭曲的一个后果。它反映的不是一朝一夕的问题，是该儿童身上这方面的“病症”已进入较严重阶段。这个“疾病”的起因，多半是孩子在最初面临不想写作业这个问题时，遇到了像圆圆爸爸那样解决问题的家长或老师。尽管具体做法可能不一样，但简单粗暴的性质是一样的，即以惩罚方式让孩子去写作业。天长日久，既伤害了孩子对写作业的兴趣，也伤害了他们的自尊心，让他们变得厌学且厚脸皮。

成人在教育儿童中之所以屡屡采取不合适的教育方法，使“教育”变成一种破坏性行为，有两个最根本的原因：一是不信任孩子，二是太相信自己。即首先不相信儿童的本能是自爱和上进，担心不及时管教，孩子就会一路下滑；其次认为自己对孩子说的话都是金玉良言，可以让孩子变得更好。

针对这一问题，哲学家弗洛姆的一句话值得家长们一千遍地体味：“教育的对立面是操纵，它出于对孩子之潜能的生长缺乏信心，认为只有成年人去指导孩子该做哪些事，不该做哪些事，孩子才会获得正常的发展。然而这样的操纵是错误的。”①

所以家长和老师在管理孩子时，一定要小心，不要站到教育的对立面去。遇到每一件具体的事情都扪心自问一下：我是在教育孩子，还是在操纵孩子。被操纵的孩子不由自主地把心思用于反操纵上，他会渐渐变得毫不在乎大人的话，堕落，并且丧失理性和自爱之心。写作业是当前儿童教育中，最为密集地表现

① （美）弗洛姆，《为自己的人》，孙依依译，三联书店，1988年11月北京第1版，79页。

“教育”还是“控制”的事件，这个事情上最需要家长反思。

弗洛姆还说，“运用破坏性的手段也有其自身的结果，即实际上改变了目的。”① 在任何具体教育细节上，家长一定要考虑目标与手段的统一问题。把作业当刑具使用，还是当奖品使用，这不是个小区别，它是分水岭，决定了你是在走向目的，还是走向目的的反面。

特别提示

教师和家长在调动儿童写作业热情上，适当使用逆向思维，要刺激孩子对写作业的热情，不要刺激起孩子对写作业的厌恶之情。

惩罚性质的作业，无不说成是为了孩子，其实它的第一动因只是成人在出恶气，和教育无关，它对儿童的学习只有毁坏，没有成全。

想让一个人喜欢和珍惜什么，就不要在这方面给得太多太满，更不能以此作为交换条件或惩罚手段，强行要求他接受，而是要适当地剥夺，让他通过危机感和不满足感，产生珍惜感。

教育的对立面是操纵，它出于对孩子之潜能的生长缺乏信心，认为只有成年人去指导孩子该做哪些事，不该做哪些事，孩子才会获得正常的发展。然而这样的操纵是错误的。

① （美）弗洛姆，《为自己的人》，孙依依译，三联书店，1988 年 11 月北京第 1 版，181 页。

替孩子写作业

替孩子写作业，不是家长帮孩子进行学习舞弊，而是以理性对抗学校教育中的一些错误，以不得已的方式帮助孩子获得更多的自由时间，让孩子生活得更快乐一些，并教给孩子实事求是地面对学习。它是保护孩子学习兴趣的有效手段之一。

圆圆上小学后，我们对她写作业基本上采取“不管”的态度。每天老师布置了什么作业，她写得如何，我们都不去问，也不去检查，一切都交给她自己安排。她在完成作业方面也没让我们操心，总是很自觉。但一段时间后，她开始对作业表现出厌烦，抱怨说一个生字干吗要写三行呀，而且这一课的生字前天就写了一遍，昨天写了一遍，今天还要再写。

有一天，她又在写作业时表现出不耐烦，我就认真地了解了一下她当天的作业内容，感觉有些东西确实是不需要写，或不需要写那么多。比如生字，老师总是以“行”为单位布置，几乎没有以“个”来布置。动不动就2行、3行，甚至5行。

我相信一个孩子如果愿意去记住一个字的话，他是用不着写这么多遍的。于是和圆圆商量，你去找老师说一下，可不可以根据自己的情况，自己决定一个字该写几遍就写几遍，你要是不愿意去说，妈妈去和老师说一下。圆圆一听就摇头。以她的直觉，老师是不可能同意的。

现在有人呼吁给中小学生布置个性化作业，但几乎没有哪个老师会这样去做。不仅因为那样比较麻烦，更是因为很多人根深蒂固地认为那样不应该。如果哪个孩子胆敢去对老师说我掌握这些内容了，可以少写一些。老师肯定会说，大家都在一个班，凭什么你可以少写作业——学习是苦役而不是福利，少写就是“占便宜”了——这些垃圾观念就这样被灌输进孩子心里，同时也进入学生的观念中。如果真有哪个老师同意某个同学少写，别的同学也会起来反对，凭什么照顾他。

我理解圆圆的为难，也考虑这样确实不现实。这不是一门课的问题，操作起来非常麻烦，很不方便。我想了想，问圆圆，是不是这些字你都会认，也会写了，觉得不需要写那么多遍？她说是。我说：“那这样，你不要看书，妈妈读，你默写。只要写得正确，写一个就行，如果写得不正确，就写三遍，剩下的妈妈替你写，这样好不好？”

圆圆听我这样说，目光复杂地看着我，有惊喜又有怀疑，她有些不相信我的话。她小小的心肯定在犹疑，这样做是否正确，这样是在弄虚作假吗？

我读懂了她的眼神，非常肯定而坦然地说：“这样没关系，学习是为了学会，老师让写这么多遍不就是为了你们都会写吗，只要你会了，就不需要写那么多，你说是不是？”圆圆觉得我说得有道理，但她还是担心，说：“要是老师发现是你写的，就会批评我。”我说：“妈妈尽量照着你的字写，差不多能和你写得一样，老师应该也看不出来吧。要不咱们今天就试试？”

圆圆又兴奋又有点不好意思地点点头。

当天语文一共要写 8 个生字，每个生字写 2 行。这几个生字里只有一个字圆圆不会写，她就把这一个字写了三遍，其余的都只写了一个。原本 160 个字的作业，现在变成了 11 个字——这一下子多么轻松啊。我注意到，圆圆写这 11 个字时分外认真，尤其是她不会写的那个字，认认真真地写了三遍。我相信以这样的认真，三遍足以让她记住这个字如何写了。剩下的由我照着圆圆的笔迹认真地去写，尽量使老师看不出差异。

我发现，成人草草地写字是很轻松的，可以一写一大片。要是一笔一画地写，还真是费力气。而且如果你的字写得还不错，却想把它写得差一些，像个孩子的字的话，真不是件容易的事。

从那以后我就经常替她写作业。每次孩子写什么，哪些剩下由我来写，这事一定是由孩子自己来做决定，我从不代替圆圆进行判断。这样做，一是可以让孩子自己检测自己，二是让她更愿意把该记的记住，因为她对学习内容掌握得越多越好，自己需要写的作业就越少。

她爸爸开始不同意我这样做，担心我替她写作业会惯坏了她，让她形成依赖思想。我说不用担心，以我对圆圆的了解，她绝不可能拿一些她还没掌握的功课让我做。她让我代劳的，一定是她认为自己没必要写的。孩子天生有善恶观，而人的天性就是趋善避恶的。一个心地纯洁、有自尊心的孩子，绝不可能利用别人的善意去弄虚作假。

事实确实如此，自从我开始替圆圆写作业，她对写作业这件事越来越坦然了。心理上轻松了，她反而更自觉了。但凡自己再多用点功夫就能写完的，她一般就不用我帮忙。她从没有因为自己想偷懒，给我布置“作业”。这一点我在帮忙中能感觉出来。所以尽管我断断续续“帮忙”一直到她上初一，但次数并不是很多。印象中除了刚开始那阶段多些，后来差不多平均每学期只有三四次。

我发现，替孩子写作业不但没有坏处，而且有很多好处。

首先是没让作业为难孩子，没有让孩子觉得上学是在受苦，保护了她的学习兴趣；其次是让她知道，学习是个最需要实事求是的事，既不是为了为难自己，也不是为了逢迎他人，这让她更务实，也更高效；此外，让她从作业中解放出来，有了更多的业余时间。

圆圆读课外书一直没断过，初中时还花很多时间玩游戏，偷偷地写小说。上高中后，功课虽忙，还是没间断读课外书，甚至读英文原版小说、看漫画——这些都占用了她不少时间，但她都能正常完成各科作业，成绩也一直不错。有人奇怪，她哪里来那么多时间？我想，这与她从小懂得在学习上把握轻重缓急，能按自己的实际情况调整学习计划有关。而她的大量阅读又给她带来了知识和智力上的进步，使她的学习能力更强，学习起来更加轻松有效。总的来说，她一直把自我学习与完成老师布置的作业这两套工作协调得很好，进入了一个良性循环中。这比那些让作业败坏了学习胃口、半小时的作业写两小时的孩子幸运得多。

在这里，我想提醒父母们，在孩子的中小学阶段，尤其是小学阶段，一定要注意给孩子留出自由安排的时间，切不可让写作业、练琴、上课外班等这些事把孩子的时间占满。要让孩子每天都有自由安排的时间。前苏联教育家苏霍姆林斯基认为，正像空气对于健康是必不可少的，自由时间对于学生是必不可少的。只有让学生不把全部时间都用在学习上，留下许多自由支配的时间，他才能够顺利地学习。学生的时间被各种功课塞得越满，给他留下供他思考与学习直接有关的东西的时间越少，那么他负担过重、学业落后的可能性就越大。[①]

这里要提醒的是，“自由时间”绝不可以拿来消费在看电视上，电视是另一种捆绑，对孩子来说尤其是一种坏消遣。这个时间可以让孩子读书、找小伙伴玩耍，或者和家长一起跑步、打球、下棋等等。任何有利于孩子身体和心理健康的活动都是好的。

替孩子写作业是个非同寻常的举动，很多家长肯定都会有圆圆爸爸那样的担心。

这其实反映了成人对儿童认识上有误区。他们不相信孩子的天性是向善的，他们的思维有一个错误前提，认为孩子是没有自控力的，离开了成人的监督，给出自由的条件，孩子就会完全失去约束，就会堕落。还有家长说，我的孩子和你的不一样，我的孩子爱耍小聪明，要是替他写一次作业，他以后不知道会有多少借口来让我代写呢。

如果你的孩子真的表现出这样，那么问题不是出在你替他写作业上，也不是在孩子自身的天性中，而是在前面较长的一段时间里，家长和孩子相处的一些细节出了问题。每家的细节各不相同，但性质差不多，肯定都是因为家长操作不当，损害了孩子的自尊心和自信心，经常性地制造了他的负罪感，让孩子不懂得自爱，他才越来越变得像个小无赖，每天把心思用于偷奸耍滑上。

一个始终被尊重的孩子，一定是个懂得自尊自爱的人，他绝不可能利用家长的善意去做任何让他感到羞耻的事情。

教育全在细节中。替孩子写作业这事，就是家长和孩子相处中千万个细节中的一种，如果在细节处理上做不好，结果可能会完全相反。细节处理水平，还是取决于家长的教育理念。

有一位家长，他的孩子已上小学四年级，平时总是不喜欢写作业，家长一方面觉得老师布置的作业太多，另一方面又总担心孩子学得不扎实，天天严格地检

① （苏）苏霍姆林斯基，《给教师的建议》，杜殿坤编译，教育科学出版社，1984 年 6 月第 2 版，69 页。

查孩子的作业。我对他讲了替孩子写作业的事，他回家照着做。

孩子最不喜欢英语这门课，他就准备从英语上来帮助孩子。他对孩子说，这些英语单词不用按老师的要求写十遍，凡你会写的，只写一个，不会的，写三个。这样孩子就把几个不会的写了三遍，其余的写了一遍。孩子为此非常高兴。

过了一会儿，他又来考孩子，想看看刚才不会写的，写了三遍是不是记住了。结果，孩子还是有两个不会。他有些生气，说刚刚写过怎么这么快就忘了呢，于是让孩子把这两个单词每个写 10 遍。孩子有些不高兴，说你不是说只写三遍嘛，怎么又变成 10 遍了。孩子拗不过家长，只好气乎乎地写了 10 遍。

再过一会儿，父亲又去检查，刚刚写过的单词孩子又写错了。父亲很生气，忍不住质问孩子，这两个单词你都写了十几遍了，怎么还没记住呢？每个再写 20 遍！

孩子这时的情绪已经非常抵触了。家长没理会孩子的情绪，想他写二十多遍，怎么都该记住了。令家长想不到的是，过了一会儿再去检查时，孩子还是写不出来。他怒不可遏，觉得不可思议，一气之下就要求孩子把这两个单词每个写 50 遍，说不信你就记不住。

孩子不干了，这样算下来，作业量比原来的每个单词写 10 遍还多呢。父子俩因此大闹一场。到了这种地步，替孩子写作业变得比不替还糟糕。

事后他向我抱怨说，你那个方法对我的孩子不适用。我的孩子不像你的孩子那么懂事，你的孩子能理解家长的良苦用心，我的不能。

真的是孩子不一样吗？不是！

我坦率地对他说，这不能单方面责怪孩子。其实，首先是你没树立起对这种做法的信心。你在一开始就缺少诚意，与其说你是想帮助孩子，不如说你只是想用这种方法来试探一下孩子。试试你的孩子是不是也能像别人的孩子那样，家长一改变，他就能跟上趟。所以你在帮他写完作业后，就要检查他记没记住。同时，你在潜意识中，还把自己替孩子写作业看成是对他的恩惠，要求孩子立即用令人满意的效果来回报你，他辜负了你的期望，没记住，你就生气，接下来就再次动用惩罚手段，让他一遍又一遍地写。原本你替孩子写作业是为了让孩子摆脱不合理作业的役使之苦，到头来却又把作业变回为“刑役”。这样，你的行为就前后矛盾了，孩子被你搞糊涂了。他不仅对学习增加一层厌恶，也对家长的行为增加一层愤恨。他会更不想学习，更不听家长的话。

这位家长一下子很难接受我的分析和对他的批评，坚持说，孩子和孩子不一样，你的孩子用心，适合这种方法；我那孩子，就是不用心，不适合这种方法。

我说，你的孩子和我的孩子是不一样。你的孩子在过去那么长时间里，一直是在作业的压迫下和家长的监督下苦苦挣扎，他已习惯了和作业对立，和家长对立。现在家长突然改变，前期心理工作如果做得不到位的话，孩子肯定会有些无所适从，对学习缺少信心，也缺少一下就能学会的能力。你必须要有很大的耐心修复他的心理，等待他慢慢改变。

家长还是有些气愤地说，可我的孩子怎么就那么笨呢，为什么写那么多遍还记不住？我看还是他不用心！

我说，一个单词写了几十遍还是记不住，这其实和孩子笨不笨没关系，而是和他的情绪有关。厌恶感会把所有的记忆通道都堵死。好多看起来聪明伶俐的孩子，为什么一到学习上就愚笨得厉害，原因就在这里。从表面上看，这些孩子确实对学习不用心，但孩子用不用心，不是凭空来的。“用心”就像“用力”一样，也需要一些生长基础，也要有一个成长和积淀过程。即使是成年人，想对一个什么东西“用心”，前提也必须是不讨厌、不排斥这个东西。一个人怎么可能既讨厌一个东西，又去对它“用心”呢？

我看家长不吱声了，似乎有所思悟，就继续对他说，你只有先淡化孩子对作业的厌倦情绪，慢慢培植他对学习的自信和好感，然后才可能谈用心不用心。你的孩子已经四年级，对学习的厌倦情绪已积聚了好长时间，所以改造也会是个比较长的过程，年级越高这个过程越长。家长一定要有耐心，孩子用三年形成的坏毛病，你想用三天改变，那是不可能的。

我建议这位家长换一种做法，只是单纯地从减轻孩子学习负担入手，帮忙仅限于帮忙，不附带任何其它条件；不要因为家长帮忙了，就要求孩子一定要把当天写的单词全部掌握。允许他有些东西暂时学不会，允许他在作业中有错误。做家长的，一定要理解孩子。就这件事来说，那两个单词写过了还不会，这时候孩子内心其实是很羞愧且很自卑的。家长要体谅孩子的心，告诉孩子不要着急，不会的可以再写两遍，如果还掌握不了，就先放两天再说，慢慢来。然后从他的表现和作业中找到可以表扬的东西，给予肯定，比如夸他的作业比平时写得整齐，说他作业的正确率比平时高等，总之让孩子不时地从学习中体验到一种愉悦的情绪，这样慢慢缓解他对作业的厌恶。

替孩子写作业，不是家长帮孩子进行学习舞弊；而是以理性对抗学校教育中的一些错误，以不得已的方式帮助孩子获得更多的自由时间，让孩子生活得更快乐一些，并教给孩子实事求是地面对学习。它是保护孩子学习兴趣的有效手段之一。

所以家长要首先从内心完全接受这件事，非常坦然，然后才去做。如果你自己心里缺少诚意，心存疑虑，有负罪感，那你在做的时候就会给孩子传达一个不良刺激，让孩子觉得这是在投机取巧，产生负罪感。人对某种习俗或常规的挑战，没有正义感垫底是不可能的。你绝不可能在孩子面前隐藏你的疑虑，孩子比雷达还灵，能从你的眼神、语气中捕捉到你所有的真实态度。

圆圆上小学时回家给我讲一件事，听起来像个笑话。

有个同学发现班里另一个同学的语文生字本一行只有 8 个字，而自己的是一行 10 个字，就回家抱怨说，人家的妈妈会买本儿，你怎么买时候不看看每行有几个字。她妈妈说我知道啊，买的时候人家就问是要一行 8 个字的还是 10 个字的，我就买了 10 个字的，这不是为了让你多写两个字记得牢吗。

多写两个字，家长认为占便宜了，孩子认为吃亏了。圆圆说有的同学向老师反映这个问题，要求用一行 8 个字作业本儿的同学，也要按每字 10 个的数量来写，但老师觉得那样得有两个字写到下一行，一行行推下来会显得很乱，不整齐，就还是按行数写。她班里好多同学因此煞费苦心地到处找一行 8 个字的本儿——孩子们被逼得把心思都用这里了。

三千年前，孔子就提出了“因材施教”。几乎古今中外所有伟大的教育家都在儿童教育上提出个别对待，差异化教学的思想。但在实际的学校教育中，尤其是在中小学，很少能看到有哪个教师在作业上不搞一刀切。一刀切确实是比较省心省力气，但不同的孩子却不得不接受被相同的模子来裁切的痛苦。这是当前我国中小学教育中一个很大的问题，却多年来堂而皇之地盛行着，很少有教师或家长考虑到它的不妥。

不能苛求社会为每个孩子提供一种完美的教育；但作为家长，有责任为我们独有的孩子营造一个尽可能良好的教育环境。家长们如果有办法能让孩子从繁重的负担中解放出来，当然更好。比如通过努力，促进校方进行教学改革；或通过某种影响力，促进政策性解决等。如果做不到这些，替孩子写作业不失为一种立竿见影的方法。

“替孩子写作业”表面上看是件被逼上梁山的无奈之举，其实更主要地是一种教育意识，一种思维方式。即在孩子的学习中，家长应该用实事求是的态度，帮助孩子克服一些困难。不同的孩子身处不同的学校，遇到不同的老师，会产生不同的困难。没有一种普遍适用的方法，但一定有一些有效的方法。只要你实事求是地去帮助孩子，很多办法自然会出来。

最后要提醒的一点是，无论你用什么办法，都要注意，不要弄巧成拙，不要因为家长的做事不慎，给孩子惹麻烦。比如替写作业被老师发现，引起老师的反感，给孩子脸色看，这就得不偿失了。

特别提示

替孩子写作业这件事，每次孩子写什么，哪些剩下由我来写，这事一定是由孩子自己来做决定，我从不代替圆圆进行判断。

孩子天生有善恶观，而人的天性就是趋善避恶的。一个心地纯洁、有自尊心的孩子，绝不可能利用别人的善意去弄虚作假

在孩子的中小学阶段，尤其是小学阶段，一定要注意给孩子留出自由安排的时间，切不可让写作业、练琴、上课外班等这些事把孩子的时间占满。要让孩子每天都有自由安排的时间。

一个单词写了几十遍还是记不住，这其实和孩子笨不笨没关系，而是和他的情绪有关。厌恶感会把所有的记忆通道都堵死。好多看起来聪明伶俐的孩子，为什么一到学习上就愚笨得厉害，原因就在这里。

孩子用不用心，不是凭空来的。“用心”就像“用力”一样，也需要一些生长基础，也要有一个成长和积淀过程。即使是成年人，想对一个什么东西“用心”，前提也必须是不讨厌、不排斥这个东西。一个人怎么可能既讨厌一个东西，又去对它“用心”呢？

人对某种习俗或常规的挑战，没有正义感垫底是不可能的。

不写“暴力作业”

人可以使自己适应奴役，但他是靠降低他的智力因素和道德素质来适应的；人自身能适应充满不信任和敌意的文化，但他对这种适应的反应是变得软弱和缺乏独创性；人自身能适应压抑的环境，但在这种适应中，人发生了神经病。

儿童当然也能适应暴力作业，但暴力作业中含有的奴役、敌意、压抑，会全面地破坏儿童人格与意志的完整和健康。

被罚写作业，是许多人在上学时遭遇到的，尤其在小学阶段。

圆圆上小学四年级时，有一天数学老师突然在课堂上搞小测验，要求学生们默写一条前两天讲过的定理。那条定理大约有二、三十个字，老师并没有提前布置背诵，课堂上突然测验，又要求一字不能错，只要有一字与原文不符，就罚当晚把定理抄写十遍。结果班里的同学全军覆没，每个人都或多或少有些错，所以大家当天的数学作业，除了常规的一些内容外，还多了抄写十遍定理这一项。

圆圆晚上回家写作业时对我讲了这事，表现出对抄写十遍定理很发愁。

我看了她在测验中写出来的内容，对照书上的定理，只有几个字与原文不符，基本上没有太大的出入，而且能感觉出来圆圆是理解这条定理的。我想，数学老师有必要这样惩罚孩子们吗？这条定理从教材来看并没提出背诵要求，教材编写者肯定也会考虑，对于四年级的学生来说，重在理解，会应用才是目的。

死记硬背的坏处很多，它对于学生智力和学习的伤害真是再怎么说都不为过。前苏联教育家苏霍姆林斯基对教师要求学生死记硬背的行为多有谴责，他说："学生的那种畸形的脑力劳动，不断的记诵、死记硬背，会造成思维的惰性。那种只知记忆、背诵的学生，可能记住了许多东西，可是当需要他在记忆里查寻出一条基本原理时候，他脑子里的一切东西都混杂成一团，以致他在一项很基本的智力作业面前显得束手无策。学生如果不会挑选最必要的东西去记忆，他也就不会思考。①"

即使需要背诵，背会了写一遍不好吗，为什么非得写十遍不可？写十遍下来，那要多长时间啊，这点时间干什么不好呢。我们经常对孩子说要珍惜时间，可花一两个小时去写这种没有意义的作业，不也是在浪费时间吗？

最重要的，是要保护孩子的学习兴趣，但凡和学习有关联的任何不痛快的事都要尽量规避。所以我想，既然这样的作业已带有了"惩治"的味道，就不能去写，不能让这事在她心中种下对"作业"的厌恶。

我问圆圆现在背没背会这条定理，她说会了。我让她在作业本上写一遍，果然已经一字不差。我笑笑对圆圆说，你已经会了，一个字都不错，写一遍就行了。好了，你这个作业已完成了。

圆圆一听有点高兴，但马上又发愁地说不行，老师要求写十遍，写不够可不行。我说，老师是因为你们没背会，才要求你们写十遍；现在会了，就不用写十遍了。

圆圆有些担心，说：班里同学肯定都写了十遍，要是我没写，那老师不就要说我了吗。我看圆圆在意识中已不由自主地把这个作业当作为老师而写了，这是多么糟糕的意识啊。

我说：没事，干吗非得人人都写十遍。你现在写了一遍已写得一字不差了，就没必要写十遍。学习是为了学会，既然已达到这个目的了，为什么还要浪费时间呢？

我这样把圆圆"为老师"写作业拉回到为"学会"写作业，是为了培植她心中对学习实事求是的态度。

圆圆还是很担心，怕老师明天看她只写了一遍，会教训她。我和她猜测了一

---

① （苏）苏霍姆林斯基，《给教师的建议》，杜殿坤编译，教育科学出版社，1984 年 6 月第 2 版，200 页。

下，如果不写十遍，老师明天可能会生气，批评几句还是小事，可能会罚站，也可能会请家长到校。我给圆圆打气说，明天老师要问为什么只写一遍，你就告诉老师说我妈妈不让写那么多遍，把责任推到妈妈身上。老师如果要批评，你就乖乖听着，什么也不要说；要罚站，你就站上一节课；如果老师要叫家长，你就给妈妈打电话，妈妈去和老师沟通，向老师解释。无论怎样，你都不用太在意，因为你没做错什么事。

听我这样说，圆圆虽有犹豫，但因再找不到更好的办法，就同意了。

在让孩子痛苦地把作业写完和被老师批评这两个选择中，我宁可选择后者。现实中我见过许多家长，他们明明知道有些老师布置暴力作业，却只是一边抱怨老师，一边又不停地督促孩子赶快写作业，担心孩子写不完明天挨老师的批评。这样其实搞乱了孩子的价值观，把“不要让老师批评”当作了首选，把孩子的个人体验和实事求是的精神当作次选。

保护孩子的面子，让他不要当着全班同学的面被老师批评——这当然重要，但这破坏了作业本身的目的性，让孩子在学习上逐渐变得虚假做作，失去学习的兴趣，还教会孩子去迎合权威。这样做其实损失更大。

我当然心里十分不愿圆圆挨老师批评，但实在想不出更好的办法。不是说我不可以替孩子写，但今天这个作业不同于平时我替她写的那些作业，今天这个有明确的惩罚性，我不想写。我想让圆圆知道，作业是不可以用来惩罚的，要对这种作业说“不”。

圆圆还是有些不放心，但看我很静定，她信任我，就只写一遍。这时我想到她班里有那么多孩子，小小的手握着笔，一遍又一遍地写那条定理，心里真有一种隐隐作痛的感觉。二、三百个字，对大人来说算不了什么，可这是些四年级的小孩子，怀着恐惧和厌恶的心情写上十遍，这条定理多半就再也不能真正进入他们的头脑了。

第二天我在单位一天，没接到老师打来的电话，以为没事了。结果晚上回家，圆圆一见我就要哭，说今天一上数学课，老师第一句话就说“那条定理谁昨天没写够十遍，站起来！”根本没给她解释的机会。圆圆和另外七、八个同学站起来，老师不光罚他们站了一节课，还让这几个人当天晚上回家把整个一本数学书的全部定理都默写一遍，并说要是写不够，明天就默写两遍，再不够就写三遍。

圆圆有些抱怨地说，还不如昨天写十遍，今天就不用写那么多了。

我翻了翻她的书，把书合起来放到桌子上，用轻松的口气对她说，这个作业不用写，一个字也不用写。圆圆有些吃惊地瞪大眼睛。

我说：你看，刚刚开学，数学只学了这么一点点，这条定理你已经会背会写，就不需要再写了；后面的内容还没学，抄一遍有什么用呢？没用的事就不去做。

圆圆说不行，要是今天不写，明天就得写两遍。她说这话时眼神里充满担忧，数学作业在孩子的眼中已是如此可怕了。这是我最担心的。

如何能尽量保护她对这个学科的情感，让她在想到数学时有美好的联想，而不是只想到数学老师和作业惩罚呢？儿童的价值观还不成熟，他们骨子里都是崇拜老师的，如果我只是教她不听老师的话，她内心可能会有微微的负罪感。所以我考虑如何让她真正从内心想开了，正确认识这件事，把这件事造成的伤害降到最低。

我想到圆圆平时最爱吃饼干，就用这个她最喜欢的东西来问她：你喜欢吃饼干是吧，你觉得每天吃几块好？圆圆觉得我突然说饼干很诧异，但还是回答了：五块。

我说："每天至少吃十块好不好？"我平时是限制她吃过量的饼干的，她一般每天吃两三块。我这样说让她更感到奇怪，有些兴奋有些不好意思地说，太多了，吃七块吧——她折中了一下，肯定是想多吃几块的。

我认真地说，不，要是你吃不够十块，我就罚你吃二十块，再不够就罚吃五十块，要是五十块吃不进去，就罚你吃一百块。这样行吗？

她一定是觉得我既残忍又不可理喻，吃惊地看着我，不知该说什么，可爱的饼干一瞬间变得恐怖了。

我亲亲她的小脸蛋说，其实呀，写数学作业和吃饼干一样，要是老师的作业留得适量，它就是件好事，要是留得太多，就不好了，是不是？圆圆若有所思地点点头，她有点听明白了。我又说，这件事是老师不对，这样留作业是不好的。既然妈妈让你一下吃一百块饼干你不愿意接受，那么老师留这么不合理的作业，我们也不用按她的要求去做。不做是对的，做了才是不对的。作业和饼干一样，本身都是好东西，我们不要把一个好东西变成一个坏东西，好不好？

这下圆圆完全明白了，表情坦然了不少。她还是有些担心，问我老师要是天天让抄定理怎么办。我明白孩子的心，她在道理上再明白，也不可能有勇气天天去学校对抗老师，不愿意天天接受罚站和批评。我说，妈妈明天早上送你到学校，去找找老师，跟她解释一下，老师要是明白了写合适的作业才对孩子好，肯定就不会再为难你了。圆圆听我这样说，一下变得非常轻松了。她相信我会帮她把问题解决了，而不会把事情做砸。

第二天早上我向单位请了假去找了数学老师，这位数学老师三、四十岁的样子，一脸冷漠。我试探着和她提了一下圆圆作业，但感觉根本就没有沟通的可能。她一听出我的来意，马上情绪非常对立，一边陈述她如何呕心沥血地教学生，生怕他们在学业上有一点问题；一边又抱怨现在的家长们不理解老师，抱怨学生们不好好学习。老师气势汹汹地和我说话，仿佛她胸中有一只火药桶，只要我有一点点言词不慎，就可点燃她，让她爆炸。

我非常害怕和老师把关系搞僵了，就俯首帖耳，陪着笑脸，一脸谦虚地听老师的教训，把责任全揽我自己头上。我的态度终于平息了老师的怒火，她的情绪有所缓解。我又进一步拉近和她的关系，使她终于表示出对这一次作业不再追究。唉，我认为自己的做法乏善可陈，但作为家长，在那样一种情况下，不知自己除了这样做，还能有什么别的办法。

我很理解这位数学老师，她主观上是很想把数学教好，但由于文化底子浅——这一点从她的谈话中能明显感觉到——使她在教学上力不从心。一个自身学习能力低下的人其实也不会教别人如何学，这也导致她一方面会采用一些蠢笨的办法去教学，另一方面骨子里很自卑，经常有些很变态的做法。

比如，她在课堂上给学生发作业本时有几种发放方式。如果都做对了，她就把本发到学生手上；如果有错题，就扔到地上，让学生弯腰去捡；如果学生的错题较多，不但作业本扔地上，还要捏学生的脸蛋。圆圆还被她捏哭过一次。学校严格禁止老师打学生，这个老师只能采用捏的方法。为这事我曾给校长打电话反映过，校长说感谢家长的反映，要下去问问，但事情并没有什么改变。

在这样的老师面前，家长能有什么办法。我只能更多地寻找机会和这位老师接触，尽量和她把关系处好，以便下一次再发生什么事时，方便和她说话。

但我不能告诉圆圆我的这些无奈与方法。那天我回家只是告诉圆圆找过数学老师了，说老师也意识到多抄定理没什么用，同意不抄写了。别的没对她多讲，让孩子简单些吧，只要帮她把问题解决了就行了。

现在许多孩子都在不同程度上遭受着暴力作业，不光是来自学校的，也有来自家庭的，有的家长一生气，也会用写作业来惩罚孩子。暴力作业的本质是教师和家长对学生的奴役。

哲学家弗洛姆说，人可以使自己适应奴役，但他是靠降低他的智力因素和道德素质来适应的；人自身能适应充满不信任和敌意的文化，但他对这种适应的反应是变得软弱和缺乏独创性；人自身能适应压抑的环境，但在这种适应中，人发生了神经病。[①] 儿童当然也能适应暴力作业，但暴力作业中含有的奴役、敌意、压抑，会全面地破坏儿童人格与意志的完整和健康。

家长一定要首先注意，自己绝不制造暴力作业；同时要支持孩子对来自学校的这种作业说不。家长要积极寻求和教师、学校的正面沟通，可以找老师谈，可以向学校反映，也可以自己想办法保护孩子。许多家长一边抱怨老师作业留得太多太不合理，一边看孩子在暴力作业中苦苦挣扎而无可奈何、袖手旁观，这是最坏的。

圆圆小学同学中有一个很流行的笑话。说两个孩子打架，被老师罚写一百遍自己的名字。其中一个孩子很快写完被放走了，另一个孩子写好长时间还没写完。老师批评他写得太慢。这孩子憋了一会儿，终于大着胆子对老师说："老师，这不公平，他的名字叫于一，而我的名字叫阿布杜拉·库依艾兹·乌力特利古拉赫"——所有的家长和教师，在开心一笑时，应该有多少反思啊！

特别提示

作业是不可以用来惩罚的，要对这种作业说"不"。

"既然妈妈让你一下吃一百块饼干你不愿意接受，那么老师留这么不合理的作业，我们也不用按她的要求去做。不做是对的，做了才是不对的。作业和饼干一样，本身都是好东西，我们不要把一个好东西变成一个坏东西。"

许多家长一边抱怨老师作业留得太多太不合理，一边看孩子在暴力作业中苦苦挣扎而无可奈何、袖手旁观，这是最坏的。

---

① （美）弗洛姆，《为自己的人》，孙依依译，三联书店，1988年11月北京第1版，41页。

学习不要“刻苦努力”

一个人不可能既讨厌一件事，又能把一件事做好。

不关注环境中的培养要素，只是从主观上要求孩子具有“刻苦精神”，这就像认为可以从空气中抓来一沓钞票一样没来由，是典型的唯心主义做法。

这个题目下我要谈的恰恰是如何培养孩子用功学习。

一直以来，关于学习的一个最流行的概念就是“学习要刻苦”。许多家长从孩子小时候就向他灌输这样的观念，要求年龄尚小的孩子“刻苦”。不少家长从孩子上学前就唠叨说，上学后不能尽情玩了，要用功学习。孩子上学后就不断教导孩子在学习上要“刻苦努力”，并且在具体的学习活动中这样要求他，以期培养出孩子良好的学习态度。

我认为培养孩子在学习上用功勤奋是必须的，但用“刻苦”的言语和思路来要求孩子，则往往是在干一件南辕北辙的事。

提到“刻苦”或“吃苦”这一类学习态度，我们习惯于欣赏它所表达的一种坚韧不拔的精神，总是忽略它里面包含的那个令人不快的“苦”的味道。作为成人，在考虑一个问题的因果关系时，会为了结果忍受过程的痛苦。把这种经验推广到孩子身上，要求他接受学习过程的苦，换取学习成绩的甜——这样的思路在逻辑上是无懈可击的，但它到了孩子那里，却很容易变成一种不良暗示。

把“学习”这件事和一种令人不舒适的“苦”的感觉联系到一起，它会使孩子在想到学习时，就有微微的不快。有谁会喜欢苦呢？一个人为了某个目标而“吃苦”，必须基于他有足够的理性和毅力。这种理性和毅力，连成年人都不是人人具有或事事付得出，用它来要求孩子，就更不适合了。

人的天性是避苦求乐，孩子更如此。感觉“甜”的东西他就喜欢，感觉“苦”的东西他就讨厌。

我们原本想要孩子喜欢学习，却把学习过程做成苦馍馍，只把结果设想成甜馅饼，要孩子天天吃着苦馍馍去想甜馅饼——过程天天具体而真实地陪伴着孩子，目标却遥远得虚无缥缈。当他在吞咽苦馍馍中感到厌倦时，就被批评为“不刻苦”，被要求以那想象中的“甜”来压抑这真实的“苦”。孩子不具有反驳成人教导的能力，他只是感受到了这里面的不和谐，感受到了自己的无能为力，感觉到自己心底深处对“苦”的讨厌。

一个人不可能既讨厌一件事，又能把一件事做好。

据说在二战期间，一名最好的瑞士钟表匠被胁迫去给纳粹制造一批高质量的钟表。尽管他费了相当的力气，却始终做不到战争前的水平。他自己都不知道这是为什么。后来有心理学家分析，这是因为他制造钟表时的心境不一样。这就是情绪的力量。

美国教育家杜威认为，在教育中“目的和手段分离到什么程度，活动的意义就减少到什么程度，并使活动成为一种苦工，一个人只要有可能逃避就会逃避。”①。这可以解释为什么家长越要求孩子用功学习，孩子越对学习提不起兴趣。

成人指责孩子“不刻苦”是件很轻易的事，与之相伴的是批评孩子“不懂事”。似乎孩子不知道用功学习的好处，于是一遍又一遍地告知孩子学习应该刻苦努力。

这真是太小看孩子了。儿童并非不知道刻苦学习可以换来好成绩，他只是做不到。当学习活动没有唤起他的愉快体验时，他就无力去调动自己的主动精神，不由自主地表现出懒散、不刻苦、不认真等——许多人以为这是某些“不成器”的孩子的天性，其实是他上进的天性被扭曲了。

“不刻苦”的孩子好像经常忘记了学习这回事，他们总是把时间消磨在看电视、打游戏、踢球、打电话等事情上，甚至是无所事事地坐着，表现出特别

① （美）杜威，《民主主义与教育》，王承绪译，人民教育出版社，2001年5月第2版，117页。

“不上进”的样子。大人说他，他脸皮厚厚的不在乎。对这种情况，家长不要孤立地看待，不要简单地把责任归到孩子一个人头上。

事实是每个孩子都愿意自己在学习上做得更好，愿意让父母满意，愿意受到大人的夸奖。因为人还有一个天性，就是上进心。如果一些孩子表现出对学习没有上进心，这不是天性中缺少，而是在后天成长中慢慢丢失了。

杜威认为，对孩子来说，玩耍和学习本来是不冲突的，正常条件下儿童有能力协调这两者的关系。如果一个孩子只想玩不想学习，使这两者冲突了，那一定说明他的教育环境有某种不良的东西在影响着他。他注意到，“凡是所做的事情近于苦工，或者需要完成外部强加的工作任务的地方，游戏的要求就存在”①。所以说，正是因为成人把学习暗示成一件“苦事”，或者用种种不正确的方法破坏了孩子对学习的兴趣，使得学习成了一件“苦事”，孩子才想逃避，才想无度地玩耍和浪费时间，变得“不懂事”了。

家长和教师应该研究儿童的特点，体恤儿童的心理，注意从“学习情感”方面培养孩子的好学精神。儿童是脆弱而无助的，不要把孩子当成可以克服困难的英雄来不断要求，不要一再地拿“刻苦”来困扰他。一厢情愿地要求儿童具有“卧薪尝胆”的精神，等同于要求一只刚出壳的小鸟到蓝天上翱翔；不关注环境中的培养要素，只是从主观上要求孩子具有“刻苦精神”，这就像认为可以从空气中抓来一沓钞票一样没来由，是典型的唯心主义做法。

“刻苦”是一种成熟的学习品格，它不会凭空产生，它是在理性和兴趣的土壤上生长的。有的孩子上中学了，马上要高考了还不愿意用功学习，说明他的学习品格始终停留在低龄阶段，这种发展的停滞是由于从小到大，他在学习上始终没形成兴趣，在思想上始终没发展出理性。这些发展的停滞，一定和家长的教育态度及方式有关。

孩子在各个学习时期所要解决的主要矛盾不一样，就现阶段我国的教育体制来说，我认为小学阶段主要解决学习兴趣的问题，初中阶段主要解决学习方法的问题，高中阶段拼的才是勤奋。

---

① （美）杜威，《民主主义与教育》，王承绪译，人民教育出版社，2001年5月第2版，222页。

从兴趣、方法到勤奋，是个因果关系，前一项不存在，后一项就不能很好地实现。在每一个学习过程中，它们也无法截然分开，而是并存于各阶段中；从横向来看，也是这样的顺序。所以，在每一种学习活动中，“兴趣”始终重要，呵护好了兴趣，才可能产生方法，有了兴趣和方法，才能生长出勤奋。

学习的理性是逐渐形成的，各个时期的主要矛盾解决好了，学习品格才能呈现出良好的状态。

当然，家长的能力也是有限的，我们不一定有能力让孩子觉得学习是件“有趣的事”，但至少要用我们的眼神和行动告诉他，学习是件“不苦的事”。我们也许没有能力让孩子对学功课像打球或玩电脑游戏一样有热情，至少要让他觉得这件事像睡觉吃饭一样正常而必需。这就需要我们在对孩子的管理中不断思考，和孩子说话时关注自己的潜台词，体会自己的话传达给孩子的到底是个什么信息。

在培养孩子勤奋学习方面，恰是不能强化“苦”，而要尽量消解“苦”——不要向孩子提示学习是苦的，也不要给孩子施加压力，避免他在学习活动中感觉苦闷。

圆圆上高中后，学习很累，她偶尔也会抱怨说太累了，表现出松懈。孩子本来已经觉得苦了，这个时候家长就更不能以“要懂得吃苦”这类正面说教让她苦上加苦了，这个时候应该想办法减淡她对苦的体验，向她提示“学习不苦”。

我采取了两个办法来帮助她。

一是找了些高考状元谈经验的资料，尤其是那些谈刻苦用功的，让她知道凡是取得好成绩的同学，没有一个不勤奋。这表面上看是强化了学习要刻苦，实际上缓解了她对苦的感受。既然状元们都那么用功，那么自己用功也就是正常的了。在这个过程中，我注意没有向她提一句要求她吃苦用功的话。

二是和她一起读了本《科学的故事》，尽管她高中时学习很忙，我仍然建议她浏览了这本书。这本书编得很好，它呈现了数学、化学、物理、医学等各学科的大致发展脉络，以许多生动的故事讲述了其中艰难的历程。圆圆从这里看到人类科学知识的积淀是那样不易，仅仅是氧气的发现就经历了那么多年、那么多坎坷。想想自己可以轻易地拿着薄薄的教科书纵览前人每一种惊人的成就，她由此觉得很幸运——自己不过是这些伟大成果的享用者，有什么苦呢。

我做这些，无非是让圆圆站在高处看待事情，既能刻苦用功，又不觉得苦。高中生已有较为成熟的理性，她的认识已可以唤起她的毅力，而毅力可以降低痛苦感。

圆圆在高二、高三时每天学习十几个小时，非常自觉，从不无端地浪费时间。她平均每天睡六个小时，高三一年要靠喝咖啡来提神。高考完后我问她觉不觉得这样学习太苦，她说有这样一个机会全力以赴地做一件事，能透彻地了解那么多知识，也挺有意思；只是觉得自己应该用功，苦倒是不觉得。

高考结束后，很多孩子仿佛一下从地狱中钻出来了，有的人恨不得把书撕了。圆圆有些奇怪自己怎么没有这种感觉，日子好像和以前差不多，无非是生活内容不一样了。这可能是因为她在高考前一直没有那种特别压抑、特别苦累的感觉吧。

我发现，给家长讲让孩子“刻苦”，一般来说家长都乐意接受；如果告诉他们不要对孩子讲“刻苦”，家长往往不爱听，甚至会反感。

可能是因为“刻苦学习”的思想已深入人心，大家已这样思考好多年了；而“不要刻苦”的说法太新鲜，人们往往在没有用心去理解的情况下，凭感觉就拒绝了。再一个原因是，谈“刻苦学习”，是单方面去改变孩子，这是家长们愿意的；可不谈“刻苦”却要让孩子达到刻苦，这改变的首先是家长，家长们一般就会排斥，因为人是不喜欢被他人改变的。

有个中学老师对我说了这样一件事。她所在的学校一个男生在高考中取得了非常好的成绩，男孩的家长被邀请去给在校学生的家长们讲自己如何培养孩子。这位家长总结的经验就是：“没别的，就是逼着他用功”。她说家里卫生间也摆着英语书，让孩子连上厕所的时间也不要浪费。这位家长的经验颇受其他家长们的认可，结果是许多家长都回家狠逼孩子学习，在孩子上厕所时也强行给孩子塞一本书。

不少家长对孩子的教育做得很细很有特色，恰是那些日常细节成全了孩子。但在总结经验时，很多家长不善于捕捉细节，没发现自己行事的精髓，往往只能按俗套谈出一些表面的东西。我相信这位家长说的“就是逼着他用功”是真的，但她只是孤立地陈述了一种状况。我几乎可以肯定，她一直以来一定有高于这一手段的真正聪明的做法，否则的话，孩子的学习十几年一路走来，一定不会有今天的结果。

不是她不想告诉大家，可能是她不会总结。这和现在市场上卖的一些成功家长谈家庭教育的书一样，家长的“成功”是真的，书中谈到的方法也不假，只是家长由于专业或表达水平的限制，没有把真正有效的、核心的方法提炼和展示出来，却更多地呈现一些皮毛的、非本质的东西。这些东西对其他家长并没有什么参考意义，甚至会有误指。家长们如果只是学点皮毛，回来简单地抓“用功”，把孩子上厕所的时间都要抓起来，恐怕最后要大失所望了。

还有一个原因使得人们特别愿意对孩子讲吃苦，是因为有太多的事例佐证着“吃苦”与“成功”的因果关系。

我们经常读到一些古今中外伟大的科学家、艺术家们如何废寝忘食地工作和学习的故事，这些故事常常被当作“刻苦努力”的例子来激励后人。它们使人深信，“吃得苦中苦，方为人上人”是真理。

事实上，每一个忘我地投入到学习和工作中的人，他一定是对学习和工作建立起了兴趣或责任感，这种兴趣和责任感是如此强大，以至于常常超越生理需求。平常人看到的是他们在饮食起居上的“苦”，看不到他们置身于喜爱的事情中的“乐”，就以为他们是凭借“苦”取得成功的。实际上，他们不“苦”，他们只是“痴”，其中的乐趣别人体会不到。

正如一些孩子对电脑游戏表现出痴迷，上了机，他们也可以做到不睡觉，不吃饭——这叫“刻苦”吗，是否叫“迷恋”更恰当？“刻苦”和“迷恋”都意味着付出了体力和心思，给当事者带来的感受却是完全不一样的。

尽管我们在生活中根本不需要区别“刻苦”和“迷恋”的异同，但在教育中一定要意识到不同的感受对孩子会产生完全不同的影响。

想让孩子做好一件事，就一定要首先让他喜欢这件事，至少不能反感，避免在这件事里掺杂进让他感觉不快的因素——学习不要“刻苦努力”，说的就是这个道理。

特别提示

培养孩子在学习上用功勤奋是必须的，但用“刻苦”的言语和思路来要求孩子，则往往是在干一件南辕北辙的事。

正是因为成人把学习暗示成一件“苦事”，或者用种种不正确的方法破坏了孩子对学习的兴趣，使得学习成了一件“苦事”，孩子才想逃避，才想无度地玩耍和浪费时间，变得“不懂事”了。

小学阶段主要解决学习兴趣的问题，初中阶段主要解决学习方法的问题，高中阶段拼的才是勤奋。

在培养孩子勤奋学习方面，恰是不能强化“苦”，而要尽量消解“苦”——不要向孩子提示学习是苦的，也不要给孩子施加压力，避免他在学习活动中感觉苦闷。

不考100分

正因为我特别渴望孩子取得好成绩，我才绝不向她要分数。

庸俗目标只能给孩子带来庸俗的刺激，不会产生良好的内在动力。从上小学就追求分数，会使孩子形成畸形的学习动机，变得目光短浅，急功近利，反而降低学习兴趣，影响考试成绩。

在一所小学校门口，看到一小女孩兴冲冲地对来接她的妈妈说“我数学考了98分！”她妈妈马上问谁谁考了多少，听到人家考了100分，脸上顿有不满，“人家能考100分，你怎么就考不了？”孩子原本兴奋的神情一下子消失得无影无踪，一脸委屈与沮丧。

孩子成绩好坏，并不在于家长对孩子说出了多少要求和希望，而在于怎样去说。语言不是呼出的空气，不会消散在空中无影无踪。所以不要在孩子面前信口开河，不要想说什么就说什么。家长说过的任何话都会在孩子心中留下痕迹，好痕迹产生好影响，坏痕迹只能产生坏影响。

我还在一个朋友家见过一位二年级小学生的家长，她没有前面这位妈妈的严肃，看起来性情很好。朋友和他们母子寒暄，问孩子是不是放假了，期末考试好不好。孩子很骄傲地说，语文98，数学99。我们一听连连称赞孩子真棒，妈妈倒也高兴，愉快地白孩子一眼，嗔怪地说孩子：“看你这臭显摆，班里有好几个孩子考双百呢，你考个双百再来吹牛！”妈妈其实在内心应该是比较满意的，她这样说多半是为了谦虚。孩子听了有些不服气地做个鬼脸跑开了。

不管是真情还是假意，许多小学生家长在孩子的分数问题上，都是这样漫不经心地犯错误。上面两位家长虽然说话的口气和用意不一样，但话语中传达的价值观一样——100分才是好样的，才是令人满意的。家长就这样把学习变得功利，不知不觉把孩子往歧路上引，让孩子偏离学习的正途。尤其前一位家长，她不但让孩子对学习怀有虚荣心，还教唆孩子去嫉妒。

当孩子第一次背上书包去上学时，他是多么兴奋啊。可是用不了多长时间，许多孩子就开始陷入痛苦。作业像山一样压在他们身上，分数像河一样挡在他们面前。尤其当他看到别的同学考了好成绩，而自己的成绩不理想，或者即使成绩还不错，仍然没达到家长期望的高度时，就会感到沮丧和不自信。

与此同时，很多第一次把孩子送进小学的家长，在这关键的时刻，并不是通过向书本学习或向他人学习，知道作为家长如何帮助孩子更好地适应新生活，在学习上形成自信和好习惯；而是怀着掷骰子的心理，被动地等待着结果，看自己的孩子是“学习好”的还是“学习差”的。也有家长自以为是地瞎指导孩子，要求孩子考100分，以为那就叫教育孩子。这些家长共有的表现就是单纯地向孩子要成绩。

我见过一位小学教师，她的儿子很聪明，她觉得自己所在的小学不好，特意把儿子送到市里最好的一所寄宿制小学。那所小学以考试成绩好而著称。孩子们从上一年级，每周都有考试。这位妈妈每周末接儿子，总是首先谈考试，问语文考了多少，数学考了多少，班里有多少同学考了100分。她儿子尽管学习也不错，但考试卷上总会或多或少错一点，没有一次能拿到100分。她也懂得孩子需要鼓励，就总是安慰说“没事，九十多分也很好，争取下次考100分”。期中考试前的一次小考中，儿子终于数学拿到一个100分，高兴极了。她接了孩子回家，马上就让孩子给姥姥和奶奶打电话，汇报考了100分。姥姥家和奶奶家的人都一个劲地夸孩子，这个成绩给所有的人都带来极大的愉快和幸福，纷纷许诺说期中考试再拿了100分就给这样那样的奖励。到期中考试，她一再叮嘱儿子考试要认真，好好检查卷子，不要出错，争取考100分。考试后去接孩子，这个不到7岁的小男子汉一见妈妈就哭了，告诉她自己没考出一个100分。妈妈尽管很失望，却没批评孩子，只是又一次鼓励他争取下次考100分。

这位妈妈觉得自己是那种总能够给孩子鼓励的家长，认为儿子没拿到100分流泪是有上进心的表现，她觉得自己对孩子的激励很有效。所以当她对我讲起这些时，也表现得很自信。但我却听得忧心忡忡。

她的错误是把学习目标定位在满分上，却对孩子的学习能力、态度、方法、兴趣，以及对知识的真实把握状态没去关注。她的行为看似鼓励孩子好好学习，实质是在追求作为家长的满足感。而她及她的家人那种共同的“满分癖好”，在学习动机上会给孩子误导，而他们对考出满分后的种种许诺，看似和蔼，实则粗暴，没有多少激励作用，却给孩子施加了很大的压力。

满分是一个成绩极限，一般情况下大多数孩子根本达不到。家长对100分的爱好，只是不断制造儿童的失落与内疚感——孩子从偶尔的好成绩中，虽然可以获得暂时的愉快，但大多数时间里，他们内心是不安与痛苦的，因为他们不知道下一次考试会怎样，会不会让家长满意，他心里没有把握，惴惴不安，一心惦记着分数，真正的学习目标迷失了。

前些天在聚会中遇到一个老同学，他儿子上初中二年级，学习成绩一直平平，他为此有些发愁。那天我们正吃饭中，他收到儿子的一条短信，说数学考了97分。看来孩子非常高兴，都来不及等爸爸回家，急于告诉他这个好成绩，并问他高兴不高兴。我这位老同学当然高兴，当即对大家宣布了这个事，说他儿子已有两年数学没上过90分了。他当即给儿子回了短信，合上手机时，他有些得意地说，我告诉儿子“我高兴，但你要考100分我更高兴”。他还陶醉在自己很会鼓励儿子的良好感觉中。我不客气地对他说，你这样说真是疯了，这不仅破坏了孩子眼前的快乐，他刚刚建立起的一点自信，也足以被你这句话击碎。

假如家长要求什么孩子就能实现什么，那么天下所有的孩子都会成绩优异、习惯良好、多才多艺、品貌出众——那样的话做家长真是件轻松惬意的事。

可上帝似乎有一种不公，“分数越要越少”这个现象很残酷但确实存在。一些家长在孩子的学习上费尽心血，孩子却成绩差、习惯坏；另一些家长看起来做得轻轻松松，孩子在学习上却又自觉成绩又好。这让许多对自己孩子失望的家长感叹自己“命不好”。其实这些“命不好”的家长完全可以改变自己的“命运”，那就是改变不正确的成绩观。

心理学研究表明，在学习上，成功动机过强或过弱都不好，一是对学习不利；二是对保持不利。庸俗目标只能给孩子带来庸俗的刺激，不会产生良好的内在动力。从上小学就追求分数，会使孩子形成畸形学习动机，变得目光短浅，急功近利，反而降低学习兴趣，影响考试成绩。就像一个跳高运动员，如果在训练中或赛场上他不是把注意力集中在如何助跑、起跳、跃过横杆，而总是考虑场上观众如何看他，如何评价他，他跳过去了会得到怎样的奖赏，跳不过去会如何难堪。这种想法会让他顾虑重重，甚至装腔作势，那么他在赛场上将不会取得好成绩。

“分数”和“成绩”其实并不完全对等，分数可以反映成绩，但分数不等于成绩。如果家长从孩子一上学就只是着眼于每次考试得了多少分，而没有培养起孩子对学习本身的兴趣，那么“优秀成绩”注定只是一时的梦幻彩虹，让那些没有远见、没有踏实心地的家长最终失望。这就是为什么很多家长感到很奇怪：我的孩子在小学时很优秀，经常考 90 多分或 100 分，为什么上了中学就不想学也不会学了？出现这种情况，原因当然有很多种，但这之中一定有很大一部分孩子是因为从小养成的不良学习动机，其结果一是败坏了学习胃口，二是动机的低下束缚限制了他们的视野和能力，使他们发展的空间越来越狭窄了。

家长引导孩子面对知识本身而不是完美的考试分数，孩子在学习上的潜力才会慢慢喷发出来。几乎没有哪个孩子会愈挫愈勇，他们需要成功体验。成功体验不是偶尔得到的高分，是通过自己的努力，解决问题后的喜悦。

哲学家弗洛姆认为，现代生活最突出的一个心理特征是，许多为实现目的而采取的手段及活动，已越来越篡夺了目的的地位，而目的本身却成为模糊的、非真实的存在……我们已陷落在手段之网中，经常忘记了我们的目的。①

我女儿圆圆上小学时，学校对成绩评定不打分数，只打“优”、“良”、“及格”、“不及格”，85 分以上就是优。她成绩一直不错，都打了“优”，但在我的印象中，几乎每次卷子上都有些错，也就是说她基本上没得过 100 分。我不愿强化考试的重要，所以对她大大小小的考试并不直接过问，只在暗中关注她的学习情况，经常和她聊聊学校里的事，也和老师们沟通一下。

老师经常让家长在发下来的卷子上签字，我和先生绝不因为孩子分数的高低

① （美）弗洛姆，《为自己的人》，孙依依译，三联书店，1988 年 11 月北京第 1 版，180 页。

兴奋或失望。考得很好，孩子高兴，我们也正常表达高兴；考不好，孩子可能会有些沮丧，我们就告诉她：没考好，正好可以发现自己哪些地方学得不够好，要是老师出的卷子恰好都是你会的，虽然得了高分但不能发现自己的问题，那不也很遗憾嘛。这样说能引导她踏实下来，把注意力放到学习上。

同时我也注意激励孩子，因为她毕竟是孩子，需要一些浅显的成就感。例如，一张数学卷子，她考了 85 分，经由她自己修改后，又有 9 分的题做对了，但还有一道 6 分的小题没改对，我会很愉快地在她改正的题上打上对钩，然后用铅笔在原分数旁边写上“94”，告诉她现在的成绩已变成 94 分，而不是 85 分了。那道 6 分小题她可能会马上再改正，也可能需要再想想或第二天请教老师，或需要妈妈和爸爸给她讲一讲。总之不论什么时候改正了，我就会把那个 94 分擦去，写上 100 分。即使卷子已经让老师重新收走了，我也会给她一个口头 100 分，对她说“昨天你还有一道题不会做，是 94 分呢，今天就都会了，变成了 100 分！”

任何考试卷，只要修改，成绩肯定会高于原来的。这样，孩子就发现了过程与结果的关联性。圆圆认识到，只要去解决一个错题，就能得到更好的成绩；如果把错题一直追究下去，每次考试的最终成绩都会是 100 分。这不但让孩子知道学习要一点一滴地认真对待，最重要的是她会因此觉得，得不得 100 分主动权在自己手里，而不是像前面那个哭泣的小男孩一样，以押宝的心态求 100 分。

不在教育上虔诚思考，不去用心理解孩子，分数上步步紧逼的家长，最后多半会沦为节节败退的家长。

有一位家长，他的生意做得很好，赚了不少钱，但他的儿子一直令他头痛。这个孩子现在已经初三了，特别不爱学习。他现在担心儿子连高中都考不上，更不用说上什么重点学校了。他在一个场合听我提到“分数越要求越少”的观点时，有些不以为然地说，我看你说得不对，孩子学习好不好还是在于他自己，我对儿子多用心，对他的要求也不高，从来没要求他考 100 分，他也没学好。

这个家长的情况我比较了解，他做生意很精明，但在教育孩子方面总是怎么笨怎么来。他孩子刚上小学一、二年级时，每逢期中、期末考试，他就给儿子请来各科家庭教师，从考试前一个月给孩子补课。他对儿子说：“爸爸不怕花钱，只要你能考出好成绩就行。”

他的孩子在小学低年级时，成绩还能保持中等偏上，他为了鼓励孩子取得更好的成绩，就总是说：“班里谁的家长舍得花这么多钱请家教，你应该进前10名啊。”可他的孩子不但没有进前10名，反而开始往后退。假如儿子考了第22名，他就会拿着孩子的考试成绩，语重心长地对孩子说：“爸爸为你的学习花了那么多钱，你怎么也该考进前20名啊。”几年下来，他现在对儿子说的话已变成“你哪怕考个及格也行啊！”他为了儿子的学习，除了请家教，还经常在考试前给学校老师送礼，回来对儿子说：“你爸赚的钱，都给了老师了，你不好好学习能对得起谁?”

这位精明的生意人，以为他的商业法则可以处处灵验，花钱就可取得“鬼推磨”的效果。实际上他和前面几位“要100分”的家长比起来，对学习的认识更浅薄，在恶化孩子学习心理方面有过之无不及。他不断地把学习目标定位在“考试”上，使孩子目光短浅；不断地关注“名次”来扰乱孩子的学习动机；不断地制造孩子的内疚感，使孩子在心态上变得虚浮；不断地用钱来轻薄知识，让孩子学会庸俗思维。一个在学习上目光短浅，没有良好动机，心态虚浮，思维庸俗的孩子，他的成绩怎么可能不一路下滑?

哪个家长不希望孩子考100分呢，包括我自己，也很在意孩子的成绩。正因为我特别渴望孩子取得好成绩，我才绝不向她要分数。任何单纯要分数的行为都是浅薄的，都是破坏性的。我要做的是培养孩子的智慧能量，就是对知识的好奇心、爱钻研的精神，提出问题的能力，寻找答案的兴趣，有效的学习方法，平和的学习心态，持之以恒的毅力等等——这些才能成全孩子的成绩，才是在各种考试中胜出的决定性条件。最重要的一场考试——高考中的好成绩，也只能从这里出现。

儿童天生就懂得自尊自爱，“争强好胜”其实是一种天性。孩子入学后，即使家长不说什么，他们都会产生对分数的追求，对名次的渴望。面对卷子，他们每个人都会尽全力表现出最好的自己，绝没有一个孩子明明会做，却故意做错，故意让自己拿不好的成绩。

家长要建立这样一种信心：不提分数或名次要求，不会影响孩子的学习成绩——孩子从家长的态度中知道，学习不是为了分数，不是为了和别人比，而是为了自己学会。他不对分数斤斤计较，才会最终获得好成绩。

这是个奇怪的定律——想要“100 分”，就别要求孩子考 100 分——听起来像个悖论，但它真正成立。

特别提示

家长引导孩子面对知识本身而不是完美的考试分数，孩子在学习上的潜力才会慢慢喷发出来。几乎没有哪个孩子会愈挫愈勇，他们需要成功体验。成功体验不是偶尔得到的高分，是通过自己的努力，解决问题后的喜悦。

我绝不因为分数的高低兴奋或失望。考得很好，孩子高兴，我也正常表达高兴；考不好，孩子可能会有些沮丧，我就告诉她“没考好，正好可以发现自己哪些地方学得不够好，要是老师出的卷子恰好都是你会的，虽然得了高分但不能发现自己的问题，那不也很遗憾嘛。”这样说能引导她踏实下来，把注意力放到学习上。

“昨天你还有一道题不会做，是 94 分呢，今天就都会了，变成了 100 分！”

我要做的是培养孩子的智慧能量，就是对知识的好奇心、爱钻研的精神，提出问题的能力，寻找答案的兴趣，有效的学习方法，平和的学习心态，持之以恒的毅力等等——这些才能成全孩子的成绩，才是在各种考试中胜出的决定性条件。

考好了不奖励

把奖励当作学习的诱饵提出来，是一种成人要求儿童以成绩回报自己的行贿手段。它让孩子对学习不再有虔诚之心，却把心思用在如何换取奖品，如何讨家长欢心上。这让孩子的心总是悬浮在半空，患得患失，虚荣浮躁，学习上很难有心无旁骛、脚踏实地的状态。

我们一直很注意在各方面鼓励圆圆，但只给她精神鼓励，几乎没动用过物质奖励。在学习上更是执行“不奖励”政策。

我在另一篇文章《只设“记功簿”不设“记过簿”》里讲到，我们给圆圆的奖励就是经常在一个小本子上记下她值得表扬的事情，画朵小红花。即使这样的“画饼充饥”，也没拿它用作学习方面的激励，小本中没有一朵小红花是因为考试成绩好得到的。

采取“考好了不奖励”的政策，当然也有“考坏了不批评”的政策配套。就是说，在我们这里，她考好考坏都是正常的，不会因为她考好了我们就兴高采烈，考不好就生气失望，相关的奖惩当然更没有。

并非我们内心真的不在意她的学习成绩，作为父母，我们也强烈地希望她有好的学习成绩，但这种愿望一直是锁在心里，转化到日常细节的处理和思考上，而不是经常把它表露在言语和表情上。

家长们也许担心不在学习方面提醒或刺激，孩子就会不好好学习，这种担心是多余的。

就当下的社会生活来说，考试的重要性已被渲染到无以复加的地步，孩子周围根本不缺少“分数场”。从一上学开始，孩子就天然地知道好成绩非常重要。家长什么都不用说，孩子也会尽力去拿一个好成绩。纵使家长没有奖励，好成绩本身也会给他带来巨大的快乐，已足以形成激励作用。

家长在成绩上的淡然，恰是对社会、学校过度渲染成绩现象的平衡，把孩子拉回到踏实的学习心态中，防止他在学习中有压力或变得虚浮起来。

在我们的体会中，家长不渲染考试，不强化分数，会让孩子在考试方面心理一直比较坦然，使他的学习注意力不被分散，学习中没有压力，不但不会影响孩子的成绩，从长远的时间里来看更能促进学习进步。

圆圆的学习成绩基本上一直令我们满意，每到学期末我们翻看她的成绩册时，总是感到非常愉快。放假了，我们可能会带她去买一件非常好的衣服，但只是因为这衣服好看，并且此时应该给她买一件了，我们绝不把她的考试成绩和这件衣服联系起来。

考试成绩本身就是奖励，父母合上成绩册时一句淡淡的“很好”和眼中的愉悦，就已经足够激励孩子再接再厉了。

一位妈妈告诉我，她用了很多办法来激励孩子。孩子考好了带他去游乐场，买名牌运动鞋，吃西餐，甚至许诺说要考到某个程度就带他出国旅游。可每种办法只能用一两次，然后就没效了，所以孩子的学习一直没什么起色。

这位母亲似乎用了很多办法，但分析她的方法，其实只有一种，那就是物质刺激，区别只是奖品不同。

人对奖品的热爱程度取决于他在这方面的欠缺和需求程度。从物质贫困年代走来的家长们常有的思路就是物质刺激，这是供应短缺时代遗留的观念。

就现在的孩子们来说，在物质上并没有太大的欠缺，所以物质奖励并不能真正刺激他们的热情。即使能带来一些动力，也是阶段性的，持续不了多长时间，而学习需要的是持之以恒的态度。

物质奖励不能从根本上解决问题，却会产生不少的副作用。

首先，它转移了孩子的学习目的。

一个孩子如果为了一双旱冰鞋而去学习，他在学习上就开始变得功利了。在短时间内可能会取得好成绩，可一旦得到了这双鞋，对学习就会懈怠。庸俗奖励只能带来庸俗动机，它使孩子不能够专注于学习本身，把奖品当作目的，却把学习当作一个手段，真正的目标丢失了。

其次，它败坏了孩子实事求是的学习精神。

学习最需要的是对知识的探究兴趣和踏实的学习态度，这是保持好成绩的根本动力和根本方法。把奖励当作学习的诱饵提出来，是一种成人要求儿童以成绩回报自己的行贿手段。它让孩子对学习不再有虔诚之心，却把心思用在如何换取奖品、如何讨家长欢心上。这让孩子的心总是悬浮在半空，患得患失，虚荣浮躁，学习上很难有心无旁骛、脚踏实地的状态。

第三，它让孩子对学习产生对立情绪。

任何考试都有变数，谁也不能保证在每一次考试中都取得好成绩。如果一个孩子很早就想得到一双旱冰鞋，家长说如果考试能进班内前十名就给他买。结果孩子考了第十二名，家长就说等到下次考试进了前十名再买。家长认为这样可以激励孩子继续努力。孩子由于和家长有言在先，也会答应下次争取进前十名，但他心里会不由自主地对下次考试忧心忡忡。他下次进入了前十名，会有暂时的愉快，但用不了多久，家长一定会在新一轮考试中有新的条件提出来。每一次考试都是个坎，需要他去跨越，一旦做得不理想，他就会有挫败感。不知不觉，他变得反感学习、憎恨考试了。

在孩子的学习上使用激励手段，一定要考虑方式和学习之间的内在关系，不要让这两者形成冲突。同样是买旱冰鞋，如果换个做法，则效果会好得多。

家长如果在孩子考试前就知道他想得到一双旱冰鞋，并且准备给他买的话，最好在考试前什么也不说，也不对孩子提任何名次要求。当孩子拿回第十二名这个成绩时，赞赏地对孩子说：不错，都快进入前十名了。然后转移话题，问他是不是想买旱冰鞋，正好放假有时间去玩了。

这样就把考了第十二名这个“劣势”说成一个优势（“快进前十名了”），后面又紧跟了去买旱冰鞋这件让孩子期待的事——考试成绩和买旱冰鞋这两件事就没有一点冲突，孩子在这两件事间建立了良好的条件反射，想到“学习”时会伴有愉快的情绪体验。

无论家长心里想什么，你给孩子的感觉一定要让他觉得简单愉快。给他旱冰鞋，并不是因为他进入了前十名，只是因为他喜欢轮滑运动；给他一百元，并不是因为他数学得了一百分，只是因为他想去买周杰伦新出的歌曲——不要无故拒绝也不要随意奖励，尤其不要在孩子的正常需求上附加任何和学习有关的条件。

另有一种情况要注意。我见过一位家长，她不用金钱等物质的东西来奖励孩子，她用“时间”来奖励。她 12 岁的儿子喜欢上网，她一心要孩子好好学习。她后来想办法，规定儿子每次考试，只要有一门课 85 分以上，就奖励 2 个小时上网时间。

这个想法从表面上看来有道理，既可以让孩子努力学习，又能满足他的上网要求。她的方法在最初时似乎见到了效果，孩子有几门课考到了 85 分以上，她就如约奖励了孩子“时间”。孩子很高兴。但时间一长，孩子并没有像设想中的那样“85 分以上”越来越多，却是越来越少了，而上网的愿望一直没少。为这事又和她发生着越来越多的冲突。这个奖励方案宣告失败。

分析这这位母亲的奖励方法，其实和前面提到的物质奖励一样，制造的都是对立的购买关系。孩子最缺的是时间，那么就让他用成绩来购买。时间在这里就成了物质的变种。问题是这种购买关系经常因为“学习”这方面的原因不能实现，或实现得不够令人满足，孩子不能获得充分的玩游戏的时间，内心就会对“学习”产生对立情绪。这种对立情绪让他的成绩更不如意，他获得的时间就更少，然后学习就表现得更差——事情进入恶性循环。

这位妈妈问我怎么办，我想想说，一般来说孩子玩游戏也是一种必需，能让他玩就尽量让他玩，不要随便夺走孩子的一种爱好。如果你的孩子真的玩得很无度了，影响了正常学习，你可以让玩游戏和另一个他想得到的东西对立起来，让玩游戏成为他获得那个东西的一项必须完成的“任务”，也许会抵消他对游戏的兴趣。

比如，他现在特别想买一辆 800 元的山地自行车，你就告诉他，每上一次网，他可以赚到 10 元钱，什么时间赚够钱了，就去买车子。

这里要注意的是，你在口气中不要表现出对游戏的厌恶，把这当作孩子正常的爱好来看待。这样他原本一天上一次网，一次上四个小时，在这种政策下他可能变成一天上四次网，每次上一个小时。赚到 800 元需要上机 80 次，这不是一两天就能实现的——就是说在设计上要稍有难度，无论用什么来做“奖品”，不要让他轻易得到——上机 80 次，怎么也得半月二十天的吧。在这个过程中你还不断用山地车刺激他，让他觉得这个过程比较漫长，觉得上网变成了一项任务。

对孩子来说，一旦觉得某件事情是任务，他就会同时有苦役感。这样做下来，到他终于买上山地车时，游戏的兴趣多半已被大大地挫伤。如果过一段时间他对游戏的兴趣又起来了，你可以按这样的思路设计下一个“奖励”。注意在整个过程中不要让孩子察觉你的真实意图。

我想我这个“方法”如果在做之前被孩子听到了，可能会让他觉得是个馊主意。但在他不知情的情况下，他应该是乐意接受这个方法的——没有痛苦地减轻了网瘾，减少了和家长的冲突，他的生命成长中因此减少了一些损害。这对他当下及未来可能都是重要的。这应该是个解决问题的思路，也是防止出现问题的思路。

还要提醒家长们的是，纯粹的口头奖励也不要过分。

儿童只有在对自己的能力不确信的情况下，才需要有外在的赞美和肯定来稳固他的自信。无论在什么事情上，只要孩子已形成较为确定的能力，就不需要经常去夸他，否则他会感到做作和廉价，反而让他对自己产生怀疑。

比如圆圆第一次缝了件布娃娃的衣服，我真诚地表扬她，当她已经缝到第四件时，我就不再需用“你缝得真好”这样的话夸奖她。我说“你的针脚缝得更均匀了，边线缝得比上一件还直”。这样的表扬话她听起来就比较真实，能带来成就感。

表扬的话说得过头了，不如不说。家长对孩子真诚的欣赏有各种表现的渠道，除了直接的夸奖，也可以通过日常生活中点点滴滴的小事表达出来。不打击孩子和不过度表扬孩子，意义其实差不多，都是家长不去扰乱孩子的自我认知。

在发展孩子各种良好品行习惯中，胡乱奖励不会对孩子的飞翔产生助力，却会成为挂在孩子翅膀上的石块。“考好了不奖励”正是为了避免给孩子帮倒忙。

特别提示

采取“考好了不奖励”的政策，当然也有“考坏了不批评”的政策配套。就是说，在我们这里，她考好考坏都是正常的，不会因为她考好了我们就兴高采烈，考不好就生气失望，相关的奖惩当然更没有。

家长在成绩上的淡然，恰是对社会、学校过度渲染成绩现象的平衡，把孩子拉回到踏实的学习心态中，防止他在学习中有压力或变得虚浮起来。

庸俗奖励只能带来庸俗动机，它使孩子不能够专注于学习本身，把奖品当作目的，却把学习当作一个手段，真正的目标丢失了。

对孩子来说，一旦觉得某件事情是任务，他就会同时有苦役感。

儿童只有在对自己的能力不确信的情况下，才需要有外在的赞美和肯定来稳固他的自信。无论在什么事情上，只要孩子已形成较为确定的能力，就不需要经常去夸他，否则他会感到做作和廉价，反而让他对自己产生怀疑。

第五章　做家长应有的智慧

自己不带孩子就是渎职

如果家长能领悟儿童成长中每一天、每一种境遇的重要，知道这些境遇会对孩子产生巨大的影响，那么父母又带孩子又工作的能力和办法自然就有了。

想做一件事总有理由，不想做一件事尽是借口。

圆圆一岁零三个月时，她爸爸在原单位办理了停薪留职，到厦门工作去了。我当时还在原单位上班，一个人带孩子生活，面临着很大的困难。而家里的老人当时又都无法过来帮忙。

圆圆的姥姥在另外一个县城里，距离我们当时居住的内蒙古集宁市得七、八个小时的车程，并且她姥爷当时已生活不能自理，需要人照顾。她奶奶住在更远的一个旗，坐班车得十几个小时，家里也一大摊子活儿，走不开。但她奶奶在圆圆还未出生时就对我们说过，要是上班忙，就把孩子送回老家去，由她来照顾。现在知道圆圆的爸爸要到外地工作，就更急切地要求我把孩子送回去，说她肯定能把孩子照顾好。

我知道婆婆是个又干净又麻利的人，也很慈爱，在饮食起居方面肯定比我会照顾孩子。但我谢绝了，我要自己带孩子。

我们当时已在附近找了一个老太太，白天上班时把孩子送去，中午和晚上下班了接孩子回家，一天接送四趟。先生到厦门后我和老太太商量，又给她加了些钱，中午就不接孩子了。

但我并不因此稍有轻松。自从有了孩子，家务活就仿佛乘以了 3，一下变得多起来。以前她爸爸在家，我俩一人干活一人看孩子，尚且忙得团团转，现在我一个人既要干活又要看护着她，感觉家务活在乘以3的基础上又乘以了2。

圆圆当时刚学会走路，正是最累人的时候，跌跌撞撞地到处走，一会儿都不安分。又对一切充满好奇，什么都想动一动。我的眼睛一刻都不能离开她，在哪里干活时，必须把她带到哪儿。

做饭时，把小尿盆拿进厨房，想办法哄着她让她坐上去不要动；擦地时，要逗她在学步车里多呆一会儿，以便空出两只手来拿拖布；洗衣服时先把她放进洗衣桶里，趁她对那“新环境”还有点新鲜，我赶快把衣服较脏的部分在脸盆里用手先揉搓一下。

但她并不愿受我的摆布，经常是我急着要做饭，她抱住我腿缠磨着要抱抱；我想洗碗，她拒绝了递到她手中的玩具，要我讲故事；我急着赶快吃完饭上班，她却把饭洒了一身，需要重新换衣服……我忙得从早到晚没有休息的时间，真是觉得需要长出三头六臂来才能应付。

我以前一直不太会干家务活。我是家中老小，上面有两个姐姐和两个哥哥，从小被惯得游手好闲；结婚后又遇个勤快先生，家里的活儿差不多都让他干了。这一下子独自一人又忙孩子又忙家务，还要上班，实在是太累了。我的血压降到令大夫觉得不可思议的地步，认为我应该卧床休息了，但我却一样不少地干着。

婆婆不放心，再次捎话来，要我把孩子送回去。在另一个城市的大姐也想帮我带孩子，她儿子当时已上小学，她工作不太忙又做事麻利。我知道她们都很会照顾孩子，但我还是决定自己带，对她们的好意都谢绝了。

我能这样坚持，主要出于两方面考虑。一是孩子的启蒙教育。婆婆没上过学，她这方面肯定不如我。二是考虑孩子的感情。我想对于一个孩子来说，奶奶和大姨再疼她，她也需要天天看到妈妈，在孩子的情感需求上，没有人可以取代妈妈。

我周围不少人都把孩子送给住在外地的老人看，一个月或几个月去看一次孩子。他们都说孩子小不懂事，哭上几天就不想妈了，习惯了就好了。我不认为事情这么简单，这一点从圆圆当时突然看不到爸爸的惶惑上就能感觉到。

她虽然不会说，但从她的一些表现和偶然的一些词语表达，我能感觉出她小小的心一定是因为长时间看不到爸爸而难过。如果她再突然看不到妈妈，而她和奶奶、大姨又不太熟悉，真难以想象那样的话，孩子小小的心会有多么痛苦。同时我也考虑，如果现在狠心把她送给奶奶或大姨，两三年后我把她接回来，她不知又要有多长一段时间的情感失落。

美国儿童心理学家本杰明·斯巴克认为，“儿童出生数月后，开始热爱和信赖经常照看自己的那一两个人，把他们看成是自身安全的可靠保障。即使年仅半岁的婴儿，也会因为照顾自己的父亲或母亲突然离去，而丧失对人对物的兴趣，不开笑脸，不思饮食，精神上受到严重的压抑……儿童长大成人后，毕生处世乐观还是悲观，待人热情还是冷漠，为人多信还是多疑，这在很大程度上取决于他们出生后头两年中主要负责照看他们的人的态度。”①

即使这些顾虑都不存在，单为了亲眼见证孩子一天天的成长，我也要自己带孩子。这个问题上我几乎没犹豫过。

她爸爸到南方一年后，我也从单位办了留职停薪，开始了一起走南闯北的日子。我们好几年稳定不下来，工作一直很忙很累；但我们始终把圆圆带在身边，没让她离开一天。

并非整个过程让我们觉得多么不容易，多么苦多么累；恰恰相反，“艰苦”的时间很短，很快过去。孩子实际上是越来越好带。在父母的亲自养育下，圆圆的智力和情感两方面都发育得很健康，她身上没有任何让我们头痛的、难以解决的毛病。包括饮食起居等方方面面，我们都一直感觉既简单又顺手。

这方面的轻松，孩子越大越显现出来。我们甚至发自内心地有一种遗憾——孩子怎么长得那么快，还没玩够，就突然间长大了。

周围的一些人看见我们似乎从来不为孩子操心，孩子却成绩好，又懂事，觉得我们做家长很轻松，就羡慕我们命好。

这时我总是不由自主地想到一些家长，当孩子小时候，他们对孩子何等怠慢。有的人“一心扑在工作上”；有的人忙着喝酒应酬；有的人整天沉醉在麻将桌上。我甚至见过一位母亲，她仅仅是出于对婆婆给妯娌看孩子的嫉妒，就硬要把自己已经三岁的孩子也送给住在另一个县城的婆婆。这样的父母，孩子小时候，他们不关注他的情感需求和教育需求，到孩子大了，有了这样那样的问题，才对自己的孩子抱怨连连，感叹自己命苦，感叹做家长不容易。

---

① （美）本杰明·斯巴克，《新育儿百科全书》，翟宏彪等译，中国建设出版社，1989 年第 1 版，37 页。

家长在孩子婴幼儿时期多付出一些辛苦，往往有四两拨千金的功效。这个“付出”是天下最划算的“投资”。如果把这件事做反了，在孩子小时候不注意，不把教育孩子当回事，到孩子长大了，不知会有多少麻烦。有谁能把一张乱涂乱画的纸擦干净呢？

2007年从《北京青年报》上看到一件事。一个叫陈宇的上海男孩子，从大学退学，离家出走，五年杳无音讯。父母多次外出寻找未果，至今仍不知其所在。陈宇父母都是高级知识分子，陈宇1987年出生后，父母都忙于干事业，把他放到外地的姑姑家，直到五岁才接到身边。可以想象，孩子在很小的时候离开父母就已经是非正常操作。当他的真正抚养人变成姑姑时，却又在五岁这个已形成较稳定感情的年龄，使他和姑姑分开，把他又投入一个新的陌生环境。

父母只是按自己的需要调遣孩子，他们可曾考虑到这不是一株植物或一个小动物，而是个具有丰富思想感情的人；他们哪里能想到孩子在这个过程中，会落下怎样的心理创伤。

从报道的字里行间看出，父母在后来和陈宇的相处中，缺少亲情交流，缺少沟通上的和谐，孩子和父母间有严重隔阂——很多由他人长期抚养的孩子，在回到父母身边后，都会表现出和父母相处的不和谐。从陈宇决绝地离开家庭，宁可让自己变成“孤儿”，可以推测他多年来内心的痛苦。他父母现在都退休了，才意识到他们可能永远失去了儿子。这是多么令人痛心的事啊。

多年来，“陈宇式”的抚养方式并未引起广泛的质疑。把孩子委托给一个可靠的人，自己专心投入工作，这种“生”与“养”的分离不但没有受到批评，反而成为一些人，特别是工作上取得成就的人得到赞美的事迹与证明。

近年来，随着“70后”、“80后”为人父母时代的到来，以及城市化进程中大批农村务工人员进入城市，生而不养更成为一种主流现象。

每当成人利益与儿童利益发生冲突时，成人总是选择的主动者，是强势一方；孩子总是选择的被动方，是弱势方，所以做出牺牲和让步的总是孩子。

把养育孩子的责任推出去，这种教养方式对儿童的损害不会立即呈现，但孩子不会白白做出牺牲和让步，任何不良的成长过程都会在他的生命中留下痕迹，成为日后影响他生命质量的一个病灶，同时也给整个家庭带来好多麻烦。

农村“留守儿童”问题开始受到人们的关注，因为最早一批留守儿童已经长大，他们身上普遍存在的一些问题已显露出来，而城市“寄养儿童”问题却并未引起人们的关注。

城市“寄养儿童”不一定都是送到外地，大多数是和父母一起生活；只是他们的真正看护人是爷爷奶奶或保姆。从空间意义上说他们和父母在一起，天天能见到或一周见一次。实质上，由于父母对他们不用心，他们有着和农村留守儿童相同的成长境遇。这种情况更应引起关注。

三年前我接触到这样一个例子，一个10岁的小女孩，性情很古怪，学习成绩不佳。一方面表现出对父母很依恋，非常在意父母对她的态度；另一方面又天天和父母吵架，冲突不断，从不肯听父母一句话。她的父母都非常能干，都是单位里的重要负责人，家里经济条件非常好，从孩子一出生就专门请个保姆来家里照顾孩子。母亲在生完她三个月后就上班，把带孩子的事完全交给了保姆。

从表面看孩子一直和父母生活在一起，但由于父母工作忙，每天早出晚归，且经常出差，孩子从早到晚全是和保姆在一起，连晚上也是和保姆一起睡觉，孩子住在自己家，却如同一个“寄养儿童”一样缺少和父母相处的机会。这种情况下，孩子对保姆产生了依赖，保姆也很疼爱小女孩，俩人感情很好。每次保姆回老家探亲，孩子都不想让走，比妈妈出差还难过。

但小孩4岁时，家长和保姆在报酬问题上发生了冲突，就坚决地把保姆辞退了，另找了一个保姆。孩子和新保姆处不来，整天闹，父母就再换保姆，还是处不来，只好再换。

在数次更换保姆间，孩子也长了几岁，她不再闹了，但不论什么保姆进门，都拒绝和保姆说话。这样，孩子实际上就是每天孤零零一个人在家。父母还是忙于工作，很少有时间和孩子交流。偶尔在一起，就是问一下孩子的考试成绩或带她到外面吃一顿饭。直到学校老师通知家长，孩子旷课到外面见网友，女孩父母才着急了。

母亲带孩子来找我，但她的言谈间没有一点自我反思的意思，只是认为孩子自己有问题，指望我给孩子做做“思想工作”，所以对于我提出的孩子的现状和父母教养态度有关的观点，她表现出很不愿意接受。

当我提醒她不该把孩子完全交给保姆，而又无视孩子和第一个保姆间早已形成的依恋关系时，她有些不高兴，说好多人家的孩子都是保姆帮着带，谁家不换保姆呢，人家的孩子也没出现问题。当我提出她每天应该有足够的时间陪孩子说话、玩耍和阅读的要求时，她有些生气了，说我工作那么忙，哪有时间陪她，并说我小时候父母也不管我，这不也成长得很好吗。而当我最后给出建议说，如果你的工作使你比一般人忙得多，实在没时间关照孩子，那么想办法换个岗位吧，你以前对孩子太冷落，现在必须要用很多时间和精力来弥补和修复，孩子已经10岁了，我担心再往后推几年可能就真的再没有改善的机会了。

“换岗位”这句话让这位母亲彻底生气了，她当时就表现出明显的情绪，并且以后再不理我了。

我最近听说这个女孩被父母送到一个“行走学校”里。该“学校”主要工作就是对学生进行“军事化训练”，即每天要走很长的路，练习站军姿、紧急集合等，有谁不听话就挨打。“学校”收费很高，但招的学生还很多。许多孩子都像这个女孩一样，父母很忙，家庭经济条件很好，孩子很不成器，就被送到这里改造。我还听说该“学校”校长就有个不成器的孩子，他就是从训练他的儿子开始做这个“行走学校”的。他儿子没训练好，还那样，倒是成全当爹的做了“校长”，且没少赚到钱。

我忍不住心中叹息，花钱买“教育”是件多么容易的事啊，只是不知道他们最后买到的是什么！

现代家庭教育中一个很大的问题是，父母可以为孩子付出生命，却不肯为孩子付出时间和心思。

那些把干事业和养育孩子对立起来的人，那些根本就不在乎和孩子相处时间及相处质量的人，那些不去细腻体悟孩子感受的人，不是他们不爱孩子，而是骨子里不认为和孩子相处是件重要的事。在他们那里，孩子不过是一件宝物或一个小动物，可以暂时寄存于一个值得信赖的人那里，然后可以随时完好无损地取回来。他们没有看到婴幼儿是有思想有感情的活生生的人，喜怒哀乐、成长中的每一种境遇，都会在孩子那里留下深刻的痕迹——小狗被寄养到别人家，它都会因为看护人突然变化而显示出不适应，孩子则更不是一只完全不会思想的瓷瓶。

一个小小的孩子喊你爸爸妈妈，那不是轻飘飘答应一句的事，那需要你在时间、精力和心思上付出很多。既然决定要孩子，就要对孩子负责、用心，把和孩子相处当作一件非常重要的工作来认真对待。

不要把孩子轻易送回老家，让老人或亲戚帮着带。要尽量想办法把孩子留在自己身边，最好能天天见到孩子。有实际困难，应该由家长去克服，不要让孩子来扛。

即使你和孩子生活在一起，也要注意，不要心里只装着工作和社交，仅仅拿出所剩无几的精力和时间的边角料来分配给孩子。不要对孩子的需求漫不经心，要认真对待和孩子相处这回事，不要让你的孩子置身于精致的房间，却成为精神上的“留守儿童”。

如果出于客观原因，必须要和孩子经常分离，也一定要想办法尽量减轻和降低孩子在感情上的失落，比如提前让孩子和爷爷奶奶或其他临时抚养人建立感情，分别的日子里经常给孩子打电话，多和孩子沟通，定期去看孩子，让孩子感受到父母时刻在关心着他，尽量减少孩子的失落感。

上帝造人，让人天然地爱自己的孩子，就是为了使父母能够用心地养育自己的孩子。“工作忙”等任何原因，都不应该成为你对孩子不用心的理由。

我们努力工作原本是为了创造更美好的未来，最后却在“祖国的未来”——儿童的教育上出了麻烦，于家于国，这样干“事业”的意义又是什么？

家长这个角色何等重要，说小了关系到一个孩子的命运，说大了关系到全民族的未来，所以必须要虔诚地去做，不可以怠慢，否则就是犯了渎职罪。

如果家长能领悟儿童成长中每一天、每一种境遇的重要，知道这些境遇会对孩子产生巨大的影响，那么父母又带孩子又工作的能力和办法自然就有了。

想做一件事总有理由，不想做一件事尽是借口。

当代著名女作家池莉说，“我发现从古至今，孩子都是一样的，家长却发生了巨大的改变。现在太多的父母只愿在孩子身上花钱，不愿意花时间、精力和心思。实质上是家长变得糊涂了，自私了，盲目了，愚蠢了，懒惰了。”[①] 她的话说得比较尖锐，也一针见血。

不能只批评父母们，我也想对老一辈人——孩子的爷爷奶奶或姥爷姥姥们说，也许您有丰富的带孩子经验，也许您刚刚退休，身体还非常好，也许您的儿女们现在非常需要您的帮助，但无论如何，您都没必要在照看孙辈这件事上

① 池莉，《来吧孩子》，作家出版社，2008年6月第1版，55页。

“包打天下”。

您不能让您的儿女觉得家里多个孩子只是多了个“小宠物”，却不经历屎一把尿一把精心细致带孩子的过程；不能让他们当了父母，还在心理上吸吮奶嘴，而不考虑自己对这个小小的人除了有提供经济保障的责任，还有提供感情与教育的责任。所以您不妨在这件事上少做一些，把更多的事情推给儿女自己去做，让他们在学习做父母的过程中，自己也进一步成熟起来。这对他们两代人都是件非常重要，非常有意义的事。

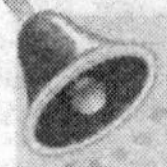

特别提示

现代家庭教育中一个很大的问题是，父母可以为孩子付出生命，却不肯为孩子付出时间和心思。

不要把孩子轻易送回老家，让老人或亲戚帮着带。要尽量想办法把孩子留在自己身边，最好能天天见到孩子。有实际困难，应该由家长去克服，不要让孩子来扛。

即使你和孩子生活在一起，也要注意，不要心里只装着工作和社交，仅仅拿出所剩无几的精力和时间的边角料来分配给孩子。不要对孩子的需求漫不经心，要认真对待和孩子相处这回事，不要让你的孩子置身于精致的房间，却成为精神上的“留守儿童”。

如果出于客观原因，必须要和孩子经常分离，也一定要想办法尽量减轻和降低孩子在感情上的失落，比如提前让孩子和爷爷奶奶或其他临时抚养人建立感情，分别的日子里经常给孩子打电话，多和孩子沟通，定期去看孩子，让孩子感受到父母时刻在关心着他，尽量减少孩子的失落感。

把养育孩子的责任推出去，这种教养方式对儿童的损害不会立即呈现，但孩子不会白白做出牺牲和让步，任何不良的成长过程都会在他的生命中留下痕迹，成为日后影响他生命质量的一个病灶，同时也给整个家庭带来好多麻烦。

幸福的家就是五星级宾馆

我们创造了一个孩子，不仅有责任让他长大，而且有责任让他幸福。

我们在烟台定居后，回内蒙老家要在北京换车，一般赶不上当天的车，需要在北京住一晚。第一次走这条线回家时，圆圆 5 岁，是春节前。

我和先生拉着圆圆的小手，拉着两只大包，在拥挤中走出北京火车站。春运高峰，真正人多如蚁。出了站，好不容易找到一小块空地，把包放地上，商量一下该住到哪里。广场上有很多小旅馆的人在招揽生意，我们不敢找那些人，怕上当受骗，也怕跑得太远，想就近找个便宜又干净的旅馆，第二天上车也方便。

向四周望去，高楼森森，看得我们满眼迷惘。圆圆迫不及待地问："爸爸，我们要住哪里啊？"

火车上我们已谈论过住哪里的问题。住又干净又容易找到的高档酒店太贵，不舍得花那个钱；住便宜的，又怕不干净；性价比合适的，这几天估计都爆满，近处可能也不容易找到。最后我们感叹说，要是有钱就不用这样为难了，直接找个五星级酒店住下就行了。圆圆虽然不会参与谈话，但她能感觉出我们的为难。她 3 岁时有过一次住小旅馆的经历，不知为什么就感觉到不舒服，连那里的床单都不肯碰一下，得我们抱着她睡着了，才能把她放到床上。所以她此时的问话其实也充满了忧虑，小小的心也在着急。

她爸爸重新弯腰提起箱子，指着前面一幢高层豪华酒店，用夸张的口气说："走，咱们住五星级酒店去！"圆圆惊喜，真的？看她认真了，我们笑了，赶快告诉她爸爸在开玩笑，我们还是就近找个便宜些的旅馆，凑合一晚上就行了。圆圆有些沮丧。

拉着箱子和她的小手，一边走一边注意哪里有合适的旅馆。路过刚才先生指的那家高档酒店时，看到门童穿戴整齐，彬彬有礼地给客人开车门，送客人进入酒店大堂，举手投足一副绅士样。圆圆眼睛里流露出羡慕的神情。我心里暗笑这个小家伙，就画个饼给她充饥，对她说：等你长大了赚好多钱，就住五星级宾馆好不好。这令圆圆很神往，兴奋地计划说：我长大了要赚好多好多钱，天天住五星级宾馆！我和她爸爸都笑了，说："好，有钱了就天天住五星级宾馆！"

圆圆忽然想起什么，问我们："五星级宾馆里是什么样子的，有什么啊？"

我说："有很干净的床，床单被单枕套都很干净，床睡上去很舒服。"

这让圆圆有点意外，"这不和咱们家的一样吗，咱们家的床就又干净又舒服。"显然这个回答没满足她。

我想想说："还有很干净的卫生间，洗脸盆和浴盆都可以放心地用，不需要像小旅馆那样不敢用它的脸盆。"

我的补充还是出乎圆圆的意料，但让她有些释然了。"咱们家的卫生间就干净，就可以放心地用……还有什么呀？"

我又想想说："有二十四小时热水，什么时间想洗澡都行。"

圆圆立即又对比说："咱们家也能想洗澡就洗澡，每天都有热水！"

我笑了，是啊，怎么五星级宾馆里有的，咱们家都有呢！让我再想想。这时她爸爸接话说："五星级宾馆的房间里还有冰箱，里面放着啤酒和饮料，想喝就喝。"

圆圆一听，更惊讶了，"那也和咱们家一样呀，咱们家也有冰箱，里面也有啤酒和饮料，想喝就喝。咱们家冰箱里还有好多好吃的呢……还有什么呀？"

我们再想想，也想不出什么新的东西了，就说五星级宾馆里有的差不多家里都有，也就这些了。圆圆这下完全释然了，她由衷地感叹一句"原来咱们家和五星级宾馆一样！"

我和她爸爸都笑起来。我说，"真是的，以前怎么没注意呢，原来咱们家和五星级宾馆一样。"

圆圆由于这意外发现而兴奋，一脸欢喜，再也没有刚才的忧虑和羡慕的神情。她想进一步证实一下，就问爸爸："爸爸，你说咱们家是不是和五星级宾馆一样?”

爸爸这时也一脸恍然大悟，“嗯，是一样。原来咱们一直住在五星级宾馆里，我以前还不知道呢，幸亏让你给发现了!”

圆圆被冻得红红的小脸蛋满是灿烂，她开心极了。这时我们走到一个门脸看起来还行的旅馆前，准备进去看看。圆圆这时看起来已很坦然了。自己天天住五星级宾馆，今天偶尔住一次小旅馆也没什么大不了的。我用刚才的话逗她说：“你以后赚好多好多的钱，就可以天天住真正的五星级宾馆了，就不用来这种地方了。”

圆圆说：“我不住五星级宾馆，就天天住在家里。”我问为什么，她说：“咱们家就是五星级宾馆，家里还有爸爸妈妈呢。”

儿童简直就是天使，她的话是上帝教的。是啊，有什么样的豪华能比得上全家人快快乐乐在一起呢。房子有了爱才是家，一家人幸福地生活在一起，那就是置身人间天堂!

台湾著名学者傅佩荣说：人若没有一个好的家庭环境，就很难展开一个正常的生命。①

所有的父母都在努力为孩子创造美好的生活，都想把家打造成孩子的幸福天堂。但多少人却把方法用错了，他们在使劲往家里搬东西的同时，不经意间把家的气氛搞坏了，让家动不动就变成了一个夫妻利益角斗场，一座冷冰冰的没有生气的宫殿。孩子本该拥有的幸福，在这样的家庭中不知流失了多少。

我认识一家人，夫妻俩都是很不错的人，丈夫事业有成，妻子漂亮能干，有一个可爱伶俐的女儿。他们的生活本该有“五星级”的舒适，但他们却把好日子过成了“小旅馆”的档次。

他们两口子之间并没有大的矛盾，彼此间也很在意对方，但就是在一些鸡毛蒜皮的小事上互相不对付，常发生争执，谁也不服输，总认为对方应该让步。在家庭经济还不太宽裕的年代，他们常常因为经济问题争吵；到家里买了轿车和两套房，物质条件已非常优越后，又因为教育孩子的观点不一样等事由争吵。总之，生活中有什么矛盾需要解决，什么就是他们争吵的原因。吵闹过后往往是冷

① 傅佩荣，《用什么灌溉心灵》，国际文化出版社，2006 年 9 月第 1 版，3 页。

战，一两个月不说话。产生过离婚的念头，但又没什么本质矛盾，彼此并不想真正离开，日子就一直在别别扭扭中过了下来。现在，他们人到中年，终于明白原来的争斗毫无意义，彼此关系大为改善，开始了新的生活，可孩子成长中坏的影响却已无法挽回。

小女孩在这样的家庭气氛中一直生活得胆战心惊，她不知父母什么时候会吵架，变得神经质、敏感，不论在什么场合下，有谁说话声音稍高些，她就表现出惊恐。她从小就特别希望爸爸或妈妈有一方出差，因为那样家里就有几天平安了。在父母不断争吵和冷战中，现在这个女孩已上中学，她性情忧郁，脾气暴躁，成绩不佳，不自信，让父母头痛得要命。他们现在最担心的就是孩子将来考不上大学，不能自立怎么办。他们现在更发奋地赚钱，仿佛想给孩子挣够一辈子用不完的资产。但无论赚多少钱，他们考虑到孩子的问题时都没有安全感，没有满足感。

家庭生活中当然不可能没有冲突，俗话说天下没有不吵架的夫妻，好的家庭关系并不意味着只是一团和气。

我和先生也经常会有冲突，但我们一般情况下会避开圆圆，在两人之间尽快把问题解决了。实在避不开，也要尽量克制自己，至少不让争吵吓着孩子。有时也会请圆圆出来主持公道，我们相信孩子的看法往往比较客观。我们很真诚地倾听她的看法，从孩子的视角来发现自己的问题。虽然她小时候常常“断案不公”，不自觉地偏向我，但这至少能让她爸爸意识到孩子的愿望，出于对她愿望的成全，他也会主动认错。而我对她爸爸也会经常让步，如果发现他气愤得厉害，或是为了尽快结束争吵，我就会把自己的“原则”和“理由”都抛一边，主动认错，向他和解。我们的争吵从来都是速战速决，绝不拖到第二天，不让压抑的气氛长时间地笼罩在我们的家庭里。父母的行为让孩子看到，人与人之间有些矛盾是正常的，重要的是以何种态度解决。

婚姻是最深刻的一种人际关系，人性的真实、文化素养、价值观、爱的能力等等，都在这样一种关系中表现得淋漓尽致。它是两个成年人合写的生命自传，是让他们最亲爱的孩子感受生活的幸福，体会生命的美丽，认识人与人之间关系的启蒙教材。

哪怕是离婚，只要理性和体面，也好过没完没了让孩子备受折磨的争吵。哲学家弗洛姆说：“当一个不幸的婚姻面临解体时，父母之间陈腐的论据是，他们不能分离，以免剥夺一个完整的家庭给孩子所带来的幸福。然而，任何深入的研究都表明，对孩子来说，家庭中紧张和不愉快的气氛，比公开的决裂更有害，因为后者至少教育孩子，人能够靠勇敢的决断，结束一种不可容忍的生活状况。”①

父母们常常想给孩子攒更多的钱，实际上多少钱都买不来孩子的快乐。财产今天损失了，明天可以挣回来，但孩子的成长中的幸福感、教育机会一旦损失了，就永远找不回来了。给孩子一个幸福的家，让孩子在生理和心理两方面都健康地成长，成为一个身心和谐发育的人，这才是父母所能给孩子最丰厚的、一生享用不完的财富。

如果说家庭状态也可以像酒店那样标注级别，没有比和谐幸福的家庭气氛级别更高的了。房子可以小一些，家具可以旧一些，电器可以少一些，但爱和亲密一定要多——幸福的家就是五星级宾馆。

我愿意把哲学家弗洛姆的另一段话引用在这里，和父母们分享：

上帝答应给亚伯拉罕及其后裔的土地（土地常常是母爱的一种象征）被描写为“到处都流动着奶和蜜”。奶是爱的第一方面的象征，是关心和肯定的象征。蜜则象征着生命的甜蜜、生活的幸福和对生命的热爱。大多数母亲都能够给予“奶”，但只有少数母亲能够给予“蜜”。为了能给孩子以蜜，一个母亲不仅必须是一个“好妈妈”，而且必须是一个幸福的母亲——母亲对孩子的这种影响怎么说都不夸张。母亲对生命的热爱会像她的焦虑一样感染孩子。这两种态度都对孩子的整个人格有很深的影响。的确，人们可以在孩子们——以及成年人中间区别出哪些人只得到了“奶”，而哪些人则同时得到了“奶”和“蜜”。②

我们创造了一个孩子，不仅有责任让他长大，而且有责任让他幸福。

① （美）弗洛姆，《为自己的人》，孙依依译，三联书店，1988 年 11 月第 1 版，310 页。
② （美）弗洛姆，《为自己的人》，孙依依译，三联书店，1988 年 11 月第 1 版，270 页。

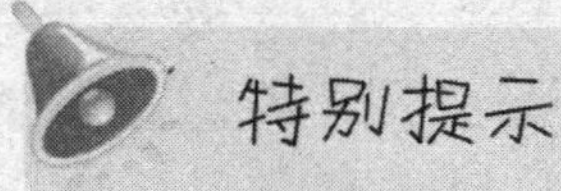

特别提示

房子有了爱才是家。

人若没有一个好的家庭环境，就很难展开一个正常的生命。

婚姻是最深刻的一种人际关系，人性的真实、文化素养、价值观、爱的能力等等，都在这样一种关系中表现得淋漓尽致。它是两个成年人合写的生命自传，是让他们最亲爱的孩子感受生活的幸福，体会生命的美丽，认识人与人之间关系的启蒙教材。

哪怕是离婚，只要理性和体面，也好过没完没了让孩子备受折磨的争吵。

对孩子来说，家庭中紧张和不愉快的气氛，比公开的决裂更有害。因为后者至少教育孩子，人能够靠勇敢的决断结束一种不可容忍的生活状况。

只设“记功簿” 不设“记过簿”

设立“记功簿”是个较好的办法，我们从没用钱奖励过孩子，来自父母的奖励就是这个小本中的一朵朵小红花，它无法用金钱计算价值，却无比珍贵，协助我们培养了孩子许多好品德。

从圆圆4岁起，我给她弄了一个小本，专门记她做的好事。小本不大，每页只记一件事，所记事情都很简单，基本只有几个字，例如“收好玩具”，“扔垃圾”，“自己编故事”，“晚上独自去厨房开灯拿牙签”，“学会认钟表”等等，每页都用红笔画一朵小红花——这就是给她的奖励。我们把小本叫做“记功簿”。我发现每次给圆圆“记功”时，她都非常高兴。隔一段时间就会去数数自己得了多少朵小红花。

这个方法对孩子的成长很有好处。一是孩子受到表扬，很有荣耀感；二是小本中记的事对她有提醒作用，让她以后不要忘了再做这些好事；三是凡写在这个小本上的字，圆圆都能记住，她经常在数小红花时顺便读一下自己的先进事迹，也认了不少字。

到她上小学后，学校老师经常奖小红花，就是在一个小纸片上盖一个小红花印章，攒够十个小红花就可以换一个“大笑脸”。教室后面有个“光荣栏”，谁的名字下贴的“大笑脸”多，就说明谁做得好。圆圆在整个小学期间，一直榜上有名，且“大笑脸”数总是位居前一两名。我们心里肯定高兴，但从不去渲染这件事，就感觉这是常态，没什么值得提说。这样做，是担心她在和同学们的比较中会有优越感，怕她学会刻意去追求“大笑脸”，从而失去行为的自然与和谐。

与此同时，家里的“记功簿”还一直在增加内容，但没有一次是记录她考试成绩好。我们一直认为小学期间最重要的是保护孩子对学习的兴趣。对考试分数的过分关注，对排名斤斤计较，其实都是对学习兴趣的消解。当孩子被大人引导着去关心分数、关心排名时，他就不会对学习本身有兴趣了。学校方面对成绩已有足够的渲染，如果家长再推波助澜，非但对孩子将来的学习没有促进，反而起了反作用。

所以上小学期间记录的内容无非还是些鸡毛蒜皮的小事，比如“帮妈妈洗碗，洗得干净”，“二胡拉得好”，“学会了切土豆”等。到学期末，也记一下她总共在本学期得了些什么奖，这主要是作为备忘。此外还记一些她写的“诗”，很幼稚但有童心在里面。

她10岁上初一，住校，一周回一次家，开始不习惯，想家想得哭。她第二周回来说这周没哭，我就赶快给她记下“住校第二周就不哭了”。这一时期的“功绩”基本上都和她住校生活有关：“被子叠得整齐，受到老师表扬”，“自己洗衣服，洗得干净”等。这些是她成长中外在的一些进步，同时也记下了她内在的进步和成长。有一次她和我发生争执，辩论中我们情绪都有些不快。但她不是偏激地维护自己的观点，而是能一边辩论一边思考，一旦认识到妈妈说得有道理，就中止辩驳，然后和妈妈一起理清思维。这是她的成熟，也是一种美德。所以我也把这件事记到小本上，并奖一朵小红花。这让圆圆进一步明确，辩论是为了明辨是非，而不是为了驳倒对方。

随着青春期的到来，孩子已越来越有主见有个性了，她很快成熟起来，画小红花的奖励显得有些小儿科了。最主要的是圆圆个性、思想、学习等方面表现出稳定的良好状态，我们更注重的是和她的交流沟通。所以她上初中二年级以后，小本基本上就再没记什么，很自然地停下来了。

现在圆圆上大学了，“记功簿”已成为我家的一件“文物”，成为她幸福成长的见证。我们感觉，设立“记功簿”是个较好的办法，我们从没用钱奖励过圆圆，来自父母的奖励就是这个小本中的一朵朵小红花，它无法用金钱计算价值，却无比珍贵，协助我们培养了孩子许多好品质。

儿童和成人一样，都喜欢受到肯定，受到激励。在肯定和激励的环境中，他们才更容易自信，更容易进步。许多家长的错误就在于总喜欢用物质的东西奖励孩子，这说明他们并不了解孩子——对于今天并没有物质短缺体验的孩子，物质奖励作用不大，可能带来一时的满足，但不会持久；只有精神上的愉悦和成就感，才可以带来真正的幸福感和动力。

我把这个方法对一些家长讲了，有的人甚至说：这是因为你的孩子从小表现得好。我的孩子每天让我头痛死了，哪里有什么值得记录的好事。

这种想法真是错误。

其实每个儿童的优点都一样多，他们的特点往往就是他们的优点。这些优点是贮藏在儿童心中的种子，需要合适的时候给予适当的栽培、适当的滋润，才能萌发、生根、开花、结果。可惜的是不少家长太擅长发现孩子的缺点，对孩子的优点却感觉迟钝，整天对孩子充满了批评和指令。孩子心中原本可以成长起来的优点的种子，总是受到冰雹和风霜的打击，不能很好地成长，直至枯萎或死亡——这就是为什么许多孩子到最后真的满身缺点，很难找到优点了。

有句名言说，世界上不缺少美，缺少的是发现美的眼睛。家长们哪怕没有时间在实物上设一个记录本，至少要在心里设一个这样的“记功簿”。心里有没有这样一个本子，你的目光和言语会流露出来，孩子完全能感受到。你给他记录的“功绩”越多，你就给了他越多的快乐与自信，这会让他变得越来越好。

有的家长在孩子的优缺点问题上，好的方面会表扬，坏的方面也会及时指出。这从道理上讲是没错的，但如果操作方式不当，也可能会出现一些问题。

下面是我遇到的一个例子，比较典型。

这件事还得从圆圆说起。圆圆初中时，我有一次给她讲我们小时候的事，提到在我的老家，人们挖苦那些自以为做出成就的人时，就会说“给你到尿盆儿底上记一功”。圆圆觉得这句话很好玩，想象那情景非常有趣，我们就商量说“记功簿”已基本上停了，以后把功劳就记尿盆底上吧。我找张纸，圆圆在上面大大地画个尿盆图案，又写上“记功簿”三个字；我在上面写了她最近做的几件“好事”。这件事与其说是为了激励，不如说是我们的一场娱乐。因为圆圆一直不缺少鼓励，她也比较成熟了。所以在这“尿盆”上并没好好给她“记功”，后来又记了两条，总共也就五、六条，以后就懒得再记了。

这张纸在墙上贴了好长时间，被我的一位好友看到了，她当时正为自己女儿的管理问题烦恼着。我顺势给她讲了设记功簿的好处。她觉得这方法很新鲜，很好，说也要回家弄张纸贴墙上，激励她十岁的女儿。后来有一天我到她家，看到她果然做了，但在操作上却有一些问题。

这张纸被分成左右两栏，一边写优点，一边写缺点。家长是用心良苦的，既要让孩子知道自己的优点，又要让孩子记住自己的缺点。但这样做显然不合适。

因为设立“记功簿”是为了达到催化作用，使孩子从偶尔的良好表现中获得自信和快乐，使这偶然行为最后成为孩子的一种稳定行为。同理，把孩子缺点也白纸黑字地写出来贴到墙上，不断地提示，也可以使这些行为稳定下来——本来想抛弃的坏东西，在这种刺激下很容易让孩子给自己定性，以为那些坏习惯是自己必然的行为。最后结果是，优点会巩固成为真正的优点；缺点也会巩固下来，成为总也改不掉的缺点。

教育全在细节中，真是失之毫厘，谬之千里啊。

儿童的反思意识和控制能力都还没有形成，他们更容易受到暗示和兴趣的支配。成人以为把孩子的缺点写出来，张贴在眼前，孩子就会经常自我提醒，理性地纠正自己的错误。这种想法是太不了解儿童的特点了。而且，凡是来她家的人都会看到这张纸，这么多缺点挂在墙上，也会损害孩子的自尊心。

所以我提醒这位朋友，何必把孩子不想示人的一面钉到墙上。纸上只写优点不写缺点，只记“功”不记“过”，效果会更好。

她担心地问我，孩子有很多坏毛病想让她改，那怎么办，难道这样写下来给她提个醒不好吗？我说，当然可以提醒，但要换种说法，要把孩子所有的“过”变成“功”来说，即首先从家长的意识中就要“只设记功簿，不设记过簿”。

比如孩子不好好练琴，总要家长提醒才去练，你不可以记下“练琴不自觉”，而要看到孩子至少天天去练了，就记下“能坚持每天练琴”；接下来她还是偷懒，不想练够一个小时，你不可以记下“没弹够一小时”，而要记下“虽然只练了四十分钟，但弹得很有进步”；她发现弹四十分钟你也接受了，接下来一段时间就每天只弹四十分钟。你于是先回避时间问题，记下“练琴很认真，水平在慢慢提高”——就是说，从孩子的不是中，总能找到值得表扬的地方，总给孩子良性暗示和正面刺激。这样下来，孩子慢慢地就会获得成就感，把为时间而练琴，改成为技能而练。当她不再和家长对抗，心里真正想要练好一首曲子时，她是不在乎多弹一会儿少弹一会儿的；而且认真练半个小时的成绩会好于磨洋工一个小时。

我的好友还是有些担心，问我，孩子的缺点就不要指出来吗？不指出来，她的缺点总也改不了，可能会越来越严重，那怎么办呢？

我说，一些家长之所以经常批评教育孩子，就是因为有一个根深蒂固的错误假设，即如果自己不说，不经常提醒，孩子就不会改正缺点，就会越来越堕落。事实是，每个孩子都是有自尊心的，上进是他的天性，只要不被扭曲，就一定会正常生长。对于孩子身上的某个缺点，可以适当提醒，一旦发现这个缺点反复出现时，就应该考虑用正面鼓励的方式，不动声色地去帮助孩子克服，而不要反复地直接地批评，不要说“我都给你说过多少遍了，你就是不改”之类的话。反复的批评就如同贴到墙上的“记过簿”，会把孩子的缺点固化下来，使孩子难以和那个缺点剥离开来。

为了让我的这位好友更明白，我又给了她一些建议。

假如你的孩子每天早晨上学时磨磨蹭蹭的，总得你催促着穿衣吃饭拿书包，得你拖着往外跑才能不迟到。那么你纵使每天把“快点，不要磨蹭”这句话说一万遍，就这个缺点批评孩子一万遍，也解决不了问题；你不断的重复只是让孩子稳定地形成这样一个坏毛病。如果你换个方法，则问题可得到根本的改善。你可以郑重友好地跟孩子谈一次话，告诉她从明天开始，早晨自己掌握上学时间。然后从第二天开始，你真的能做到不催促。你只是完成你自己该做的事，如准备好早饭，或把自己收拾停当，准备去送孩子。至于孩子，她的时间自己安排，你心平气和地等她磨蹭。

孩子第一天不适应，可能磨蹭得迟到一小时，路上急得都哭了，和你发脾气，怪你不提醒她。这时，你就表扬孩子说：“妈妈发现你真是个好孩子，有上进心，不愿意迟到。今天是第一天自己安排时间，还不习惯；以后肯定会安排得越来越好。”注意，你说这话时，要拿出诚意，不要口是心非。只要家长能真心诚意地坚持下去，在这个过程中不发火，不指责，不包办，坚持让孩子自己管理自己，经常给孩子“记功”；在孩子出现反复时，仍然能从她的消极表现中找出积极的地方，给予真诚的表扬。那么，孩子的自觉管理意识一定能形成，磨蹭的毛病一定能改掉。

无论是以实物形式还是在自己的内心，父母都要为孩子设立一个小本子。只设“记功薄”，不设“记过薄”。珍惜孩子的荣誉感，避免惩罚性记录。儿童没有过错，只有不成熟；而不成熟才意味着有生长空间和成长可能。家长应真正从内心欣赏孩子的不成熟，从不成熟中看到美。这样你才容易打开“记功簿”，而不是一看到孩子的失误，就不由自主地翻开“记过簿”。

做家长的素养和理性就表现在，每当你准备采用什么方法教育孩子，都要就你所采取的手段思考一下：你想强化的到底是什么，你采取的方法是孩子喜欢的还是反感的，它对儿童的影响是正面的还是负面的，是激励的还是抵消的，是眼前的还是长远的，是高尚的还是庸俗的？不思考这些，只是凭情绪和习惯做事，不但达不到目的，更可能从根本上破坏目的。

特别提示

对于今天并没有物质短缺体验的孩子，物质奖励作用不大，可能带来一时的满足，但不会持久；只有精神上的愉悦和成就感，才可以带来真正的幸福感和动力。

家长们哪怕没有时间在实物上设一个记录本，至少要在心里设一个这样的“记功簿”。心里有没有这样一个本子，你的目光和言语会流露出来，孩子完全能感受到。你给他记录的“功绩”越多，你就给了他越多的快乐与自信，这会让他变得越来越好。

一些家长之所以经常批评教育孩子，就是因为有一个根深蒂固的错误假设，即如果自己不说，不经常提醒，孩子就不会改正缺点，就会越来越堕落。事实是，每个孩子都是有自尊心的，上进是他的天性，只要不被扭曲，就一定会正常生长。

反复的批评就如同贴到墙上的“记过簿”，会把孩子的缺点固化下来，使孩子难以和那个缺点剥离开来。

“不管”是最好的“管”

一个被管制太多的孩子，他会逐渐从权威家长手下的“听差”，变成自身坏习惯的“奴隶”；他的坏习惯正是束缚他的、让他痛苦的桎梏。不是他心里不想摆脱，是他没有能力摆脱。

有一天，我的一个朋友约我聊天，她是带着一个问题来的，为她单位一个女同事。

她的这位女同事也是她非常要好的一个朋友，在孩子的教育上出了问题，苦恼得要命。同时，我的朋友自己也经常有类似的烦恼，就想和我专门聊聊孩子的教育问题。我们的话题从她单位这位女同事开始。

她的这位女同事毕业于一所名牌大学，工作出色，人也漂亮，为人处世都不错，是个近乎完美的女人，所以也是个理想主义者，在爱情上奉行宁缺毋滥的原则，一直蹉跎到36岁才结婚。婚后有了个儿子，中年得子，爱得要命。这些年同学们的孩子已一个个上小学，甚至上中学了，大家聚在一起经常感叹孩子如何难教育。她当时在旁边听着觉得不相信，小孩子会那么难教育吗。

当她的孩子还在襁褓中，她就给他读唐诗。她读了很多家教方面的书，知道早期启蒙特别重要。孩子刚学说话，她就天天用汉语、英语两种语言和他说话。她儿子确实也表现得聪明伶俐，上幼儿园后，有一家心理研究所来幼儿园采集数据，对孩子们进行了智商测验，结果当然是保密的。但后来园长悄悄告诉她，她儿子全园第一名。她觉得自己是个成功的家长，相信自己倾尽全力，一定会教育出一个出色的孩子，甚至是个神童。

她把所有的心思都投入到孩子的教育中，大到说话如何发音标准，小到如何抓筷子如何玩耍，都进行着认真的指导，只要孩子哪些地方做得不好，就立即指出来，并告诉孩子应该如何如何做。如果孩子的一个缺点重复犯了三次，就要受到批评，三次以上，就每犯一次打一下孩子手背。孩子每天手背挨打的事总会有，比如打翻了饭碗，牛奶没喝完就玩去了，见了阿姨没问好，昨天学的单词今天有一半没记住等等。她说，我打他手背一下又不痛，只是希望通过这样的严格让孩子长记性，她自信在这样的要求下孩子会越来越完善。

我的朋友说，她去过几次这位女同事的家，发现同事对孩子那真是叫用心。虽然人在和你说话，但感觉她的心总是在孩子身上放着，不时地告诉孩子一句什么，比如“到写作业时间了”，“手上的水没擦干净，再去擦一下”，“别穿那双鞋，这双和你的衣服搭配好看”。

朋友感叹说，当妈的都做到这个程度了，可不知为什么她的孩子越来越差。刚上小学时，是班里前三名的学生，到小学六年级毕业时，成了倒数第三名。现在这个孩子已上初中，各方面仍然毫无起色，即使是从小就学习着的英语，成绩也总是很低，总之根本没有一点高智商的痕迹。而且性格特别内向，既不听话，又显得很窝囊。他妈妈实在想不明白，自己呕心沥血地教育他，怎么就成了现在这个样子，她觉得这是命运在捉弄她。

朋友问我：你说这问题出在哪儿，这孩子到底怎么了？

我想想说：问题还是出在妈妈身上。改善的方法很简单，但我怀疑，正因为简单，这位妈妈恐怕难以做到，或者说她根本就不愿意去做。在朋友疑惑的目光中我告诉她，这位好强的妈妈，她的问题就是对孩子管得太细太严。治疗的方法当然是反面，就是“不管”。

“不管？”朋友睁大眼睛。

我说，可能我们经常会发现这样一种情况：对孩子管得特别细特别严的家长，大都是在工作、生活等方面很用心的人，成功动机在他们的生命中始终比较强，他们的自我管理往往做得很好，在工作或事业上属于那种放哪儿都会干好，都会取得一定成就的人。同样，在孩子的教育上，他们成功心更切，也很自信，把对自己的管理，都拿来套用到孩子身上。可是，他们基本上都失望了。

朋友点头说，对对对，是这样，可这是为什么呢？

我说，这里面有一个问题，儿童不是一块石头，成人刻刀所到之处留下的，并不完全是雕刻者单方面的想法。假如一定要把父母比喻为一个雕刻师，那教育这种雕刻所留下的痕迹则是雕刻与被雕刻双方互动形成的。作为雕刻者的父母如果看不到这种互动性，漠视儿童的感觉，以为在受教育方面，儿童就是块没有弹性的石头，刻什么样长什么样，那么一块璞玉在他手中也会变成一块顽石，或一堆碎料——看不到这种互动性，就谈不上尊重儿童。不尊重儿童最典型的一个表现就是对孩子管制太多，也就是指导或干涉太多，孩子的许多正常生长秩序被打乱了。

朋友若有所思地点点头。

我接着说，从你的陈述中我可以感觉到，这位家长确实很用心，但实际上她的行为里教育要素很少，更多地是“指令”和“监视”。指令和监视是教育吗？不是！教育如果这么简单，每个家长都可称心如愿，世界上就不会再有恨铁不成钢的悲叹了。指令和监视的主要成分就是管制。现在家家基本上只有一个孩子，家长们有的是时间和精力去管理孩子。而且人们越来越认识到儿童教育的差异主要体现在家庭教育中，所以每个做父母的在开始时都铆足了劲，要把自己的孩子教育好。但儿童教育是件最重艺术，不重辛苦的事。只有那些注重教育艺术的人才会把孩子教育好。瞎用功，乱用力，只会把事越做越坏——这可以解释你这位同事的孩子为什么会每况愈下。

我接着分析这位妈妈，她在孩子面前其实一直扮演着一个权威的角色，因为只有权威才有资格对别人进行不间断的指令和监视。而就人的天性来说，没有人喜欢自己眼前整天矗立一个权威。所有对权威的服从都伴随着压抑和不快，都会形成内心的冲突——孩子当然不会对这个问题有这么清楚的认识，他只是经常感到不舒服，觉得做什么事都不自由，常不能令大人满意，这让他感觉很烦。于是他慢慢变得不听话，没有自控力，不自信，笨拙而苦闷。所以，家长一定要对“过犹不及”这回事有所警觉，不要在孩子面前充当权威（尽管是以温和的爱的形式出现）。一个被管制太多的孩子，他会逐渐从权威家长手下的“听差”，变成自身坏习惯的“奴隶”；他的坏习惯正是束缚他的、让他痛苦的桎梏。不是他心里不想摆脱，是他没有能力摆脱。我们成人不也经常有这种感觉吗？

朋友说，是啊，经你这样一分析，觉得真是这么回事。看来以后要少管孩子。

我点头说是这样，所以，我们可以把上面的想法总结为一句话：“不管”是最好的“管”。

朋友笑起来，说这句话总结得太好了，并说自己在教育孩子中要记住这句话，也要告诉她的那位同事记住这一点。我说，你可以对你的同事讲讲这句话，但不要期待她一定能接受。我对不少家长讲过，不知为什么，一些家长一听“不管”这个词就反感。

看朋友有些惊讶，我对她讲了下面一件事。

前几天遇到一位父亲训儿子说，我小时候家里孩子多，你爷爷奶奶忙，谁管我啊，我能走到今天，不就是靠自觉吗。我和你妈妈对你多关心，每天花那么多时间陪你学习，你却一点不懂得努力，你怎么就那么不自觉呢？

因为我和这位父亲很熟，就直率地对他说：你这是说对了，就是因为你小时候没人管，才学会了自觉；你儿子不自觉，恰是因为他太“有人管”了。该他自己想的，父母都替他想到了；该他自己感受的，父母都去给他提醒了，他干吗还要自己去留这个神呢，他哪里有机会学习自我管理呢？这位父亲对我的话很不满意，他反驳说，“照你这样说，不去管孩子，倒是可以做好家长，我们这么用心却错了?!”他因为这事，好长时间表现出不爱搭理我。

这位父亲的反应并不意外。我遇到不少对孩子管制太多的家长，总想说服他们给孩子一些自由的空间和时间，给孩子一些犯错误的机会，就提议让他们以后少管孩子——这是改变问题的必经之路。但我的提议多半会遭到家长类似的质问。在他们看来，让家长“不管”孩子，就如同让他们放弃孩子的抚养权一样刺耳和反感。事实是他们根本不想去理解我这里所说的“不管”——它不是削弱家长的责任，而是一个解决问题的方式，是需要家长内心树立起的一种尊重孩子的思维方式。

朋友点点头，家长总要求孩子改正这个那个缺点；但对于别人给他指出的缺点，却并不愿意接受，从内心都不肯承认自己有这个缺点。我也点点头，这就是为什么给家长做工作特别难，也是许多孩子身上的问题难以解决的根本原因。

我们沉默了片刻，朋友说，你说的这些我全都理解了。不过，我有个具体问题。假如孩子马上要考试了，比如马上要中考或高考，他还不学习，或者钢琴马上要考级了，他不好好练琴，那家长该怎么办，难道也不要说吗？

我说，对一个孩子来说，马上要有重要的考试，却还不去认真学习，这确实是个比较严重的问题。但这“不自觉”只是表象，这背后反映的是一系列问题，比如理性不足、厌倦感、自制力差、价值观不成熟、缺少自尊、自卑等。说实在的，这一系列的问题和家长一直以来不合适的管理方式一定有因果关系。如果家长想管，就一定要改变一下方法，用以前的方法肯定是行不通，因为他目前的状态就是长期以来你所实施的“管”的一个结果。至于用什么方法管，我无法给出一个立竿见影的方法，只能说要根据每个孩子的具体情况，小病小治，大病大治，孩子的问题越严重，家长越要根本性地改变教育方法，越要拿出足够的耐心，想办法培养孩子的自觉意识。关于这一点，还是从我自己的经验上来谈一下吧。也许能给家长们一些启示。

我女儿圆圆上高一时，圣诞节我们送了她一个便携式 CD 机，本意是让她学习得累了听听音乐。但她经常一边做作业一边听歌，还隔三差五地去买光盘，对当时的流行歌手、歌曲了如指掌。以我们自己的学习经验来判断，这样学习肯定要分心。如果是在小学，她这样我们也不着急。可现在是高中，时间这样珍贵，竞争这样激烈，你要稍懈怠一点，别人就会超过你。我和她爸爸有些着急，就提醒她学习时最好不要听音乐，给她讲道理说，高中的作业和小学的不一样，不是为了完成，而是为了在写的过程中思考和理解。

第一次说时，她只说她知道了，并说她自己觉得不影响学习。过了几天，我们看她还是天天戴着耳机写作业，有些忍不住了，就又说她。这次她有些不耐烦了，怪我们唠叨，说她自己知道怎样才好，告诉我们不要管她。

接下来好长时间，我们嘴上虽然不说，但心里总是很着急的。不光是听耳机的事，主要是她表现出来的整个学习态度的松懈让我们有些着急。这种时候，我们也很多次产生去“管”的冲动，但最终还是忍住了。我和她爸爸商量后决定，这件事不再去管她，随她去吧。

我们这样考虑：也许她只是新鲜，且现在学习还不够紧张，到高二、高三时学习更紧张了，新鲜劲同时也过了，她自然会紧张起来。也许是她心理上有压力，用这种方式释放，她现在表现出的松懈是她进行自我调整必须经历的一种状态。也许她只是迷恋音乐，很多人在青少年时期都会在某一阶段对某个事情产生深刻的迷恋，生硬打断了并不好——在这一切“也许”之上，我们有一份明智：人的学习行为是由两套系统合成的，一套是躯体的，一套是心理的。用强迫的方法可以让一个孩子坐到书桌前，眼睛放到书本上，手里拿上笔——即使他的躯体都到位了，但没有人能让他的心思也到位。如果不是出于自觉自愿，纵然我们让圆圆收起CD机，她也不会因此更专心学习，相反，心可能会离学习更远。既然圆圆说不影响学习，并说她自己知道怎样才好，我们就要相信她的话。

所以，我和她爸爸互相提醒，管住自己嘴，不再去说这件事。在这个过程中我们体会到，“不说”是件比“说”更难做到的事。孩子的行为每天都在对你的心理形成挑战，这实在需要家长用足够的理智和耐心去消解这件事。当然，时间长了，我们就真正地不在意，真的忘记去管她了。没注意圆圆从什么时间开始，学习时不再听音乐了，直到有一天我发现她书架上的CD机落了很多灰尘。

她考上大学后我问起过这件事。圆圆说一边听音乐一边写作业确实是会分心，这一点实际上她心里一直知道，但开始时就是想听，约束不住自己。到高三时那么紧张，自己从内心就不愿有什么事情打扰学习，写作业时当然就不会再听了。看来孩子心里对什么事情都是有数的，她只要有一颗上进心，有对自己负责的态度，一定会进行自我调整。

我的朋友说：嗯，我越听越明白了，你这是老子的“无为而治”。

我笑笑说，差不多吧。看她还没听厌，我就不厌其烦地接着说，人生来不是为了让别人去“管”的，自由是每个人骨子里最珍爱的东西。儿童尤其应该舒展他们的天性，无拘无束地成长。儿童是一个完美独立存在的世界，他幼小身体里深藏着无限蓬勃的活力，他在生命的成长中有一种自我塑造、自我成形的表达潜力，就如一颗种子里藏着根茎、叶片、花朵，在合适的条件下自然会长出来一样。家长如果有农人的信念和适度的管，孩子一定会成长得更好。

朋友很感叹地说，平时到学校开家长会，校长或老师们一说到孩子们的问题，就强调家长要多关心孩子，多抽出时间陪孩子，多管管孩子。通过今天的聊天我才知道，其实在当下，很多孩子的问题并不是因为家长管得少，恰是因为管得太多了。

我笑笑说，你说到问题的要害了。家长要认识到自己的局限性，知道在孩子的某些发展阶段上和某些发展方面，你是无能为力的，或者说是不需要作为的——这一点，如果你不怕得罪人，就回去给你的同事建议一下，就她目前的情况来看，“不作为”才是最好的作为，“不管”就是最好的管。

特别提示

不尊重儿童最典型的一个表现就是对孩子管制太多，也就是指导或干涉太多，孩子的许多正常生长秩序被打乱了。

对孩子管得特别细特别严的家长，大都是在工作、生活等方面很用心的人，成功动机在他们的生命中始终比较强，他们的自我管理往往做得很好，在工作或事业上属于那种放哪儿都会干好，都会取得一定成就的人。同样在孩子的教育上，他们成功心更切，也很自信，把对自己的管理，都拿来套用到孩子身上。可是，他们基本上都失望了。

指令和监视是教育吗？不是！教育如果这么简单，每个家长都可称心如愿，世界上就不会再有恨铁不成钢的悲叹了。指令和监视的主要成分就是管制。

“不说”是件比“说”更难做到的事。孩子的行为每天都在对你的心理形成挑战，这实在需要家长用足够的理智和耐心去消解这件事。

儿童是一个完美地独立存在的世界，他幼小身体里深藏着无限蓬勃的活力，他在生命的成长中有一种自我塑造、自我成形的表达潜力，就如一颗种子里藏着根茎、叶片、花朵，在合适的条件下自然会长出来一样。家长如果有农人的信念和适度的管，孩子一定会成长得更好。

做“听话”的父母

无论家长们多么爱自己的孩子，如果经常向孩子提出“听话”要求，并总是要求孩子服从自己，他骨子里就是个权威主义者。这样的人几乎从不怀疑自己对孩子提出要求的正确性和不容否定性，他潜意识中从未和孩子真正平等过。但在孩子眼中，他们只不过是些“不听话”的家长。

要求孩子“听话”在我们的生活中是件再普通不过的事。听不听话，乖不乖，已成为人们评价孩子的一个简易标准。但在我的家庭中，也许是我和先生一直有一种意识，所以我们很少对圆圆使用“听话”这个词；相反，我们倒是更愿做“听话”的父母。

圆圆大约2岁时，有一次我和一个亲戚带她到天安门广场玩。往公交车站走时要过一个天桥。圆圆不走台阶，要走两侧固定栏杆的那个只有十公分宽的小水泥台，她总是喜欢这样“独辟蹊径”。亲戚说，咱不走那个，走台阶好不好，赶快去坐公交车。圆圆不听。我对亲戚说，不用管她，她想那样走就让她那样。

圆圆两只小手抓着栏杆，慢慢地一点点往上移，我在旁边护着她，提防摔下来。

这时，又过来一个比她稍大些的小男孩，看圆圆那样子，就也要从另一侧沿着栏杆走，他妈妈说“好好走路，听话！”强行把孩子拉走了。

圆圆很费力地终于爬上了天桥，非常兴奋，还想沿着栏杆从桥这头走到那头。亲戚说，圆圆乖，咱也像那个孩子那样听话，不走这里了，好吗。我顾及到亲戚的情绪，也对圆圆说：“下来走吧，咱们快点走好不好，这样太慢了”。圆圆说不，又抓住栏杆，一步步往前挪。我看她其乐无穷的样子，也就不管她了。

终于过了桥面，该往下走了，她还是要好奇地尝试一下沿栏杆往下走的感觉。走了一半可能是没新鲜感了，也觉得确实不方便，才下来。

过这个天桥，本来一分钟就可过去，现在花去大概有十分钟的时间。我能感觉出亲戚在旁边的不耐烦。她笑着对我说，你真是个好妈妈，孩子这么不听话，你还那么有耐心，我看你总是听孩子的，她说要干什么你就让她干什么。

我非常理解亲戚，她当时还没孩子，不知道每个小孩子都是“不听话”的。我在心里向她说抱歉。在成人利益和孩子利益间，我首先要选择孩子的利益，哪怕当时领的不是我的女儿，是她的孩子，我也愿意陪孩子慢慢过天桥——我们本来就是带孩子出来玩，为什么一定要把去天安门广场看作是有意义的，把过天桥看作是没意义的，孩子在哪里玩不是玩呢。也许在圆圆眼里，天桥比广场还有趣得多。

我和圆圆爸爸作为父母的“听话”在别人看来有时候做得过火。圆圆 12 岁时的春节，我们开车从北京回内蒙古过年。本来计划初八走，早饭吃过后，我们都拎起大包小包准备走了，圆圆磨蹭着穿衣服，不情愿的样子，说奶奶家呆那么多天，姥姥家才呆两天，没和两个姐姐玩够。看她和两个小姐姐难舍难分的样子，都想哭了。我们考虑晚回去一天也没什么大不了，只是我和她爸爸回京没有休整时间了，头天下午回去第二天马上上班。于是决定当天不走了，脱了衣服，把已搬到车上的东西又拿回来。三个孩子高兴得跳起来。圆圆的姥姥担心我们这样回去会太累，觉得我们太纵容孩子了。

但我们这种“纵容”并没有把圆圆惯成一个唯我独尊的人，恰恰相反，她非常善解人意，凡见过圆圆的人都说她既懂事又稳重。她确实成长得比父母更完善。我们真心地尊重她的各种想法，尤其她逐渐长大，变得越来越懂事后，我们有什么问题不知如何解决时，就会和她商量，听取她的想法，在她面前真正变成“听话”的家长。

作为家长，我们当然不是件件事都“听话”，在圆圆的成长中也跟她发生过许多冲突。但现在想来，几乎所有的冲突都反映了家长的问题，也就是说都包含了家长对孩子的不理解或解决问题方式的不得当。

圆圆大约 4 岁时，我和朋友小于带着圆圆和小于的小女儿暄暄到老虎山公园玩。我们沿一条小土路往山上走，两个小女孩跑在前面，她们都穿着漂亮的衣服，干干净净的。我和小于跟在后面，一边聊天一边关照着前面这两个让人赏心悦目的小姑娘。

她俩走着走着，突然都四肢着地，手膝并用地在土路上爬。我和小于看到了，都赶快喊她们起来。她们不听，还在那样爬，我们就跑过去，把她们都拉起来，给她们拍拍土，批评她们把衣服弄脏了。两个小姑娘都显得不高兴。

这件事像生活中的任何一件小事一样，我转眼间就忘了。直到几年以后，圆圆小学四、五年级时，她有一次批评我不好好理解她，忽然提起这件事。

圆圆说那好像是她第一次爬山，她当时和暄暄在前面走着走着就觉得很好奇，这明明是在往山上走嘛，为什么叫“爬山”呢。她们觉得“爬”这个词好玩，为了让自己真正“爬山”，决定四肢着地爬一爬。结果她们刚开始“爬”，我们就在后面叫起来，弄得她们很扫兴。

我听圆圆这样说，才想起好像有这么回事。我又心疼又后悔地问圆圆：你为什么当时不说出你们的想法呢，要是妈妈知道你们是这样想的，肯定不会阻拦了，你们的想法多可爱啊。圆圆说，当时我们那么小，心里那样想，可嘴上一下说不出来。你们要是慢慢地问问我们为什么要那样做，也许我们能讲出来。圆圆接着批评说，大人就是经常不动脑筋，瞎指挥小孩，还总是怪小孩不听话。

圆圆的批评让我心服口服，是啊，爬山为什么不可以“爬”呢，“爬”是多么趣味横生的一件事啊。衣服脏了可以洗，磨破了也没什么大不了。就为了怕弄脏衣服这微不足道的理由，就把孩子这样一次充满乐趣的尝试给破坏了，唉，真是失误啊。

这种失误有多少，我都有些不好意思去想。假如时光重走一遍，我一定会做得更好些，绝不那样武断地对待孩子。

儿童的意识发育和语言表述能力常常不同步，很多东西想到了，但说不出来，或者是说出来的和他们的本意有很大的距离。他们用得最多的表达方式是听话或不听话，顺从或反抗，欢笑或哭泣。大人不要简单地认为前者好，后者不好，不要不分青红皂白地让孩子“听话”。一定要从他们的各种表达中，听出孩子的心声。还要想办法引导他们用语言把自己的想法讲出来。

我想起圆圆3岁半时的一件事。

那时她爸爸在外地工作，几个月回来一次。她经常很想爸爸，总是问爸爸什么时候回来，为什么隔壁小朋友晓哲的爸爸就不到外地工作。

当时电视里正播一个叫《只要你过得比我好》的连续剧。讲的是SOS儿童村一位妈妈悉心照料几个孤儿，和一位男士相恋但不能走到一起的故事。圆圆也跟着我断断续续地看了一些。

有一天的电视剧情是，孩子们不听话，把妈妈气得离家出走了，几个孩子没人管，吃不上饭，又想妈妈，好可怜。圆圆似乎很注意看这一集。

看完后，该睡觉了，我让她先喝点水，再去刷牙。她既不接过水杯，也不理睬我的话，而是就电视剧里的情节不停地问，我听出她是想知道为什么妈妈要离家出走，为什么不要她的孩子们了，妈妈还回不回来？我被她问烦了，说别问了，快喝了水睡觉吧。圆圆勉强接过水杯，欲言又止，突然大哭起来。

她平时很少哭，这让我大吃一惊，以为她是替电视剧里的几个孩子着急，就赶快告诉她，他们的妈妈肯定会回来，明天再看电视，肯定就回来了。圆圆哭声并没减弱，看来她想的不是这个。

我确信她不是因为肚子痛一类的身体原因哭，就问她：宝宝你为什么哭，讲出来好吗？我给她擦擦泪，又问了几次，她才一边哭一边说："他们的爸爸哪去了"。我抱起她，说宝宝不哭，你是不是想爸爸了，爸爸下个月回来，明天我们就给爸爸打电话好不好。她边哭边摇头。看来她要的也不是这个回答。

我非常奇怪，亲亲她的脸蛋，鼓励她讲出原因来。她可能想讲，努力让自己停止哭泣，又讲不出来，有些着急的样子。

我就换个问法：你是不是想让妈妈做什么事，宝宝讲出来，妈妈就去做，好不好？圆圆点点头，她又很费劲地想想，说"妈妈咱们换个房子，这个房子不好。"说完又大哭起来。

她的话让我摸不着头脑，圆圆看起来又委屈又惶惑。我问她为什么要换房子，她哭得上气不接下气地说"这个房子不好，我要换房子"。

我不知这个小家伙心里想什么，找毛巾给她擦擦脸，哄她不哭，让她说出来想换个什么样的房子。圆圆努力停住哭，看样子很想回答我，又说不出来，吭吭巴巴地干着急。

我想了一下，问她：你是不是不喜欢我们的房子？她点点头。这真是把我搞糊涂了，我们的房子她怎么会突然不喜欢呢，一定有另外的原因。我又小心地问她："宝宝，你是不是不喜欢我们房子里的什么东西？你不喜欢什么，告诉妈妈好吗？"

圆圆想想，一下又哭起来，边哭边说"不要电视里那样的，不要大红盆的房子，妈妈咱们换房子！"我问她什么叫"大红盆的房子"，她边哭边往下面看去，用手指指地上放玩具的红色塑料盆。

我一下猜到原因了。电视剧里有个叫亚亚的小女孩，也是三、四岁的样子，她的玩具被收在一个红色塑料大盆中。亚亚的玩具盆恰好和圆圆装玩具的盆一样。那个红色塑料盆多次在镜头上出现，我还专门指给圆圆看，说她和亚亚一样，都有那样一大盆玩具。她今天看到亚亚没有妈妈了，变得那么可怜，而她又不能完全理解剧情的前因后果，小小的心可能有这样的推理——有那样大红盆的房子，爸爸就会不在家，妈妈就会离家出走——所以她担忧极了。

我通过问话，引导她慢慢把想法说出来，果然是这个原因。

我就用她能听懂的话安慰她，终于使她相信，妈妈永远都不会离家出走，爸爸以后也会和她每天生活在一起，这些和大红盆没有任何关系。

圆圆放下担忧后，愉快地睡着了。我看着她熟睡中恬静的小脸，觉得听懂孩子的心思太重要了。假如大人觉得孩子不懂事，不去认真理解她在说什么，胡乱地哄她一气或训两句，孩子的心结解不开，她会有多长时间的苦恼和不安啊。

生活中确实经常能见到一些真正"不听话"的孩子。

有一次和几个朋友一起吃饭，一位妈妈带来一个7、8岁的小男孩。菜都上来了，大家正准备动筷子，小男孩突然要求妈妈带她到外面买一个什么玩具，妈妈说想买也得吃完饭再去吧。孩子不干，要立即走，不停地缠磨妈妈，和妈妈闹起了别扭，弄得大家都不安宁。

这孩子看起来确实是妈妈说的"特别不听话"，他似乎根本不能理解或体谅任何人。大家用各种办法劝说他等到吃完饭再去买，想逗他高兴，希望他吃点饭，他就是一口不吃，一句劝不听。妈妈不再理他，告诉大家也甭理他。

后来有个叔叔逗他说要跟他"干杯"，顺手拿过一罐可乐递给孩子，男孩接过来，看样子准备妥协了。正待孩子要打开可乐罐时，他妈妈赶快阻拦说别喝可乐，喝杏仁露吧。孩子说他要喝可乐，妈妈一把抢走可乐，递过来一罐杏仁露说，喝这个好。孩子不干，生气地说：你从来都不让我喝可乐，天天光让我喝酸奶和杏仁露！妈妈说：给你讲过多少次，可乐没营养，喝那干吗呢！

旁边有人劝妈妈说，要么今天破例一次，让孩子喝一次可乐，少喝一点。妈妈的表情没有任何商量余地，说不能由着小孩的性子来，可乐绝对一口都不能喝。啪地把杏仁露打开，倒一杯放到孩子面前说："听话，喝这个！"孩子又气哼哼地拒绝吃喝。

我心里感叹，有这么"不听话"的妈妈，有听话的儿子才怪呢！

家长是孩子第一个且最重要的榜样。如果家长在任何事上都想说服孩子按大人的想法来做，整天要求孩子服从自己，就教会孩子在无意识间也用同样的方法对待他人。幼小的孩子很快学会一套绑架家长的做法，"不听话"就是他们惯用的绳索，消极但有效。这种事件积累得太多，会形成极端心理，发展为一种偏执。

教育中许多看似司空见惯的做法，背后其实有很多人们看不到的错误。多年来人们习惯于要求孩子"听话"，这仿佛是为了孩子好，但深入分析，就可看到这是成人与孩子间的不平等。并非父母们不愿平等地对待孩子，而是不容易对自己的权威意识产生警觉，不曾意识到自己在孩子面前扮演了权威的角色。

哲学家弗洛姆对权威主义伦理学充满批判，认为它所主张的就是"服从是最大的善，不服从是最大的恶。在权威主义伦理学中，不可宽恕的罪行就是反抗。"①

无论家长们多么爱自己的孩子，如果经常向孩子提出"听话"要求，并总是要求孩子服从自己，他骨子里就是个权威主义者。这样的人几乎从不怀疑自己对孩子提出要求的正确性和不容否定性，他潜意识中从未和孩子真正平等过。但在孩子眼中，他们只不过是些"不听话"的家长。

基本可以肯定的是，凡是那些非常自以为是，性格偏执的人，他的童年中一定有一段较长的必须服从于他人意志的生活，个人的意愿不断受到压抑。这是童年时代环境给他留下的心理创伤，一生难以完全愈合。很多人把这种偏执施行

① （美）弗洛姆，《为自己的人》，孙依依译，三联书店，1988年11月第1版，32页。

于自己的后代身上，又在后代身上留下偏执痕迹。

当然，做“听话”的家长绝不是对孩子言听计从，不能突破道德底线。对于孩子那些没有礼貌的发号施令，没完没了的交换条件，粗鲁无礼的话语，一句也不能听。否则就是纵容。“听话”与纵容是完全相反的两种东西。“听话”的实质是如何理解儿童，如何平等对待儿童；纵容只是溺爱。“听话”培养的是具有民主气质的公民；纵容只能造出一个颐指气使的小暴君。

卢梭说：“当儿童活动的时候，不要教他怎样地服从人；同时，在你给他做事的时候，也不要让他学会役使人。要让他在他的行动和你的行动中，都同样感到有他的自由。”① 用本文的话语来表述，就是家长和孩子都不要去控制对方，都要做“听话”的人。而家长作为强势者和主导方，是局面的开创者——想有个听话的好孩子，一定要记住：在孩子面前首先做个“听话”的家长。

特别提示

我们本来就是带孩子出来玩，为什么一定要把去天安门广场看作是有意义的，把过天桥看作是没意义的，孩子在哪里玩不是玩呢。也许在圆圆眼里，天桥比广场还有趣得多。

衣服脏了可以洗，磨破了也没什么大不了。就为了怕弄脏衣服这微不足道的理由，就把孩子这样一次充满乐趣的尝试给破坏了，这真是失误啊。

听懂孩子的心思太重要了。假如大人觉得孩子不懂事，不去认真理解她在说什么，胡乱地哄她一气或训两句，孩子的心结解不开，她会有多长时间的苦恼和不安啊。

如果家长在任何事上都想说服孩子按大人的想法来做，整天要求孩子服从自己，就教会孩子在无意识间也用同样的方法对待他人。幼小的孩子很快学会一套绑架家长的做法，“不听话”就是他们惯用的绳索，消极但有效。这种事件积累得太多，会形成极端心理，发展为一种偏执。

---

① （法）卢梭，《爱弥儿》，李平沤译，人民教育出版社，2001 年 5 月第 2 版，80 页。

学会开“家长会”

现在有一种令人心痛的事实，许多中小学生特别害怕开家长会，家长会的日子经常成为他们的“受难日”，尤其是一些学习成绩不太好的男孩子，家长会通知简直是下达给他们的“惩罚通知”。

圆圆四年级时有一次我去参加家长会。班主任表扬了几个学生，提到圆圆，说她跳级上来，在班里年龄最小，但仍然是班里学习最好的学生之一。不足之处是上课有时不认真听讲，她示意我会后找各科老师交谈一下。于是我会后就去办公室向几位老师了解了一下圆圆的情况。

其中有一位教思想品德的老师说她学习没问题，就是经常上课不注意听讲，还偶尔会顶撞老师，感觉这个孩子很骄傲。旁边教“社会”课的老师听到了，接话说，感觉这个孩子是有些骄傲，有时老师正讲着课，她显得很不服气，就在下面嘀咕，让她站起来说，她还说老师讲得不对。

我听老师这样说，有些着急。关于她上课不注意听讲，我倒不认为是什么问题，以我对她的了解，知道她在学习上心里有数，哪些有必要认真听，哪些只用部分注意力去听，哪些可以完全不听，她自己明白。我甚至都允许她上不喜欢的课时，可以偷偷看小说，这样一是可以节省时间，二是可以防止和别人说话。我担心的是老师说的骄傲问题。圆圆从上幼儿园起就显得聪明伶俐，一直受老师的喜欢，我担心她有优越感，把自己看得太高。我希望她始终有平常心，踏踏实实的。现在老师们有这样的评价，真是很糟糕。

于是我回家后就对她说，妈妈今天去开家长会，老师们反映你学习一直不错，但有些骄傲，还顶撞老师，是不是这样的？

圆圆有些吃惊，说她没顶撞过老师，问是哪个老师说的。我不想告诉她是哪个老师说的，担心她以后对提意见的老师有逆反情绪，就说，不止一个人这样说。谁说的并不重要，重要的是自己要反思一下是不是有骄傲情绪，不要觉得自己有什么了不起。

圆圆一脸困惑，很不愉快地说，我没有骄傲，什么是骄傲呀？我知道她是问自己做的哪些事可以称为骄傲。就说，老师也没说具体事情，你自己想想，什么时间顶撞过老师，你是怎么说话的，是不是在老师面前自以为是了。圆圆生气了，大声吵吵说："我没有，我没有自以为是！"她这样的态度，让我不高兴了，就批评她说，你没有，那为什么老师们都这样说，一点不反思，就急着嚷嚷！

圆圆万分委屈的样子，沉默一小会儿，嘴里嘟囔一句"她们怎么都这样说"，哇地一声哭起来。圆圆平时很少哭，这一瞬间，她不仅委屈，眼睛里还有惶惑。

她这样一哭，我突然意识到自己把问题说得太严重，超过孩子的承受力了。

一个只有9岁的孩子哪里有能力反思自己骄傲还是不骄傲，她如果在学校有些事做得不妥，应该想办法引导她认识，高高兴兴去改正。而我这样说，只会让孩子很迷惑。她接下来有可能不再"骄傲"，但也会从此变得不自信，以为老师们都说她的不是，对所有的老师都有疑虑，在和老师的交往中没有了正常心态。

我赶快抱起她放到腿上，对她说：对不起宝贝，妈妈说得不准确，说得夸张了。不是老师们都这样说，只有两个老师这样说，就是教思想品德和社会课的老师。别的老师都没说这个问题。圆圆听我这样说，情绪才好些，停止哭泣。

我说，妈妈和老师直接就给你下个"骄傲"的定义这不对。不过你想想有没有顶撞过老师，对老师们说话不礼貌，或者见了老师不打招呼？

她想了想说，思想品德课上，老师要求回答"看电视的意义"，没有同学举手，老师点圆圆起来回答，圆圆想不出看电视的"意义"来，就说了句"看电视没有意义"。好多同学都笑了。老师很不高兴，说看电视可以学到知识，这不是意义吗，怎么能说没意义？圆圆反驳说，那为什么家长都不愿意让孩子看电视，都说看电视耽误学习？她的反驳让老师特别不高兴，批评她说你以为你比老师知道得还多。

至于社会课老师，圆圆想不起来有什么具体的冲突事件，她就是不喜欢这个老师。她说这个老师讲课时经常说不正确的话，比如说南方人精明，北方人都是“大彪子”（烟台方言，指一个人比较傻、莽撞或缺心眼），还经常骂学生，班里同学都不喜欢社会课老师，所以她遇到这个老师也不爱打招呼。

我不知该说什么了，欣赏圆圆的质疑精神，这优点在一些脆弱的老师眼里就是缺点。她一直是个表里如一的孩子，以她的年龄还不会隐藏自己的想法和情绪。但她给老师们留下这样一个印象，这肯定是个需要解决的问题。

我一下拿不准如何和她往下谈这件事，就等她爸爸晚上回来，我们商量后，第二天又和孩子谈这件事。

我们首先告诉孩子她在思想品德课上的回答没什么错，怎样想的就怎样回答，这是个优点。但由于小学的老师们大多数不习惯和学生辩论探讨，所以以后没必要在课堂上那样说。我们建议她以后如果有什么想法，下课后找老师谈，如果老师表现出不愿听，就把在学校的一些想法拿回家和父母谈，父母特别喜欢听她的“不同观点”。我们还就“看电视的意义”谈论了一会儿，使圆圆认识到老师的问题有些无聊，但自己的回答也有些绝对了。

为了让她能更好地接纳各种各样的老师，我们又对她说，老师这个行业和任何其它行业一样，有的人素质高有的人素质低，这是正常的，不要强求自己遇到的老师都让人满意。但是对学校的每个老师我们都要尊敬，不是尊敬他们的坏习惯，而是像尊敬世界上任何一个人一样，只要这个人不做坏事，仅是有些我们不喜欢的毛病，我们也应该尊重他。素质不高的人本身已很不幸，这是因为他从小没有遇到一个良好的教育环境，如果受到良好的教育，他一定不是后来表现的那样。我们如果现在不尊重他，他就更不幸了，素质更难提高。

我们这些话让圆圆觉得能接受，谈完后她干自己的事去了，看起来心情很好。

我们觉得以后要多和老师沟通，多了解一下孩子在学校的情况，但不能回家后不认真和孩子沟通就简单地教育她或教训她。凡事都要两方面看待，既要考虑老师的意见，也要考虑孩子的感受。这次家长会后，如果不管三七二十一地批评她一顿，简单生硬地要求她尊重老师，那其实是激化矛盾，恶化她和老师的关系。她当时会生气，感觉委屈；往后会不自信，变得谄媚或奴性。我们的目的应该是让她学会和老师相处，在现有环境中适当调整自己，让自己和环境取得协调，但要保有自信，不失去思想的独立性。

从此，我们就很注意如何把家长会上的情况带回来和孩子分享，无论是针对她的优点还是缺点，都注意谈话能够对她形成促进，而不是干扰或打击。

她上高中的第一学期末，学校召集开家长会，主要内容是通报学期考试情况。圆圆总体成绩不错，只是数学较差。她的数学从小学到初中一直不是强项，上高中后所在的理科实验班同学们数学普遍都强，相比之下，她的数学成绩显得很不理想。班主任就是数学老师，我会后跟她聊了一会儿，班主任也提到圆圆数学比较弱，认为她在数学上应该再想办法提高一步，基础知识要再扎实一些。

回家的路上我考虑了一下，否定了给她报课外数学班的念头。一是高中生学习已很忙了，周末再不给她一些自由安排的时间，反而不利于她的总体学习安排。数学成绩可能提高了，别的课程就会受到影响。二是我觉得她数学学得不理想，不是课时问题，而是兴趣和自信问题。圆圆在小学和初中遇到的两名数学老师都影响了她对数学的兴趣，如果能调动起她对数学的自信和兴趣，成绩一定会有改善。现在的一个有利条件是班主任就是数学老师，她的课讲得很好，班主任工作做得也非常好，深受班里同学的尊重。也许这是个改善机遇。

我回家后对她通报了家长会内容，把成绩单交给她。成绩单做得很细，把个人各科成绩、年级各科平均成绩、班级各科平均成绩，个人在班级中的名次等内容，都详细地列了出来。圆圆所在班是学校的第一实验班，同学们学习都很好，各科成绩都高于年级平均成绩。而圆圆的各科成绩又基本上都高于班级平均成绩，只有数学低于班级平均成绩。她看完成绩单没说什么，我知道她对数学成绩不满意，但因为数学一直不强，也无可奈何。

我想我这时候绝对不能把数学老师的原话告诉她。老师的话虽然是个客观事实，但这个事实孩子自己也知道，说出来，除了再一次强化她数学上的弱势，让她在这门功课上不自信外，对她的进步没有什么意义。家长不能假设孩子都是克服困难的英雄，被指出不足就一定能克服不足；恰恰相反，孩子的某个不足之处如果数次被提起，就会让他们以为自己骨子里就长着那个不足，自己是无能为力的，只好认命。我的目的是要树立孩子的自信，激励她学好数学，所以要换个说法。

我对她说："老师说你这几次数学虽然考得不是很理想，但她觉得你在数学方面其实是很有潜力的。"听我这样说，圆圆微微有点惊讶：是吗，我数学考得那么烂，老师怎么会觉得我有潜力呢？我说：你的老师数学教得那么好，教了一届又一届那么多学生，凭她的经验和感觉，应该知道哪个学生有潜力吧，要不她怎么会这样说呢。

我能看出圆圆心有所动。班主任能这样说，让她感到意外，对自己的数学能力有了新的认识，原来自己是有潜力的。

我又对她说，老师说让你不要着急，先不要急着和同学们比成绩，要自己踏实下来，认真跟着老师的教学走。不要过分追求解难题，把基础知识好好把握了，遇到问题追究下去，直到把一个问题彻底搞明白，不要留有死角，解决了问题才会没有问题——这些关于学习的话，其实是老师对所有家长讲的，它对每个孩子肯定都适用。

激起了她的自信，给予她诚意的期待，这对孩子是个巨大的鼓励。至于具体如何学，我知道自己是毫无能力去指导她的，但我坚信踏实的心态是能够让学习起飞的平台，有了这种心态，她自然是会主动寻求各种适合自己的方法，会把自己的能力发挥到最大。

写到这里，我想到，有些家长，明明他们对某个学科认识很浅薄，却以为自己有指导孩子学习的能力，乱出主意，瞎指挥。比如有的家长想让孩子学会写作文，就把孩子手中一本兴趣盎然的小说抢走，让孩子去读作文选；有的家长凭广告或别的家长的做法，去给孩子买来各种课外习题集，规定孩子每天做几道题；有的家长想当然地给孩子定下每天背 10 个英语单词，一个月背 300，一年背 3000 的目标。

所以我再一次强调，作为家长，千万不要自以为是，如果没有完全的把握，不要在孩子学习上随便指手划脚。家长要做的，就是保护好孩子的学习兴趣，树立起他对学习的自信。有了兴趣和自信，你还怕他学不好吗，还怕他自己找不到方法吗。

事实证明，圆圆在此后的时间里，数学确实有了很大的起色，成绩越来越稳定。中间当然也有没考好的时候，她会流露出一些沮丧，我们就暗示她，她是有数学潜力的。告诉她考试总会有一些偶然性，况且发现问题本身就是收获，让她放平心态，踏踏实实学习就是了。她的数学老师也给予了她鼓励。自信而踏实的心态是最好的“补习班”，让她在数学学习上大有长进，成绩由班里的中等偏下，变成名列前茅。

家长和学校老师沟通是一种有效了解孩子的途径，老师一般也都会如实地将孩子的各种情况告诉家长。但家长如何“转达”，要动一些脑筋，不要不分情况地全部“如实”转达给孩子。一定要考虑你的“转达”所采用的方式及言语会对孩子形成怎样的影响，是建设性的，还是摧毁性的，对孩子是有激发作用，还是抑制作用。

现在有一种令人心痛的事实，许多中小学生特别害怕开家长会，家长会的日子经常成为他们的“受难日”，尤其是一些学习成绩不太好的男孩子，家长会通知简直是下达给他们的“惩罚通知”。在他们的经验中，家长会就是“成绩排名会”和老师“告状会”。后果是回家轻则遭训，重则挨打。

在家长会后打骂孩子的家长，一定是简单粗暴的家长。他们大多平时不主动和老师们沟通，只是在开家长会时或老师“请家长”时，才听到一些关于孩子的在校情况。老师向他反映孩子不守纪律，或者孩子成绩不佳等各种问题，都是他生气的理由。从学校回家的路上，他不去想孩子的问题到底该如何解决，不去反思自己在教育中是否有过失，不去思考如何有效地帮助孩子，他只是想赶快找孩子算账。这样的家长他们对待孩子原本就简单粗暴，在家长会后处罚孩子，与其说想“教育”孩子，不如说只是家长想平息自己心头的怒火，想出口恶气。但这只能让孩子的问题变得更为糟糕。

孩子是敏感而脆弱的，如果老师和家长的见面，变成了让孩子蒙羞、挨训的恐怖事件，后果只能是让孩子憎恨老师，讨厌学校；让孩子在学习、自信、道德等方面失去上进心和判断力；而且最后多半会反映在学习上，影响学习成绩。

即使从家长会上发现孩子学习退步，不守纪律，和同学打架，甚至旷课等严重问题，回家后也不应该打骂孩子。要先和老师好好分析沟通一下，尽可能寻找出问题的由来。孩子不会凭空出现问题。出现问题，一定是有一些长期积淀的症结没得到解决，或是有某个外在因素使一些小问题恶化。比如一个孩子突然不想去上学了，就要考虑他和班里同学的关系是否出现了问题，是否受到某个老师的批评而感到委屈，是否遇到了他人的威胁等；孩子的成绩一路下滑，就要考虑自己对孩子的学习管理是否得当，观察他最近情绪如何，对什么感兴趣，主要和哪些人交往，他遇到了什么打击或诱惑等。最重要的，是要好好和孩子沟通交流，首先让他信任你，能对你讲出他的困惑或困难，然后获得你的鼓励和帮助。

孩子表现不好，把他骂一顿，揍一顿——这是多么容易的事啊，做起来也很痛快，每个家长都能做到的——所以它为许多家长所钟爱。只是，它不能解决任何问题；所以，它也会让那些习惯于“痛快”、“容易”地解决问题的家长在以后的日子里，慢慢品味教子无方所带来的更多的不痛快和不容易。

而听到孩子的问题后，能冷静行事，能自我反思，和孩子真诚对话，努力去理解孩子，想尽办法激励孩子，巧妙地帮孩子解决问题——这些做起来有些难度，需要家长付出许多理性和思考——能为孩子一生成长着想的家长，难道不可以为孩子付出这些吗——教育就在这点点滴滴的细节中。你此时付出一点理性、思考和智慧，在遇到的种种问题时处理得艺术一些，孩子会用十倍的优秀来回报你。

特别提示

孩子是敏感而脆弱的，如果老师和家长的见面，变成了让孩子蒙羞、挨训的恐怖事件，后果只能是让孩子憎恨老师，讨厌学校；让孩子在学习、自信、道德等方面失去上进心和判断力；而且最后多半会反映在学习上，影响学习成绩。

在家长会后处罚孩子，与其说想“教育”孩子，不如说只是家长想平息自己心头的怒火，想出口恶气。但这只能让孩子的问题变得更为糟糕。

家长要做的，就是保护好孩子的学习兴趣，树立起他对学习的自信。有了兴趣和自信，你还怕他学不好吗，还怕他自己找不到方法吗。

孩子表现不好，把他骂一顿，揍一顿——这是多么容易的事啊，做起来也很痛快，每个家长都能做到的——所以它为许多家长所钟爱。只是，它不能解决任何问题；所以，它也会让那些习惯于“痛快”、“容易”地解决问题的家长在以后的日子里，慢慢品味教子无方所带来的更多的不痛快和不容易。

不做穿西装的野人

打骂孩子可能会解决眼前的一个小问题，却给孩子的成长留下大隐患，创痕会伴随孩子一生。

暴力教育能让孩子变得顺从，不会让孩子变得聪明和懂事；能让他们变得听话，不会让他们变得自觉和上进——暴力教育能得到一些暂时的、表面的效果，但它是以儿童整体的堕落和消沉为代价的。

电视上看到一个讨论要不要打孩子的节目。当“主打派”和“反打派”进行辩论时，我觉得，这个话题放到这里讨论，本身就是个应该羞耻的事情——如同一百年前讨论要不要一夫一妻制，女人要不要缠小脚一样——既然能成为一个观点相左的辩论话题，说明当下社会仍泛滥着对“打孩子”恶俗的麻木和容忍。

人类文明传承到今天，农业不会退回到刀耕火种，军事不会退回到弓箭斧头，医学不会退回到巫神法事，只有家庭教育动辄退回到野蛮粗暴。生活在同一个时代不同家庭的孩子，由于他们父母教育观的不同，他们的教育生态环境就有着从原始到文明的巨大差异。

打孩子是一种陋习和恶习。一个用武力征服儿童的成人，无论财富多么丰厚，地位多么显赫，学问多么高深，打人的理由多么充足，都是智慧不足的表现。这一瞬间，你以为自己强大而正义，其实是缺少理智，恃强凌弱；你在弱小的孩子面前心理全部失守，只能从体力上给自己找平衡——在爱的名义下施暴，此时此刻你的行为如此粗野，不过是个穿西装的野人。

人们都说现在的孩子娇生惯养，以为孩子们整天被蜜糖腌制着，实际上我国儿童教育中家庭暴力现象非常严重。2007 年中国政法大学两位教授对“家庭体罚子女现象”进行了一项调查，结果显示，近 2/3 儿童曾经遭受过家庭暴力。在接受调查的 498 名大学生中，54% 的人承认自己在中小学阶段经历过家长的体罚，而体罚形式中父母动手打人的占到 88%。

在弱者面前，最能流露一个人的真性情。许多人，他们在单位、在朋友中表现得谦和并富于教养，唯独在他们最亲爱的孩子面前，不自觉地流露出粗野。

有一对夫妻，都是我的老乡，两人都在北京知名企业工作，是真正的“白领”。我们两家的孩子差不多大小。他们一直不能接受的是，他们的儿子为什么那么不成器。我们在一起时，他们总是叹息自己孩子成绩差，自律性差，脾气暴躁，羡慕我有个好女儿，说他们命不好。我知道他们经常很轻率地打骂孩子，总是劝他们不要那样对待孩子，并告诉他们孩子称不称心，不是抓彩票碰运气得来的，孩子是教育出来的。他们却总是很不以为然，认为我站着说话不腰痛。

有一次和女老乡聊起孩子们小时候的事，她说她的儿子从小不听话，很小的时候，到商场乱要东西，不给买就躺地上哭，不起来。她忿忿不平地说：“光因为这事，不知打过他多少次!”既然是“不知打过多少次”，说明这个问题始终没有得到解决。孩子虽然因为这一个问题吃了很多苦头，可一直没得到一个正确的观念，没形成理性，在屈服和反抗间始终没找到出路，孩子被搞糊涂了。

儿童身上屡屡不能够解决的问题，背后一定有家长教育方式的问题。打骂是家长们最常用且运用得最得心应手的一种方式，可它也是最没效，最具破坏性的一种。

每个孩子都有“不听话”的时候。我相信每个孩子的“不听话”，都不需要用打骂来解决。

孩子进商店乱要东西的事我也遇到过。记得圆圆在三、四岁时，有一次她和我到超市，她要买一种加了很多色素的饮料。可能是她看到别的小朋友喝这个，而这是我坚决反对的。我很肯定地告诉她这个不能买，不卫生，无论什么时候都不可以喝这个。她当时为此很生气，不肯离开那个地方，最后干脆躺地下哭闹。

我不生气，就像平时看她玩沙子一样，若无其事地等着她。在等的过程中我还看看别的商品，和营业员说句话。她发现我不生气，不在意她的脾气，哭闹得更厉害。

地面很凉，也脏，她的衣服全弄脏了，路过的人都在看她。我沉着气就是不着急，待她哭不动了，我蹲下身，用商量的口气问她，咱们走吧？她见我来关照她了，就又开始哭闹，我就又没事人似的站起来，在她跟前溜达等待。

这样几个回合后，她没劲了，我又蹲下微笑着问她，好了吗，可以走了吗？她意识到再闹也就这样了，乖乖地站起来。我拉着她的小手，就像事情发生前一样，高高兴兴地走了。

我连一句批评的话都没说，也没再给她讲道理，因为道理刚才已经讲过了。圆圆此后再没提起过要喝那种饮料。而且，凡是我态度肯定地说不买的东西，她就不再坚持，非常听话。

对付小孩子其实多么简单，孩子哪里用得着去打骂呢。每次小冲突都是他的一个学习机会，家长耐心而真诚地去解决一个小冲突，也就解决了此后一系列的问题。

打骂是教育中最坏的办法，我从不相信那些声称“不打不成才”、“棍棒之下出孝子”的人真的有这样一种信念上的诚实。这种野蛮的教育方式其实完全没有任何“教育”要素，它只是让父母出口恶气。

后来又有一次，这家的男老乡无意中说起最近把读初中的儿子打了一顿，因为儿子把刚买的一千多元的进口山地车丢了，车子才骑了一个月。

唉，这也是打孩子的理由吗？这时我想到，我刚花7000元买的摄像机，镜头被圆圆不小心摔坏，换一个就花去2000元，而我一句都没说她。甚至都没说一句“以后注意点”这类提醒的话。摔坏的一瞬间，孩子看出来我有多难过，她自己也很难过，这就够了。难道因为我没给她一个告诫和提醒，她以后就不知道要小心吗。家长少说废话，孩子才会认真对待你有用的话。

孩子闯祸都是无意的，为什么我们不能原谅孩子无心或无奈下所犯的错误呢？况且，孩子闯了祸他自己心里就很痛苦，有内疚感。家长的打骂只是让他没有自尊，觉得大人更爱的是那损失的钱和物，他感受到大人不体谅他，心里生发出逆反情绪，同时也失去内疚感——经常这样来“教育”孩子，他怎么可能不变得越来越不听话，越来越对什么都满不在乎呢？

我开玩笑地问这位老乡，你上次丢了手机，那手机好像挺贵的吧，回家后老婆打你没？他知道我是针对他打儿子的事说的，笑了，说：怎么能把我和儿子放到一起说事，他是孩子，我是大人啊。打他是让他记事，是为他好——家庭教育中这种强盗逻辑很多，打孩子说成是“为孩子好”，撒恶气说成是“教育孩子”。打了人还要把这说成是“爱”，让被打的人来领情——天下有这么不讲理的吗?

面对一个未成年人，成年人最大的文明所在，就是站在儿童的角度，努力理解他的所想所为，以他乐意接受的方式对他的成长进行引导。你必须要把他当作一个“人”来平等对待，而不是当作一个“弱小的人”来征服。

家长当然都不是圣人，会经常因孩子的问题有情绪起伏。但我们一定不能任性，要学会在孩子面前控制自己的情绪，不能高兴时把孩子宠上天，不高兴就打骂孩子。家长要确立一个信念：不管孩子多大，在任何时候，因为任何原因，都不打骂孩子。要记住，凡通过打骂能解决的问题，通过态度友好的教育也可以完成。

打骂孩子也可以形成一种习惯，一旦形成了，也不好改。

一位小学生的家长来找我咨询。她经常打孩子。她对我说，每次打完孩子都非常后悔，但自己脾气不好，一遇到孩子惹她生气，就控制不了。我在做了一些相关疏导后，说了几句比较刺激她的话：你可以非常诚实地在内心想一下：单位领导惹你生气时，你会去骂他吗？你的兄弟姐妹或同事让你不高兴时，你会动手去打吗？其实，人在做出一个行为时，往往瞬间就能把结果判断出来。家长如果说在孩子面前忍不住脾气，因为你心里早已清楚，你打孩子一顿，既能解气，他又不会把你怎样。你在孩子面前是权威，是主人，你不用担心打人的后果，所以你就总是“忍不住”。

家庭成员间的关系，是生命中最深刻的一种人际关系，在这样一种关系中所体会到的东西，或好或坏，都会给儿童留下终身印象和一生影响。我猜测上面这位家长在童年时代多半也遭受了不少家庭暴力。

如果一个孩子从小挨打受骂，虽然他本人就是家庭暴力教育的受害者，可他长大后多半会用同样的方式对待自己的孩子，同样顾及不到孩子的感受。不是他不爱自己的孩子，是不会爱，缺少爱的能力。常听到人们说：我脾气不好，遗传了父母的脾气。仿佛这“脾气”是娘胎里带来的。事实上“脾气”不是来自血脉的生物遗传，是来自生活体验的心理传递。

教育家苏霍姆林斯基说，“大声叱责，这是人们相互关系中修养很差的基本特征。凡是出现大声叱责的地方，就有粗鲁行为和情感冷漠的现象。用大声叱责（家庭中还有拳头）教育出来的孩子，失去了感觉别人最细腻的感情的能力，他看不到也感觉不到周围的美，他非常冷漠无情，毫无怜悯心，在他的行为中有时会出现往往是人身上最可怕的表现——残忍。”①

我的一位女同学，她工作、人际关系等各方面都很出色，却经常在家里打骂孩子。有一次我们聊天，她谈到她父亲时，历数其父的不是。她父亲在她小时经常打她。她觉得父亲当年打她那些理由一个都站不住脚，对父亲的行为充满蔑视，甚至有一种仇恨感。后来我们聊到她的孩子，她又历数孩子的不争气，讲了一串孩子该打的事例。当我表示她对孩子的态度是来源于她父亲的粗暴时，她对此断然否定。说她和父亲不一样，她父亲打她没有道理，而她打儿子都是有理由的。

是啊，我们小时候家里缺的主要是粮食，所以孩子把饭烧糊了会挨打。现在的孩子绝不会因为这事挨打，他们挨打的原因可能是考试不好或上网——可这是区别吗？这位女同学和她的父亲其实都因为同一个原因打孩子，即孩子惹自己不高兴了。他们对幼小的孩子共有的“教育方式”就是拳头。从做家长的修养上看，他们其实是很相像的。

打骂孩子可能会解决眼前的一个小问题，却给孩子的成长留下大隐患，创痕会伴随孩子一生。经常挨打的孩子，他的身心两方面都会受到损害。他从家长那里感受到的是屈辱，体会的是自卑，学到的是粗暴，激起的是逆反。就像人冷了会起鸡皮疙瘩一样，他会不由自主地在心理和生理上发生一系列改变。

蒙台梭利博士说：“每种性格缺陷都是由儿童早期经受的某种错误对待造成的。”②

打骂的方式绝不可能让孩子健康成长，只能让他的心理扭曲。一个心理残疾的人，远比一个生理残疾的人更糟糕，而且多一层可怕。2008 年奥地利曝出一

---

① （苏）苏霍姆林斯基，《公民的诞生》，黄之瑞、张佩珍等译，教育科学出版社，2002 年 4 月第 1 版，338 页。

② （意）蒙台梭利，《蒙台梭利幼儿教育科学方法》，任代文等译，人民教育出版社，2001 年 5 月第 2 版，522 页。

件让整个国家蒙羞，让全世界震惊的事件，一位叫约瑟夫的父亲，在地下室囚禁他的女儿长达24年，并对其实施性迫害，致使其生下7个孩子。并且还虐待自己的母亲，把她关在阁楼上，经常让她忍饥受冻，直至死去。当代社会为什么还存在这样的“超级野人”？媒体挖掘的一些报道应该能说明问题：约瑟夫在童年时，经常遭受来自其母亲的暴力和虐待。

这是个极端的例子，很典型地说明，畸形的家庭教育会给一个人带来怎样的恶果。

在严厉家庭环境下长大的孩子，会变得自卑，性格内向，缺少人际沟通能力，缺少自我反思和自我管理能力，坏脾气，甚至是堕落等等。也有生理上的反应，如呕吐、腹泻、胃肠疾患以及失眠等。

童年时代的每一种体验都可以在生命中留下痕迹，孩子没有“小事”，每件小事都是深刻地影响着他成长的大事。每件小事都是最初抓在手心中的那把雪，可能滚成一个硕大的雪球，对未来形成巨大的影响——同时也像一个比喻说的那样，南美的一只蝴蝶挥动翅膀，有可能引起北美的一场龙卷风。

现实生活中当然有一些事例佐证着“不打不成才”的观点。

2005年网上看到一篇报道，说沈阳一个13岁女孩，在一个国际青少年钢琴大赛中获得冠军，而这一佳绩居然是她的父亲在三年时间里抽女儿400个耳光得来的。这仿佛是一个典型的“不打不成才”的例子，它不知会让多少父母相信用耳光可以促进孩子“成才”。

可是，一个平均两三天就要挨一记耳光的孩子，尤其是个女孩子，她会成长为一个怎样的人呢？耳光打在皮肤上的痕迹很快会消失，但留在心理上的创伤能消褪吗？女孩要长大，她将不只是个“弹钢琴的人”，她还会是个有很多种角色的人。作为更多的角色，她将会表现出怎样一种面貌呢？如果说这个个案有代表性，它不代表一种成功教育，只能代表一种畸形价值观下危险的做法。它在用一个单一成就，去赌孩子人格健全与一生的幸福。

我曾见过一位母亲，她得意洋洋地说：孩子就得打，我那孩子，只要揍一顿，或臭骂一顿，立刻就听话了。可以断定，这位母亲只能在孩子还未成年时，在着眼于某一孤立事件时，并且在她毫不关心孩子的幸福感时有这份得意。她的得意不真实，也不会长久。

我还认识一位女孩子，她很漂亮，学习出色，工作能力强，看起来性格也活泼开朗。在她身上似乎找不到缺点。她只是一直以来胃肠功能不好，二十岁上大学时急性胃穿孔，差点要了命，胃被切去三分之一。医学上早已发现，慢性胃肠疾患和人的消极情绪以及压力有关。从她的疾病及偶尔流露的一些性格特点，我估计她儿时的生活一定承受了巨大的心理压力，有心理创伤。果然，后来有一次我们随便聊起来，她说她妈妈从小打她，打得非常狠。比如有一次她放学后到妈妈单位拿家门钥匙，走时忘了和办公室的阿姨说再见。就这么点事，她妈妈半夜加班回来，一把将她从被子里拎出来，暴打一顿。她说当时自己正睡得香，冷不丁挨打，根本都不知道因为什么，而类似的事发生过很多次。

她可能是为了维护她妈妈的面子，说她一点都不怪妈妈，甚至说正是因为她妈妈那样严格要求，她才有今天。我发现她总是无节制地吃各种零食，尤其是刺激性的食物。胃部切除手术不久，就不顾医嘱暴饮暴食，又发生胃出血，好长一段时间不能吃饭，到稍好一些，又开始无节制地吃。我劝她少吃零食，她说她经常心情不好，吃零食能缓解心理压力，所以顾不了那么多——这个坚强的女孩，真是把所有的痛苦都自己扛，零食成了她一直以来的心理去痛片。我不知她妈妈知道这些事情之间的因果关系后，想到女孩的身心健康时，是否还能骄傲得起来？

很多人信誓旦旦地认为孩子就该打，理由是他自己就是从小被打大的，并且他自己成长得不错。在各种资料中，也不时地会看到有的成功人士讲他如何因为挨了打而一下变得懂事。我不怀疑他们挨打的真实性和成功的真实性，但绝不认为这二者之间有因果关系。

有的人确乎在挨一场打之后有很大变化，但变化的内驱力不是挨打本身，而是另外一些积淀已久并较为完备的东西，并且这一场打骂之所以能奏效，能让一个人警醒，也正可贵在这“偶然一次”上，如果是经常性的，还有用吗？

以前看过一条消息，一个孩子从出生后一直不会说话，但耳朵好使，有一天孩子不小心掉枯井里，一下喊出了“救命”，从此就会说话了——因缘际会的巧合也需要在一些条件下实现。如果说打骂可以让一个人成才，如同说把人推井里就可以治聋哑——这是不成立的，是乱归因。

暴力教育能让孩子变得顺从，不会让孩子变得聪明和懂事；能让他们变得听话，不会让他们变得自觉和上进——暴力教育能得到一些暂时的、表面的效果，但它是以儿童整体的堕落和消沉为代价的。通过打骂来促成孩子学业进步，结果只能让孩子对学业产生厌恶；用打骂来让孩子听话，孩子只会变得更加逆反固执；用打骂让孩子做个好人，孩子只会在责难下心理扭曲变态。

人们在挖掘一个人的成功或失败时，习惯从宏大的视角和背景着手。事实上，在同一种文化形态和公共教育理念下长大的孩子，他们之所以成年后在道德、人格及能力上有巨大的差异，在于他们最重要的生活场所——家庭，生命中的第一启蒙者——家长的教养态度的不同。

把一个人的美德归功于他个人的用心和社会的培养没错，但不要忘了给从小抚养他的那个人挂上一枚奖章。

而与此形成对比的是，一些恶棍，尤其是一些刑事罪犯，他的家长没有理由得到同情。尽管他们的家长主观上没有把孩子引上邪路的恶意，哪怕是坏蛋也希望他的孩子是个好人。但他们粗暴的教养方式扭曲了孩子的心灵，他们自身的言行教会了孩子如何恶劣地对待他人。

如果把某些人的犯罪仅仅归结到社会、时代或具体到学校那里，这是板子打在空气中，不能够切实地找到问题的根源，不能触动家长们反思自己的行为。从人格成长的承接性和延续性来说，每个罪犯的家长都应该向他的孩子忏悔，向社会和人类忏悔。

不要因为孩子听话才爱他，不要因为他取得了某个成绩才欣赏他，更不要因为他不遂我们的心就去打骂他。父母之爱应该是无条件的，对孩子的尊重也应该是无条件的。

我们可以从书中以及我们周围的人群中看到，优秀孩子的家长，他们一般都很民主，遇到事情总是能心平气和地和孩子探讨解决，非常讲究方式方法——最基本的态度是尊重孩子，欣赏孩子。即使孩子犯了错也只是就是论事，决不牵扯其它，当然更不可能打骂。他们取得的结果就是，他们的孩子似乎分外懂事，根本就不需要他们操心费力。

前苏联杰出教育家马卡连柯说："家庭生活制度一开始就得到合理发展，处罚就不再需要了。在良好的家庭里，永远不会有处罚的情形，这就是最正确的家庭教育的道路。”①

一些欧美国家从法律上严格禁止打孩子。我国打孩子现象之所以现在还比较普遍，首先是受传统观念影响，认为老子打儿子天经地义；再一个是缺少法律制约。

目前我国有一些保护少年儿童的法律法规，但都是一些粗线条的概念，不具有现实约束力。打孩子从来被认为是家务事，无须他人干涉；只要不把孩子打残打死，就不会上升到法律层面解决。全社会普遍漠视未成年人的精神损伤，很少有人认为父母打骂孩子就是虐待儿童。在“打是亲，骂是爱”的面具后，只有儿童能感受到那是狰狞，是恐怖。

家长的素质事关未来公民的素质，国家应大力开展家长教育，提升家长的教育素养；同时应该尽快立法，严禁打骂孩子，剥夺不合格家长的监视权。比如取消那些把孩子逼得一次次离家出走的家长的监视权，而不是一次次地把孩子抓住教育一顿，再送回家中。

不是穿了西服就变成绅士，不是生了孩子就会做父母。做父母需要学习，需要学会如何爱。学会爱是个很大的命题，需要慢慢去学，最简单的第一步就是不再打骂孩子，不做穿西装的野人。

① （苏）马卡连柯，《马卡连柯教育文集》，吴式颖等编，人民教育出版社，2005 年 1 月第 2 版，507 页。

特别提示

打骂是教育中最坏的办法，我从不相信那些声称“不打不成才”、“棍棒之下出孝子”的人真的有这样一种信念上的诚实。这种野蛮的教育方式其实完全没有任何“教育”要素，它只是让父母出口恶气。

孩子闯了祸他自己心里就很痛苦，有内疚感。家长的打骂只是让他没有自尊，觉得大人更爱的是那损失的钱和物，他感受到大人不体谅他，心里生发出逆反情绪，同时也失去内疚感——经常这样来“教育”孩子，他怎么可能不变得越来越不听话，越来越对什么都满不在乎呢？

面对一个未成年人，成年人最大的文明所在，就是站在儿童的角度，努力理解他的所想所为，以他乐意接受的方式对他的成长进行引导。你必须要把他当作一个“人”来平等对待，而不是当作一个“弱小的人”来征服。

在严厉家庭环境下长大的孩子，会变得自卑，性格内向，缺少人际沟通能力，缺少自我反思和自我管理能力，坏脾气，甚至是堕落等等。也有生理上的反应，如呕吐、腹泻、胃肠疾患以及失眠等。

第六章　小事儿就是大事情

女儿的“隐私”

小小的心既要容纳一个神奇的事实，又必须承受性命攸关的保密责任，这对一个7岁的孩子来说是多么艰难和痛苦啊。

有一天，7岁的小女儿圆圆看到电视里谈关于隐私的话题，就问我什么叫“隐私”。我说：“就是不能对别人讲的个人秘密”。她问我：“你有没有隐私?”我说应该有吧。她又问：“我爸爸有没有?”我说也应该有吧。圆圆一副欲言又止的样子。我心里笑了一下，没深究这个问题专家在想什么，继续擦我的桌子。片刻后，听见她低低说一句：“我也有隐私……”

我直起腰来，认真地关照女儿，“那你可小心点，不要让爸爸妈妈知道了。”圆圆也认真地说：“我一辈子都不告诉别人，也不告诉你。”我摁住心中的笑，“连妈妈都不能告诉，看来你的隐私还不小呢。”她听出了我口气中的揶揄，不满地说：“我的隐私才不是小事呢，可大了。”我问有多大，她用双手作了一个足有房子大或天大的动作，也觉得没比出来，就不耐烦地说：“别问了，我不想说这个事了。”

我拿着抹布进了卫生间，正洗布时，圆圆跟进来。她略带诡秘，试探地问我：“妈妈，你的隐私是什么?”我说：“我的隐私也不能告诉别人，要是说出来就不是隐私了。”她好奇心高涨，缠磨着要我讲出来。我一时找不出敷衍她的内容，就说：“你先把你的告诉我，我再告诉你。”她小嘴一噘，“不行，我的不能说。”我说：“我的也不能说。”她就开始耍赖，搂着我的腰哼哼唧唧，“告诉我嘛，告诉我嘛。”我想编个“隐私”赶快把她打发走，就说：“妈妈先告诉你，然后你再告诉我好不好?”以我对圆圆的了解,这样的交换她总是乐于接受的。但她一听,还是不能接受,无可奈何地看书去了。这倒有点让我意外,她宁可放弃听我的“隐私”,也不把自己的“隐私”讲出来。是什么事,能让一个小孩子在这样的诱惑下守口如瓶呢?

我正奇怪着,听见她爸爸从另一个屋子走出来,逗她说:“把你的秘密对爸爸讲讲,就咱俩悄悄说,不让妈妈听见。”圆圆突然发起脾气来,两只脚后跟打着沙发,“哎呀,我刚刚忘了,你又提起来,不要提这个事了,好不好!”

我看看圆圆发火的样子,走过去,揽住她,盯着她的眼睛问:“你的隐私是件让你一想就不愉快的事吗?”她想想,轻轻摇摇头。我又问:“那么,是件愉快的事吗?”她也摇摇头,有点沉重。我说:“如果你觉得不愉快,讲出来就会没事了。”她说:“我平时也没事。要是我上课,或者是玩的时候,或者是看书的时候就想不起来。什么时候想起来了,我就赶快想别的事。”

我和她爸爸交换了一下眼色。

我拿出最轻松的口气说:“咱们三个人都把自己的隐私讲出来好不好,一家人不应该有秘密。”她爸爸也来附和我的说法。圆圆看我俩的阵势,一下子从我的怀中挣脱出来,跑到离我们最远的一个角落,一边跑一边喊叫“我不说,你们别问了”,然后受惊似地回过头看着我们。她的表情动作让我心中轻微一震,好奇心被大大地逗弄起来了。

此后一个星期,我们一直犹豫着是否有必要搞清楚女儿的“隐私”。既害怕过分的追问伤了她的自尊心,又担心万一真有什么事需要家长帮助。我隐约感觉到,这件连父母都不能讲,但又让她在意,并且还“很大”的“隐私”是件让她沉重的事情,对她的心理有压力。我试探着又提了一次,她一觉察到我想问什么,就又立刻跑开了。这就更引起了我们的重视。我和她爸爸私下探讨了几次,总有些放心不下,就想设计个圈套,套出她的话来。

有一天,在中午饭桌上,我们随便聊天,我对圆圆说:“我和你爸爸已经交换过‘隐私’了。”她睁大眼睛,“真的?”她看看爸爸,爸爸点点头。圆圆有些嫉妒,“就你俩悄悄说,不让我知道。”我说:“我们准备告诉你呢。”她眼睛一亮,兴奋而迫不及待地问我:“妈妈你的隐私是什么?”我就把自己的“隐私”讲了一遍。她爸爸在她的要求下也把自己的“隐私”讲了一遍。圆圆听完后,比较满意，似有言外之意地说："你们的隐私都是好事……"我们趁热打铁，"我们一家人之间就不应该有秘密，要是我们之间都不信任，那我们还能信任谁呢，你说是不是？谁有好事，说出来大家都高兴；要是有坏事，说出来互相分担，一起解决，你说对不对？"圆圆听出了我们的用意，嘟哝说："我要是告诉你们了，对你们也不好。"我们赶快说："我们不怕，关键是害怕你受到伤害。"她说："我不说就不会受到伤害，说了才会受到伤害。"我们问为什么，她迟疑片刻，忽然又不耐烦了，"我正好这两天没想这个事，你们一说，我又想起来了……"她顿时没了胃口，剩下半碗米饭不吃就下了饭桌。这使我和她爸爸的胃口也陡然下降。

我吃完饭，没顾上洗碗，把歪在沙发上的圆圆拉起来放到膝上，严肃地对她说："妈妈觉得，你的秘密是件不好的事，妈妈特别害怕它会伤害你，你讲出来好不好？"她默默地摇摇头。我说："你只对妈妈一个人讲，不让别人知道行不行？"她爸爸赶快躲到卧室装睡。圆圆还是摇摇头。我说："你太小了，很多事情还没能力自己处理，你要是有事不对妈妈讲出来，万一这件事伤害着你怎么办，妈妈不知道就没法帮助你。"

圆圆说："说出来才伤害我呢，不说就没事。"我问，为什么呢？她有些无可奈何地说："反正就是不能说。"边说边想从我怀中挣脱出来，我以坚决的搂抱让她感到非讲不可的逼迫，同时轻轻又威严地说："讲出来，讲给妈妈听，好不好？"

圆圆低头沉默着，心不在焉地搓弄手中的橡皮泥，看得出她内心在激烈地斗争着。我不敢吱声，静静地等着。空气绷得紧紧的，我指望这种紧迫能把她的秘密挤压出来。她用手中的橡皮泥缓解着压力，把沉默拉长，到她觉得气氛微有松弛时，就又想挣脱，我就再把她抱得紧紧的，晓明利害的话再讲一次。在我的坚持下，她几次欲言又止，眼看着要出口的话，总在要吐出的瞬间被她又犹犹豫豫地咽回去。我想不出这个小小的人到底遇到了什么事，让她这样难以开口。她的顽强让我感到惊异。

我们就这样一个回合又一个回合地僵持着，一个小时在不知不觉中过去。

邻居小孩来敲门，找她上学去。圆圆从我怀中一跃而起，边说"妈妈我要上学去！"边向门口跑去。我怀里一下空了，巨大的忧虑却在瞬间充满心胸。圆圆在回头向我说再见时，一定是我眼中的什么打动了她，让她觉得不忍，在这最后的瞬间，她竟突然妥协了，说：“妈妈，我晚上回来告诉你好不好？”我点点头。她咚咚地往楼下跑去，爱人从卧室出来，百思不得其解，“巴掌大的人，会有什么事这么神秘呢？”

我下午去学校向她的班主任了解了一下圆圆近期在校情况，知道她在学校很好，没什么事。但我仍然担心，甚至担心这一下午会不会发生什么事。好容易等到她放学了，我观察她情绪和平时差不多，才放心些。可我自己追问的勇气却有些丧失。圆圆那种为了成全我而要做出牺牲的样子让我感到内疚，所以我没急着问她，像平时一样和她打过招呼，进了厨房。她也像平时一样打开电视看动画片。

晚饭前有点空闲时间，圆圆看完电视在玩。我把她叫到书房。她知道我要干什么，似乎有点不好意思，又有点无奈，倚在我腿边，犹豫片刻，看样子还是做了些思想斗争，终于说：“那件事我记在日记本上了，你自己看吧。”

日记本上有四篇日记，每篇都夹杂着一些拼音，那是她不会写的字。她指给我记录“隐私”的一篇，全文如下：

李文文告诉我她家有一把青锁剑和一把紫隐剑。她说，如果你告诉了别人，青锁剑和紫隐剑就会刺你的胃。可我还是想告诉。

我反复看了几遍，抬起头来。

圆圆看我有些不明白，对我说：“李文文说这两把剑三千年才出现一次。”我还是没听明白，问她是什么意思。圆圆告诉我，就是说，这两把剑三千年前在某个人家里，三千年后又在世界上出现，现在就在李文文家里。说完，她还加一句“李文文说这两把剑特别有神力！谁知道了都不能告诉别人，一告诉，肚子就会被刺破。”

我问：“就这事？”

圆圆点头。

“再没有其它事了？”

“没有了。”她的眼神是那样纯洁而诚实。

我由不住轻轻吁口气，笑起来。

这篇日记我其实在以前无意中看到过，当时只是为女儿的天真浅浅地笑了一下，丝毫没想到这短短的文字中竟埋伏着这么大的心思。我用脸蹭蹭女儿的小脸蛋，心疼得不知该说什么。

这件事藏在她心里已三个多月了。小小的心既要容纳一个神奇的事实，又必须承受性命攸关的保密责任，这对一个7岁的孩子来说是多么艰难和痛苦啊。我没打算以一个大人的知识嘲笑女儿的幼稚无知，倒是真切地体味到这件事让她所受到的煎熬，特别是我们的追问和害怕神剑刺破肚子的矛盾给她造成的压力。

我问圆圆："你信吗？"她点点头，又说："有时候也有点不信，我就是挺害怕的……"我慢慢说："李文文讲得像神话一样，但一切神话全是假的。神话只是故事，不是真实，所以我们根本不用相信，也不用担心，你说是不是？"圆圆点点头，眼睛忽闪忽闪的，在想什么，她忽然兴奋地叫起来："对，妈妈，这肯定是假的！李文文说只要我一说出口，剑马上就会刺我的肚子。已经这么长时间了，这不也没事嘛。"她摸摸肚子，又自我安慰地说："以后肯定就更没事了。"

我心里内疚着，由于我们自己小时候太缺少童话，就总想为孩子营造一个童话世界，却忽略了童话可能招致的负面效应，看来以后得多留心，多给她补一些生活常识课，让她不要把童话世界和真实世界完全混淆。

我这样想着，嘴里接着圆圆的话说："来，让妈妈看看刺了胃没有"，伸手进去抓搔她的小肚皮。圆圆笑得缩成一团。

特别提示

儿童并非整天无忧无虑，他们经常会有自己的心思和困惑，甚至痛苦和悲伤。家长要善于观察孩子，从细节中发现问题，以循循善诱的方式引导孩子说出来，并以恰当的方式帮助解决。

不要以成人的知识嘲笑孩子的无知，不要以成人业已成熟的思维方式批评孩子想法的幼稚可笑。每一种和儿童相处的细节，都是一场德行教育，也是一场心理健康辅导。

如何让孩子爱吃饭

吃是人的一种天性，它怎么可能需要费那么大力气去让孩子张嘴呢？

十多年前有句非常有名的广告词：“喝了娃哈哈，吃饭就是香”，卖的是一种据说可以促进小儿食欲的口服液。该产品为一个名不见经传的小企业赚进了第一桶金，而且是很大的一桶金，小企业迅速变成大企业，最终企业及企业创始人都名扬天下——这反证了一个令人吃惊的现象：现在，不爱吃饭的孩子太多了。

孩子不爱吃饭在当下成了许多家长最为头痛的问题之一，我见过不少为此忧心忡忡的家长，他们为了孩子吃饭真是费尽了心思，用尽了各种方法。

我记得在圆圆一岁八个月因为肺炎住院时，同一个病房里有一个三岁的小男孩总是不好好吃饭，一小碗饭得吃一个多小时，几乎每一口都要费一番周折才能吃进去。他妈妈、爸爸和奶奶每天为孩子吃饭用尽了招数，连哄带骗，软硬兼施，一会儿承诺给他买什么东西，一会儿夸他多么好，一会儿又大声训斥要求他必须张开嘴，整个过程让人看着都痛苦。

孩子在这个过程中想着法地折腾人，以便延缓家长对他的逼迫。他先要妈妈喂饭，让爸爸和奶奶出去站门外；妈妈刚喂两口，让妈妈出去，要爸爸进来喂。一顿饭就这样让三个大人走马灯似地不停地出出进进。他每顿饭都在提条件，不断创新着折腾人的方法。把自家人折腾完后，看到别的小朋友玩某个玩具，就要求马上给他也买那个玩具，否则不吃饭，第二天买都不行。他的父母就向别的小朋友借玩具，可每个玩具拿到手上一小会儿就厌倦了，就要换新的，他父母就不停地向别的小朋友借玩具。有的小朋友不愿把玩具给他，小男孩就更变本加厉地以不吃饭来要挟父母，他的父母于是厚着脸给别的小朋友做思想工作。而小男孩拿到父母讨来的玩具，不得不张嘴吃饭时，宛如对手中的玩具有仇，趁大人不提防，就要扔到地上，所以他总是搅得病房不得安宁，惹得别的孩子大哭。等我们这个病室里的玩具他都玩过一遍后，他父母就开始到隔壁儿童病房给他找玩具，又惹得别的房间的孩子大哭。

我终于忍不住对孩子的妈妈说，孩子生病期间胃口不好，不想吃饭是正常的，大人不也这样吗？强求孩子吃饭可能对他反而不好，顺其自然比较好。这位妈妈不爱听我这样说，她说，她儿子平时就不好好吃饭，正是因为不好好吃饭，身体素质差，才经常生病。现在生了病，想恢复就得吃饭啊，要不哪儿来抵抗力呢。

她的儿子看起来确实面黄肌瘦的。我忧心忡忡地想，他们一直这样做下去，孩子不但胃口好不起来，道德品质恐怕也要被损坏了。

吃是人的一种天性，它怎么可能需要费那么大力气去让孩子张嘴呢？

许多为孩子不好好吃饭而发愁的家长不去思考一个非常简单的问题：我国五、六十年代，包括七十年代出生的孩子，哪里听说有不好好吃饭的？那个时候家里孩子多，哪个孩子需要追着喂饭？只要有吃的，哪个孩子被饿着了？八十年代以来，特别是九十年代以后，生活越来越好，为什么孩子们会不约而同地厌食？

美国著名儿科医生、心理学家本杰明·斯巴克先生对这一问题阐述得非常清楚，他说，“为什么有那么多孩子吃不下东西？主要原因是喜欢催逼孩子吃饭的父母也不少”① ——这句话把事情解释得很清楚，孩子不喜欢吃饭的主要原因就是家长太在意孩子的吃饭，在这个问题上太强求了。孩子的正常食欲被当下物质和时间都比较充裕的大人好心地破坏了。

不是现在出生的孩子天性变了，是父母都有精力来做反天性的事了。

斯巴克先生认为，“每个儿童生来就有一套自行调节进食数量和种类，满足

① （苏）马卡连柯，《马卡连柯教育文集》，吴式颖等编，人民教育出版社，2005 年 1 月第 2 版，507 页。

正常生长发育需要的精妙的生理机制”① 也就是说孩子自己最清楚自己想吃什么，该吃多少。大人不要管，他就能正常发展自己的饮食功能；而家长在这方面如果经常干涉孩子，事情就会变糟。“儿童有一种被逼急了就要顶牛的本能。吃什么要是吃得不高兴，下次见了就讨厌……催逼儿童吃饭是无益的，反而会进一步败坏食欲，使之长期得不到复原。”②

我在一所小学见到一个五年级小男孩，他奶奶是某农业科学院的食品研究专家，在行业里很有名气。后来有一次和男孩的妈妈聊天，听她说她家每天晚上都做八个菜一个汤，每周的菜谱都是孩子的奶奶精心制定的，主要是根据孩子的发育来考虑，而保姆烧菜的手艺也不错。我们可以想象这种家庭条件下培养出的孩子，他的身体应该是健康出众的。

但令人奇怪的是这个孩子和同学们比，长得又瘦又小，像个缺吃少喝的小难民；而且性情古怪，脾气暴躁，学习成绩也不太好。她妈妈说起孩子就愁得要命。

通过和她聊天，我了解到她家庭中一些生活细节后，觉得真是“成也萧何，败也萧何”。

他们用心地把菜谱制定得非常科学，生活中对孩子也是照顾得无微不至。每天除了吃什么有规定，哪样东西吃够多少也有规定。孩子吃不到制定的标准，家长就不肯罢休，一定要想办法让孩子“完成任务”。他们的方法如果用于生产一架机器或培育一株玉米，肯定会成功，可惜面对的是一个有独立意识的孩子。

当我试图劝这位妈妈在孩子的吃饭问题上不要过分追求“标准化操作”，不要在饭桌上逼迫孩子时，当妈的立即摇头说，孩子太会耍花招，有几天说如果家长不因为吃饭唠叨教训他，他就好好吃；结果他一筷子只夹一根菜，一根菜放嘴里嚼半天，一顿饭下来，其实只吃了很少的一点。这位家长突然忿忿地说：“我们现在都不管他了”。

可从她接下来的话我才听明白，所谓“不管”，只是换了管的方式，每顿饭

---

① （美）本杰明·斯巴克，《新育儿百科全书》，翟宏彪等译，今日中国出版社，1989 年第 1 版，429 页。

② （美）本杰明·斯巴克，《新育儿百科全书》，翟宏彪等译，今日中国出版社，1989 年第 1 版，427 页。

都给孩子单独盛出一大碗，不管他吃多长时间，都必须吃完——妈妈觉得自己已做得很够意思，不再像以前那样总因为吃饭和孩子发生冲突了。但令她气愤的是，孩子居然有时能把这碗饭一直吃到睡觉。

我还是想劝说这位家长，让她替孩子着想一下，体会一下自己不想吃饭别人硬塞的感觉，建议她不要那样和孩子天天顶牛，允许孩子少吃一些。这位家长立即反驳说，他是个男孩子，个子长不高怎么办，全家人为这个着急死了，不多吃些怎么能长个子呢！

我能理解她的着急，就不死心地想让她明白，孩子的情绪和进食有很大关系，只有先解决孩子的厌食问题，才能解决进食问题，而厌食的根源就是家长对孩子的吃饭太斤斤计较了。

这位妈妈对我的话没有兴趣，在言语间表示我不懂得食品营养，不知道一个长身体的孩子每天需要哪些营养，必须达到多少量。她认为婆婆在这方面比谁都懂，觉得不需要别人指点。

在这样的家长面前，我黔驴技穷了。

有一天，我在学校午餐时观察了一下男孩。他的饭盒里只要了很少的东西，几乎没吃一口，整个午餐时间他只是做样子，用勺子拨拉几下饭，但没有一口送进嘴里。到别的同学吃饭结束后，他把所有的饭倒进垃圾桶，走出食堂。他班主任说这个孩子几乎天天这样，从不吃学校的饭。以前向他家长反映过，家长就要求老师盯着他吃饭，并流露出对老师的责怪。老师要关照全班学生，怎么可能天天盯着他吃饭，所以现在也不对他家长讲这回事了。

看着那孩子瘦小的身体、目光里的飘忽不定和不时流露的敌意，我心里有说不出的遗憾。家长对孩子充满了期望，不仅希望他学习成绩好，将来能上名牌大学；也希望他心理健康，能生活得幸福；同时还希望他身体健康，长得高高大大，外表出众。可单是吃饭这一件事，弄不对了，对这方方面面就不知有多大的破坏作用。从吃饭这件事再猜测这个孩子的家长在另一些事上的做法，恐怕也是刻板而缺少对孩子理解的。唉，如果那样的话，他们的许多希望，恐怕都要竹篮打水一场空了。

如同在学习问题上我对那些干涉过多的家长们说“不要管孩子”，往往会遭到这些家长的反感一样，在吃饭的问题上对那些斤斤计较的父母们说“不要管”

的话，同样也会遭到人家的白眼。“不管”在许多父母那里真是件非常难以做到的事。原因在于他们不认为自己的“管”是多余的，也不相信这叫“干涉”，他们坚信这叫关心和指导。所以，如果有人让他不要“管”孩子，就如同让他放弃做家长的责任和权利一样难以接受。

可事实是，如同在学习问题上越“管”越坏一样，“在吃饭的问题上同孩子斗狠比犟，父母没有不败的”①

如何让孩子有正常的食欲？这其实非常简单，就是四个字：顺其自然。

家长在孩子的吃饭问题上不强迫不焦虑，相信孩子知道自己吃多少。孩子某一天胃口大开，什么都想吃，某一天却什么都不想吃，这都正常。从一开始你就只是注意食品的营养搭配，把应该给孩子吃的东西拿上桌子，但他吃哪一种，吃多少只是自己的事，那么孩子就不会出现厌食的情况，你在这件事上就做得又简单又成功了。

如果孩子已出现了厌食症状，斯巴克先生在这方面给出了一些很好的具体指导，归纳他的指导，有如下内容：

第一，家长改变态度。在孩子的吃饭问题上态度平淡，吃多了不表扬，吃少了不批评，这个问题上始终平和愉快，让孩子不再因为吃饭的问题而感觉有压力。孩子拿起饭碗时心理上轻松，才有可能产生正常食欲。

第二，如果孩子已出现了厌食症状，就不要指望他半月二十天就能恢复。家长要有耐心，这份耐心不是来自你强压焦虑的暂时的镇静，而应该来自你正确认识后彻底的坦然。孩子的恢复需要很长时间，几个月甚至几年。在这个过程中，如果父母只是由明处强迫变成躲在暗处盯梢，到一定时间终于忍不住又去唠叨孩子，那么一切都将前功尽弃。

第三，不要在各种食物间划杠杠，不能说这个有营养要多吃，那个没营养要少吃。有没有营养要靠家长在做饭时调节。拿上桌的食品就要允许孩子自己选择。对于孩子不喜欢吃的食品不可以用条件来威逼，比如不要对爱吃肉而不爱吃菜的孩子说“如果不把菜吃了，就不给你吃肉”。这样的话只能让他更讨厌吃

① （美）本杰明·斯巴克，《新育儿百科全书》，翟宏彪等译，今日中国出版社，1989 年第 1 版，429 页。

菜。不妨把话反过来说，“必须吃完肉才给你吃菜”，这样倒可能刺激他对菜的兴趣。

第四，让孩子自己吃饭，不要喂。孩子从一岁半左右就可以自己吃饭，父母不要把辛苦用在给孩子喂饭上，只需用在收拾被孩子弄下的“烂摊子”上就可以了。经常喂饭会影响孩子的食欲，而且影响儿童手部技能和肢体技能的发育。有的三、四岁的孩子养成了坏习惯，家长不喂他就不吃，喂就吃几口。这种情况要立即改变，告诉孩子以后自己吃饭。如果他不肯，就饿几顿，肯定饿不着，坏毛病几天就改了。

第五，不要和孩子在吃饭的问题上谈条件。比如有的家长总喜欢说你要是好好吃饭，我就给你买玩具或带你出去玩，这一类的话都会对孩子吃饭造成消极影响，而且教会他用无理要求来要挟父母。

2008 年 4 月，我看到湖南某地方电视台一档育儿节目，谈孩子不吃饭怎么办的问题。

电视中小男孩大约有五、六岁，家长特别希望孩子长得高高的，可孩子就是不好好吃饭，爷爷奶奶、爸爸妈妈为此都很发愁。

电视台请某大学一位教授支招，教授给出了一个“玻璃球治疗法”。就是准备一个罐子和二十颗玻璃球，罐里先放十颗玻璃球，孩子哪天吃得好就加一颗，不好就减一颗。当时孩子急于去买一张《奥特曼》光盘，但必须瓶里攒够二十颗才可以去买。

电视台把这当作好方法呈现给观众——可这是个典型的“馊主意”，是一种畸形的诱惑——它让孩子把吃饭当成一种功利行为，教孩子拿吃饭来和家长讨价还价。节目没交代操作后效果如何，但我可以断定，它最多只有一个短期“效果”，即延续到《奥特曼》买回家。接下来家长当然可以再利用孩子的新需求，向孩子提出吃饭要求。但孩子没有那么大毅力，他不会坚持的，他会很快厌倦和家长玩这种“游戏”。

这个方法不仅不会从根本上改变孩子的厌食问题，反而让孩子在以后玻璃球总是难以攒够的挫败中，更加痛恨吃饭这个事。

有的家长并不逼迫孩子，但经常有不良语言暗示，也会导致孩子厌食或偏食。

我的一个朋友，她在孩子很小的时候，就总是一脸焦虑地当着孩子的面向别人抱怨说孩子不好好吃饭。我多次提醒她不要这样说，即使想说，也要背着孩子，别让孩子听到了。但她一直不在意，或者是形成了习惯，总不自觉地当着孩子的面唠叨孩子不爱吃饭这类话。她的孩子现在已十多岁了，胃口一直不好。

我还听另一个朋友说，她儿子小时候原本是喜欢吃羊肉的，但她丈夫不喜欢吃羊肉。后来有两次家里做了羊肉，孩子正要吃时，爸爸无意中提醒说“那是羊肉”，言外之意是“你肯定自己会吃吗?”孩子在这种口气中捕捉到了父亲对羊肉的排斥，感觉到父亲的口气是说“那东西挺难吃的”，以后就再也不肯吃一口羊肉了。

所以当孩子表现出不爱吃饭或不爱吃某种东西时，你千万不要说出这件事，更不要因此教训他，也不要急于找替代品。就装作不知道，该让他吃什么，就把什么东西拿来；甚至要找机会故意用语言来暗示他很喜欢吃这个。比如当着不爱喝牛奶的孩子的面对别人说，我儿子什么都爱吃，不挑食，一口气可以喝下一大杯牛奶。

圆圆大约五、六岁时，我带她回姥姥家，她受我大哥的孩子，她的豆豆姐姐的影响，也变得不吃羊肉了。回到自己家后，我做了羊肉她不吃。我不管她，也没说什么，假装没注意这个问题，毫不在意地接下来该做羊肉继续做。我做了两次羊肉水饺，她吃之前总问是什么肉，我告诉她羊肉，她就不吃了。我给她另弄点吃的，没说什么。

我知道她爱吃肉酱面，接下来我就用羊肉炒了肉酱。以前吃肉酱面从没用过羊肉，圆圆这次也就没问我什么肉，吃得很香。吃完后，我才装着对先生说，今天家里没有猪肉了，就用羊肉做肉酱，真好吃。圆圆听我这样说也许有些不愿意，可饭已经进肚里了，没办法，只好接受了。

我还买了半成品的烤羊肉串，回家来用微波炉烤得满屋飘香。她爸爸说，吃这么香的肉串，得喝口酒；我也说好长时间没吃肉串了，真香。圆圆经不起这诱惑，终于拿起肉串大吃起来。

最后还要提醒家长注意的是，尽量少让孩子吃零食。孩子饭量本来小，吃些零食往往就饱了，上了饭桌自然没食欲。

还有家庭气氛是否轻松，父母关系是否和睦，也影响孩子的胃口。此外，儿童妒忌兄弟姐妹或其他周围的孩子，感受到不公正的待遇，或受到其它消极情绪影响，也会出现厌食症状。做父母的应该在这些方面多留心。

一个朋友打电话来，说她上幼儿园的孩子不爱吃饭，她给在乡下的婆婆打电话诉苦，婆婆满不在乎地说“饿他两天就行了”。这句话让做儿媳的很不高兴，说当奶奶的怎么能说出这种话。我笑了，说如果你向我请教，我也是这句话：不信饿他两天试试看！

当然，不一定真要饿孩子两天，但这句话传达的洒脱的理念，确是个法宝，能让孩子“吃饭就是香”，效果肯定会超过那种口服液。乡下的婆婆一定是以自己丰富的经验悟出了这个绝招。

特别提示

孩子不喜欢吃饭的主要原因就是家长太在意孩子的吃饭，在这个问题上太强求了。孩子的正常食欲被当下物质和时间都比较充裕的大人好心地破坏了。

在吃饭的问题上同孩子斗狠比犟，父母没有不败的。

如何让孩子有正常的食欲？这其实非常简单，就是四个字：顺其自然。

当孩子表现出不爱吃饭或不爱吃某种东西时，你千万不要说出这件事，更不要因此教训他，也不要急于找替代品。就装作不知道，该让他吃什么，就把什么东西拿来；甚至要找机会故意用语言来暗示他很喜欢吃这个。

睡觉不怕吵　学习不怕吵

无菌舱里培养不出体格健壮的人，靠消灭周围正常声音来成全学习的做法也没有道理。在一个正常环境中备受打扰的孩子，他在安静的环境中同样容易受到打扰，真正打扰他的不是那个声音，是他寻找声音的习惯。

这些年不时地去看刚生了宝宝的亲戚、朋友或同事，发现不少人总是非常小心地呵护着婴儿的睡眠。说话声音压得低低的，把电话线也摘掉了，生怕有什么动静吵醒孩子。家长爱子心切可以理解，但这样做是错误的，可能正是给孩子将来的睡眠制造麻烦。

我很庆幸在圆圆出生前读到一本《新育儿百科全书》，这本书非常好，是美国一位著名儿科医生、儿童心理学家写的。当时也买了另外几本“国产”育儿书，看完后，觉得这本“进口”书的育儿观处处追求“自然”，却又科学客观，很合自己胃口。比如在婴儿睡眠这个事上，我当时看到的“国产”书里都讲孩子出生后，应该尽量给他一个安静的环境，让孩子有良好的睡眠。而这本书里却是这样写的：

“家里有些动静，一般不会影响孩子睡觉。父母在房间里走动不用蹑手蹑脚，说话也不必悄声细气，否则孩子习惯了寂静的环境，突然听到一点声音反而容易惊醒。无论婴儿还是儿童，只要平日习惯了家里的一般嘈杂声和说话声，即使有客人来访谈笑，或收音机、电视机打开着，甚至有人走进他们的卧室，他仍然可以睡得很香。”①

短短一段话让我受益匪浅。

这段话提醒我，孩子的睡眠完全可以和大人的正常活动做到两不打扰，一个略有噪音的环境还有利于养成孩子睡觉不怕打扰的好习惯。所以圆圆出生后，我们该干什么干什么，说话声、电视音量平时多大还是多大。而床上这个小婴儿也确乎表现出不怕打扰的样子。她满月时在照相中的表现，更加深了我的这种印象。

当时我家还没有相机，圆圆过满月时就从外面找个人来家里给她照相。摄影师来了，这个小婴儿正睡着。因为摄影师接下来还要到另外一家人那里拍照，不愿等，我们就决定把孩子弄醒。

我先轻摸她的脸蛋，用平常的声音喊她醒来，结果没反应。

于是把小被子揭开，一边活动她的四肢一边用稍大的声音跟她说话，她还是不理睬。

她爸爸在旁边说，抱起来应该就醒了。我把她抱起来，拍拍她的屁股和背，左拍右拍，好像都拍在别人身上，她的头靠在我胸前睡得更香了。

大家觉得又奇怪又好笑，连摄影师也说真是奇怪了，怎么叫不醒呢。然后我们又用手轻挠她脖子处痒痒肉，她只是头和脖子微微扭动一下，脸上还出现一个浅浅的微笑，鼻息均匀，继续她的美梦。

最后，姥姥使出绝招，拿来一块毛巾给她擦脸，又湿又凉的毛巾擦到她粉嫩的脸上，可小家伙仅仅是鼻子微微地皱了一下，然后面目恬淡，神情泰若，更加自我地酣睡着，就是不醒来。

这样折腾了近半个小时也没把她弄醒，没办法，我们只好让摄影师先到别人家照，返回来再给我们照。可摄影师走了还不到十分钟，圆圆醒来了，她先是扭动一下身体，睁开眼睛，然后小嘴一咧，哭起来，要吃奶了。我们真是又气又笑——也太自我了吧。

这件事让我们发现，孩子岂止是“不怕打扰”，简直是“特别地不怕打扰”。因为一般情况下人们没有必要把一个正在熟睡的婴儿叫醒，所以这个现象也不容

---

①（美）本杰明·斯巴克，《新育儿百科全书》，翟宏彪等译，今日中国出版社，1989 年第 1 版，177 页。

易被发现。从那以后，我们就更不担心有什么声音能吵着她了，而她也确实能在任何声音里睡得香甜。

事实上，圆圆稍大一些后是很容易被叫醒来的。从她一岁多开始，我们几次因为赶火车，需要半夜起来，我只要轻轻一叫她，她就能醒来，不哭不闹的，非常乖巧。但在平时，她却总是睡得很沉，只要这个声音不是专门叫她，就吵不着她。她的耳朵好像有特别的功能，能把无关的声音过滤掉。

大约她 2 岁左右，有天晚上我和她爸爸在临睡前因为一件什么事大声争辩，当时圆圆和我们在一个屋里，已睡着了。我们开始还担心把她吵醒，但发现她睡得很踏实，根本没有被打扰的迹象，于是声音越来越高，痛快地吵了一架。父母掀起一场声音的疾风暴雨，圆圆却始终像在摇篮曲中睡得那么香甜。

有一些婴幼儿，他们睡觉好像确实怕吵，这种情况，除了个别特别敏感的孩子，一般是在出生后前几个月的时间里惯出坏毛病了。还有一些婴儿在头三个月里会发生腹部绞痛，这也会导致他们突然惊醒啼哭，而大人经常误以为他们是被吵醒了。无论哪种情况，家长也不应该娇纵他睡觉怕吵的习惯，应想办法让他逐渐适应生活噪音，学会睡觉不怕吵。

一个简单的生理问题如果一直被错误地解决，最后可能会变成一个心理问题。

我听一位读研究生的女孩子说，她宿舍有一位室友，睡觉特别怕吵。宿舍 4 个人，尽管其余 3 人一直小心，这位室友总是抱怨宿舍的人弄出动静吵得她睡不好；当另外 3 人都不在宿舍时，她抱怨走廊里有人说话吵到了她；到半夜走廊里没人时，她也会睡不踏实，因为窗外还总会不时传来什么声音。她的睡眠问题似乎只有做鲁滨逊才能解决。

可以想象这个女孩给同宿舍的人带来很多麻烦，而最痛苦的是她自己。据说这个女孩的妈妈也是睡觉特别怕吵，这方面就从小呵护她。可这呵护不是给孩子造福，而是给她带来可能一生甩不掉的麻烦。

就像对睡眠环境常有“安静”要求，人们也习惯于在学习环境上要求安静。但也正像适当的噪音有助于良好睡眠习惯的养成，适当的噪音也可以培养孩子们在学习方面的抗干扰能力。所以在孩子学习环境方面，也不应该过分追求安静，以免物极必反。

现在一个比较麻烦的倾向是，在学校里或家庭里，我们总在尽力创造“安静”的学习环境，除了课堂以“安静”作为审美标准，以喧闹为坏现象，甚至连小学的活动课也要求孩子们不出声。这方面经常是做得太过了。

我在北京某小学看到，每天放学前的活动时间被称为“管理班”时间，这个时间原本是让孩子们自由活动的，可实际上它变成了自习课。每班都有一个老师管着孩子们，一旦哪个孩子说话，就要被老师大声训斥。有的班纪律不好，老师就要不停地声嘶力竭喊叫或敲击讲桌以维持“秩序”——学校里这种从早到晚求安静的现象其实非常普遍，从我上小学时就这样，现在似乎更变本加厉。

圆圆上小学二年级时下午开始有了自习课，老师不总是跟在教室里，大部分时间由班干部维护秩序。圆圆当时是班长，老师要求她管好自习课的纪律。孩子们已被管了一天了，这个时间好不容易没有老师管束，哪里肯听小班长的话，自习课总是乱哄哄的。圆圆管了这个，那个人又开始说话，尤其她自己埋下头刚写了一点作业，教室里一下就乱了套，她又得重新站起来维持纪律。教室里的声音往往大得淹没她的声音，圆圆就得大声喊叫，才能重新让教室里安静一小会儿。

这种做法根本不符合圆圆的天性，而老师又总是要求她对自习课的“纪律”负起责来，这让她左右为难。过了一段时间，她居然写了个“辞职报告”，要求辞去班长的职务，想当文艺委员。我问她为什么，她说文艺委员不需要在自习课上管人。事情把孩子逼得连“官”都不想当了！

小学是儿童的活动场所，孩子的天性就是活泼好动。嘈杂到底怎么了，它真能妨碍到谁的学习吗？不少教育工作者都形成了“安静癖”，甚至这种癖好已到了伤害儿童的地步。

我听一个朋友说，她儿子所在小学创建“文明校”，创建活动中有个项目是搞“无噪音走廊”。就是下课不许孩子们在走廊里大声喧哗。学校天天派小干部们在走廊里巡视，抓喧哗者。小干部们把握不好标准，经常是哪个孩子一不留心说话声音稍大就被记下来，就要扣班里的分。结果各班主任们为避免扣分，下课把学生关在教室，不让学生到走廊中，谁想上厕所先在教室里排队，一个上完回来另一个再上。听说这个学校的走廊确实很安静，经验还被推广到别的小学……

在“无噪音走廊”里成长的孩子，他所感受到的，实质是学校教育的野蛮。这样一种创建“文明校”活动，能让孩子们心底生长出什么样的“文明”呢？

教育应该为培养孩子的习惯而工作，不应该追求表面的整齐和迎合某些消极癖好。在学习环境方面，既不需要故意制造喧闹，也不需要过分追求安静，顺其自然才是最好。学习环境如果符合儿童的天性，孩子能自然形成学习上的抗干扰能力，他们在这方面有惊人的生长力。“学习不怕吵”和“睡觉不怕吵”事实上是同一个问题，可以有相同的解决思路。

请看这所小学是如何做的——

孩子们在学校里是如此自由，每天想上什么课都是孩子们说了算。这所学校从不以“干扰别人”这样的原因制止孩子们做自己想做的事，所以在它的图书室里，有人看书，有人唱歌，有人朗读，有人画画。在一般人看来，这里可是够喧闹的，但实际上孩子们却是互不打扰，各干各的，自得其乐。学校这样做的目的，正是为了培养孩子们的抗干扰能力，目的是让孩子们学会“无论周围怎么嘈杂，都能够立刻集中精力！”①

这所学校让孩子们感到快乐，每个孩子放学后都不想离开，第二天早晨又想早早到校。它招收的学生都很平常，甚至有些是身体有残疾或被别的学校开除的，但学生们经历过这样的小学教育后，最后却几乎个个成才——这就是那本很有名的《窗边的小豆豆》写到的学校：巴学园，它存在于70多年前的日本，创办者是日本教育家小林宗作先生，他的教育思想在今天看来仍非常先进，值得推崇。

在家庭中，家长们当然应该尽量给孩子提供一个安静的不被打扰的学习环境，但这方面也是正常就好，不要太苛求了；如果家长在这方面太用心，甚至表现出焦虑，不但没有好效果，反而有坏作用。

我曾经遇到过一位邻居，她住在我的楼下。大约在圆圆读初中时，她的女儿正要高考。当时圆圆要参加二胡考级，由于上住宿制学校，只能每个周末回家时练琴。结果只要圆圆的二胡声一响，楼下就开始敲暖气管。开始我们不以为是针对我们来的，因为那个楼虽然隔音不太好，但谁家有什么声响，仅仅是隐约听到，那音量根本影响不到自己。后来又反复几次，我们才确信那个声音就是制止圆圆练二胡的。

我后来在电梯里遇到一些邻居，从他们的言谈中知道这位母亲抱怨别人家的

---

① （日）黑柳彻子，《窗边的小豆豆》，赵玉皎译，南海出版公司，2003年1月第1版，167页。

声音影响了她女儿的学习，所以总敲暖气管，甚至“登门拜访”过一些人。大家在心里可能也觉得她做得有些过，不过人们还是很支持孩子高考，都自觉地减免了家里的各种声音。

圆圆不能在晚上练二胡了，只能在周六上午，即那女孩去学校上课时练。那段时间也听不到邻居家弹钢琴的声音了，只是不时地听到楼下敲暖气管的声音，看来影响他家孩子学习的声音是消灭不尽的。我当时就替这个高三的女孩担忧，家长响亮地敲打暖气管，其实是不断地提醒孩子这里有噪音那里有噪音。整天竖起耳朵搜索噪音，能把心思放在学习上吗？

令人遗憾的是那个女孩真的没考上大学，我知道的结果是她又复读了。

当然也有可能是孩子自己不想学习，找借口说别人吵着她了，这种情况下，家长更不能助长孩子的坏毛病。

无菌舱里培养不出体格健壮的人，靠消灭周围正常声音来成全学习的做法也没有道理。在一个正常环境中备受打扰的孩子，在安静的环境中同样容易受到打扰，真正打扰他的不是那个声音，是他寻找声音的习惯。

孩子成长中会遇到很多问题，家长不可能为孩子营造出每一种理想的生长条件。培养孩子适应环境的能力，就等于为他提供了能随身携带的好环境。

圆圆读高中时，她姥姥来我家，总担心电视声音会吵到她的学习。我们就一次次地告诉她姥姥没事，您什么时间想看电视就去看。

我们说的是真心话，只要不把电视机搬到圆圆的屋里，她把小屋门一关，根本就不受任何事情打扰。我们一直有意无意地培养她的抗干扰能力，在她上小学时甚至怂恿她边看电视边写作业。

高考前两个月，在距离我家不到100米处，一幢新大楼开始动工。大型车辆因为白天不能进市区，晚上才可以行驶。所以每到晚上十一、二点，外面就开始传来大卡车的轰鸣声，钢筋石块的装卸声，工人们操作时的叫喊声，一直得持续到凌晨三、四点。和我们一个楼上另有两位考生，他们的家长去找过工地，但没什么结果。北京市好像有规定，高考期间居民楼附近的工地不许夜间施工，但那个工地一晚都没停歇。施工单位只是不断地在居民楼里张贴道歉告示，希望人们谅解。

我和她爸爸心里也有些着急，但想想施工单位有他们的难处，觉得去找他们也没什么效果。我们在家里所能做的，就是避免提醒，而不是去抱怨。

我们在圆圆面前从没提到一句关于工地的噪音的话。观察她每天心态平和，猜测她可能压根就没注意到这个问题，我们也假装什么事都没有，丝毫没有流露出对噪音的焦虑。

那一阶段圆圆的睡眠也很好，这可能也得益于她从小养成的睡觉不怕吵的习惯。高考前圆圆说自己怎么感觉不到很紧张，是不是不在状态中啊。考试结束后，她惊奇地说怎么考试就过去了，也没失眠一次。

直到这时，我们才敢问她是否受到外面工地的打扰。圆圆在我们的提醒下才发现外面的工地开工了，她说这些天有时候感觉到外面噪音很大，但没顾上在意，没发现它有这么吵。

家长应该给孩子积极的影响，让孩子学会和周围的环境和谐相处，而不是处处苛责，处处想改造。

带着这样的想法来看“噪音”，它们就不再是噪音——邻居家里传来的电视声、吵架声，汽车在路上的行驶声和喇叭声，工地上机器的轰鸣声——它们是城市天籁，我们实在没有必要被这些声音困扰。

在很多类似的小问题上，都可以有这样一种坦然的态度，由此解决的则可能是个大问题。

与其说“睡觉不怕吵”是个生理问题，不如说在某种程度上它也是个教育问题。

特别提示

孩子的睡眠完全可以和大人的正常活动做到两不打扰，一个略有噪音的环境还有利于养成孩子睡觉不怕打扰的好习惯。

家长不应该娇纵孩子睡觉怕吵的习惯，应想办法让他逐渐适应生活噪音，学会睡觉不怕吵。一个简单的生理问题如果一直被错误地解决，最后可能会变成一个心理问题。

教育应该为培养孩子的习惯而工作，不应该追求表面的整齐和迎合某些消极癖好。在学习环境方面，既不需要故意制造喧闹，也不需要过分追求安静，顺其自然才是最好。

孩子成长中会遇到很多问题，家长不可能为孩子营造出每一种理想的生长条件。培养孩子适应环境的能力，就等于为他提供了能随身携带的好环境。

不怕小动物

不要让孩子有“怕”。不怕小动物，也不怕“大灰狼”，不怕“警察”，不怕“鬼”——道理都是一样的。

很多人都惧怕某种小动物，那是一种痛苦的体验。没有惧怕或惧怕不深的人，体会不到那种折磨。

我非常害怕一种小动物，不光怕活物，也怕图片，甚至连文字也害怕。原本很喜欢看电视《动物世界》，就因为偶然在镜头上看到这种小动物，从此后就再也不敢看这个节目了。即使节目讲毫不相干的其它动物，也不敢看，怕万一遇到。所以在这里写到这个问题，都不能写出这个小动物的名来，否则这篇文章也写不下去。

我知道这很病态，但克服不了。它不是毅力的事，就像人不可能靠毅力治愈疾病一样。

我曾在大学里选修过一门心理咨询课。有一节课就是讲如何克服惧怕小动物。老师采用的是“脱敏疗法”，让我们闭上眼睛，想象自己害怕的那个东西在很远很远的地方，然后让它一点点地慢慢地往自己跟前移。每当感觉害怕时，就停顿一小会儿，让自己适应一下，能接受了再往前移。

一些同学通过这个方法，慢慢地觉得自己害怕的某种小动物不那么可怕了，可以接受了。只有几个人做不到，我就是其中之一。因为我根本不能接受那个东西的存在，更不要说让它往近处移，只要视线中有一点影像，就吓得赶快把眼睛睁开了。

用心理学来治疗我的恐惧看来比较难。我常想，如果这个问题能在我幼年时代解决，也许会容易得多。

我仔细回想惧怕的根源，觉得可能和我母亲也怕这种小动物有关。

我依稀记得我很小的时候，我妈妈突然看到这种小动物时那种惊恐的神情。当她发现我也害怕这种小动物时，就很注意保护我不被吓着。比如哥哥要是拿这种小动物玩具来吓我，妈妈就会批评他说，你不知道妹妹怕这个吗？这对我可能也是个心理暗示。

不管什么原因，既然已被种上这样的恐惧，并深为此事苦恼，那我就希望我的孩子不要有这类困惑。尤其女孩子，容易害怕什么，这方面我们就很留心，尽量让圆圆什么都不怕。

我带着她观察和欣赏各种小动物，玻璃箱里的蛇，土坯下的潮虫，甚至欣赏蜘蛛。

本来我有些害怕蜘蛛，但怕得不太厉害，可以忍受，为了让圆圆不害怕，就硬着头皮和她一起观察，最后甚至大着胆子用手去抓。我表面上总是做出一点都不害怕，甚至是喜欢的样子。而对于我最害怕的那个小动物，则多次让她爸爸领着她去看。

她爸爸在和圆圆一起看时，故意以欣赏的口气谈论它，暗示这个小动物多么可爱。

不知是遗传还是受到过我某种表情的暗示，圆圆第一次看到这个小动物时，似乎也有些要躲的意思。经不住爸爸的引导，慢慢就接受了。现在她一点都不害怕这种动物，也不害怕别的小动物。有些小动物她不喜欢，但最多是不用手去抓它们，不需要忍受任何惧怕的痛苦。

这方面我得出的几条经验是：

第一，大人害怕什么，不要在孩子面前表现出来，尤其是孩子小时候。比如圆圆小时候我从来不让她知道我怕那个小动物。在给她讲故事时偶然会在书上遇到。要是按以前的样子，我会吓得一下子把书扔掉。但为了不吓着圆圆，就硬是忍下来了，找个借口赶快翻过这一页就是了。爸爸领着她去看那个小动物时，我只是假装去做别的事，不让她知道我是因为害怕才不过去一起看。等她长大些后才知道我害怕那种东西，那也就影响不到她了。

第二，如果孩子已表现出害怕什么，要创造机会让他慢慢接触那个东西，一点点接受，如果能想办法让他接受了第一次，以后就会越来越容易。我记得我小时候有一次差一点要接受那个小动物了，因为几个小朋友都在玩它，我也开始有些兴趣了，但当时没有人鼓励我，就在我快要接受时被人提醒，你怕这个，别玩了。

第三，不要出于保护孩子而强化他对某种东西的恐惧，只要转移注意力就可以了。比如孩子表现出对某种东西害怕时，不要以怜爱的口气安慰孩子说“不要怕，我们不怕它”，这种安慰是一种无意识的奖赏，让他觉得害怕是应该的；大人这时应该用轻松的口气谈别的事，转移孩子的注意力，让他觉得家长没在意他的恐惧，这样他就会觉得自己的恐惧可能没必要。

第四，不要当着孩子的面，对别人说他怕什么东西。大人这种议论会更加强化他的恐惧心理。

好像有一种说法，在所有消极感受中，比如悲伤、焦虑、压抑等，惧怕是最折磨人的。人生“无怕”也是一种难得的境界，这需要从童年开始，从具体的小事上开始。

不要让孩子有“怕”。不怕小动物，也不怕“大灰狼”，不怕“警察”，不怕“鬼”——道理都是一样的。

特别提示

这方面我得出的几条经验是：

第一，大人害怕什么，不要在孩子面前表现出来，尤其是孩子小时候。

第二，如果孩子已表现出害怕什么，要创造机会让他慢慢接触那个东西，一点点接受，如果能想办法让他接受了第一次，以后就会越来越容易。

第三，不要出于保护孩子而强化他对某种东西的恐惧，只要转移注意力就可以了。

第四，不要当着孩子的面，对别人说他怕什么东西。大人这种议论会更加强化他的恐惧心理。

如何让孩子自觉地少看电视

要尽可能减少环境中的诱惑，而不是劝说孩子去抵抗诱惑；要用“人性”来体恤孩子，而不是用“神性”来要求孩子。我认为每个孩子都是非常懂得感恩的，如果家长在和他的相处中很体贴他的心，他也会反过来以他的“懂事”和“听话”回报家长。

台湾作家李敖尖锐地说：“电视是批量生产傻瓜的机器。”他的话不是没有道理。

据研究资料显示，人在看电视时的脑电波和睡眠时的脑电波非常接近。坐在电视机前，大脑无需主动去反应任何问题，身体也是一种松懈状态，这对大脑和身体正处于发育时期的少年儿童非常不利。

学龄前经常看电视的孩子和经常阅读的孩子相比，上学后智力差异明显。

因为儿童早期是智力启蒙的最佳机会，而智力发育需要获得不断的信息刺激。电视是被动的、生活化的活动，孩子能从电视上了解到一些东西，但和阅读相比，它对儿童的智力刺激作用很小，所以智力启蒙效果也很小。用电视启蒙而不注意阅读启蒙，是捡了芝麻丢了西瓜。

还有习惯的问题。孩子从小长时间地在电视前呆着，容易形成离开电视就无所适从的状态；任何需要付出意志努力的事情，对他来说都有困难，都提不起兴趣。这种惰性会迁移到学习上，使他对学习这种需要主动意识和意志努力的活动望而却步。

一般来说，圆圆想干什么我们都不会阻拦，唯独在看电视这个事上，曾对她控制比较严。

但这“控制”从没有被她察觉，因为我们基本上没对圆圆说过“别看电视了”这样的话，也没给她规定每天只能看几个小时电视，更没有强行关闭过电视。所以就她个人的体验来说，没觉得家长在这件事上管过她。相反的是，我们的一些行为看起来倒像是纵容。

比如在她上小学时，电视剧《还珠格格》火爆一时。本来我家很少看连续剧，我觉得看连续剧太浪费时间。这种观念从小就影响着圆圆，她一般情况下不会主动要去看一个连续剧。《还珠格格》刚播出时我们不知道，她在学校听同学们说这个很好看，就回来找到这个节目，一看就被吸引住了，里面的主角小燕子让她着迷。

电视剧每晚放三集，从七点半到十点，而这个时间原本是圆圆写作业、练二胡、读小说的时间。按她的习惯是每天回家先写作业，再练二胡，然后读小说或玩耍，九点半睡觉。现在，到电视剧开的时候，她一般刚写完作业，等到电视剧放完了，已经过了平时睡觉的时间，二胡肯定是不能练了，小说也没时间看了。

小说暂时不看倒没什么事，她刚学二胡不久，必须天天练。我心里有些着急，这时很自然地想到建议她每天少看一集电视剧。但这个念头马上被否定了，她那么喜欢看，剧情一环扣一环，今天看完了等不到明天，怎么能忍心让她每天少看一集呢。况且，就说我忍心，强行让她少看一集，她也不可能在那个时间有练二胡的心，没有心怎么能练好呢?

其实圆圆自己也着急。看电视的时候她很陶醉，等到看完了，却发现已经没有练二胡的时间了，她也很内疚。但以她当时的意志力，她还做不到主动要求少看一集。

我开始动脑筋去想一个解决办法。

经过斟酌，我和圆圆商量，能不能以后回家先练二胡，然后再写作业。也就是说，电视剧开始之前练二胡，练完二胡后电视剧差不多就要开了，然后一边看电视一边写作业——我这个建议在许多人看来真是疯了，怎么可以教唆孩子一边写作业一边看电视，孩子最怕的是学习不专心，他们应该从小养成好的学习态度。

我是这样想的：小学生的作业其实多半是体力活，他们在完成作业时并不需要动用多少脑力，不需要深入思考，孩子们只要调动一部分注意力就可以完成作业；而看电视本身又是件不需要付出任何努力就可完成的事。写作业和看电视这两件事都比较简单，应该可以同时进行。这是一心二用，但并不影响什么，如果说有些影响，也并不严重，总体权衡还是个好办法。

圆圆一听我的建议，非常愿意，这样她就可以把写作业和练二胡这两个最当紧的事情都完成，又不耽误看电视。由于家长的信任，孩子心里没有任何不自在，她果然把这几件事协调得很好。电视剧开始之前先练二胡，然后边看电视边写作业。

事实上，在电视剧播放过程中，圆圆总因为看得太投入忘了写作业，但只要一插广告或片头片尾曲时，她就会赶紧抓住时间写一些。她写作业的速度因此明显加快了。同时她也更懂得利用学校的时间。为了晚上回家看电视方便，她在学校就尽量利用各种零散时间，回家后见缝插针地写一些，作业就都能完成。

大约是隔了几个月或是一年的时间，电视台开始播《还珠格格》第二部，圆圆又开始了一个看电视的“狂欢期”。我记不清她每天回家后具体时间是如何安排的，因为我已无需在这些事情上插手或过问，只记得她电视剧一集不落地看了，作业该写的都写了，二胡也天天练，还买了和剧本配套的全部《还珠格格》书，好像有一二十本，电视剧结束前这些书也都看完了。

一些家长可能会担心地说，我的孩子不听话，如果我这样放开了，他就会完全管不住自己，他就会总是边写作业边看电视，看了一部又一部，这肯定是要影响学习成绩啊。

我理解这些家长的担忧，这些家庭中的孩子似乎很不懂事，很不自觉。我想对这些家长说的是，不要孤立地看待一件事和一种现象，孩子“不自觉”的形成原因有多方面，它多半反映了家庭中有积淀已久的教育问题。最主要的，就是遇到什么事情时，家长在处理方式上充满强权作风，不注意体贴孩子的情绪、面子、能力、愿望等，多是采用直接告知的方式来教导或批评孩子。比如数落孩子看电视时间太长，强行关电视，要求孩子回房间学习等。

采用这类处理方式的家长应该想一想，关了电视，就关了孩子看电视的愿望了吗？让他离开电视坐到书桌前，他就是去学习了吗？如果不是出于自觉自愿，不仅当天的学习谈不上用心，接下来明天后天他也不想去好好学习。他看电视的愿望在压抑中更被强化，他的内心在看与不看间充满矛盾和痛苦——这样不是在教育孩子，只是一再损伤他的自觉和自信。

请相信孩子是一棵禾苗，润物细无声的教育对他最有好处。

孩子身上原本有一种积极的自我完善的天性，如果一种“控制”对他的个性及意志没有损伤，而是帮助他更好地适应一些事情，他就会在这种适应中更加健康地发展自己的天性，并在体内生长出“自我控制”的力量——这就是孩子“懂事”、“自觉”的来源。

所以，我的“纵容”只是疏导，疏导也是控制的一种，它是一种不让孩子难受的控制。圆圆没有为看电视的事情苦恼过，在我家里从未发生过因为看电视和孩子相冲突的事。

还记得圆圆上初中时，电视台播了一个叫《嫁到非洲》的连续剧。说的是一个上海的女孩子和一位非洲留学生相恋，冲破种种阻碍，跟随小伙子到了非洲，然后在非洲经过一个由不适应到适应的过程。这个故事很特别，我俩在一个周末无意中看到，然后一起被吸引了。那个电视天天放两集，但圆圆当时住校，只能在周末回来看两次。我发现她眼里流露出遗憾，而当时我们也没有设备把电视录下来，于是就赶快想办法，告诉她我把周一到周五的内容用文字记录下来，她周末从学校回来就可以知道误过的剧情了。

虽然不希望她看连续剧，可一旦看开了，我就理解她希望看下去的心情，将心比心，大人看一个连续剧，中间突然打断也很不舒服，孩子肯定也一样。于是我天天一边看电视一边在本上记，每个情节，人物对话，甚至一些场景，我都尽量记录下来。圆圆周末回来先从本上“看”几集，再跟我坐在电视机前看。两种“看”加起来，一集没误。

我这种做法在圆圆看来很正常，她已习惯我的种种“纵容”之法，但她从来不会利用我的纵容。总的来说，圆圆对自己该在什么时间看电视，什么时间不看掌控得很好。尤其随着年级升高，她越来越懂得如何珍惜时间，更不会让电视无端地浪费自己的时间。

少看电视的行动如果从孩子很小的时候就做起，实现起来则容易得多。而且家长一定要以身作则。家长如果在孩子小时候纵容他无度地看电视，实际上是在给孩子制造一个大麻烦。

我家的电视机也天天打开，看的时间却不长。一般情况下是晚饭前后看，饭后我们各自有自己的事情要做，电视就关了。这件事做得并不严格，比较随意，偶尔遇到很想看的电视，也会花不少时间去看，但不养成天天在电视前耗着的毛病。总的来说我家看电视时间比大多数人家少得多，人们谈论的热播电视剧我们大多数都没看过。圆圆从小受这种影响，很自然地形成了“电视不能无节制地看”这样一个观念，一般的节目她是不会去看的，除非是特别喜欢的。

不少家长在孩子年幼时一般不计较孩子看多长时间电视，随意让孩子跟着老人从早到晚地看电视，甚至有的人嫌孩子打扰，就用电视机哄孩子。只是等到孩子上学后，有了作业和考试，才开始和电视争夺孩子。

如果孩子在上学前习惯了“看电视”这个事，没有发展出其它兴趣，上学后突然被限制看电视，他会非常不适应。他的习惯突然被管制，他的享受突然间变成错误；他本来每天活得自由自在，大人突然要求他“自觉”、“努力”，可他无从去寻找这个东西，只好“不自觉”，“不努力”。无论他表面如何和家长顶牛，他内心其实是很为此痛苦的。

我把这样的观点对一些家长讲了，不少人不以为然。

一位家长说，我那个孩子，才不会为这个事痛苦呢。他总是找借口从他学习的屋子里跑出来，然后找借口在电视机前多呆几分钟，哪怕是几秒。比如来茶几上取一只苹果，削皮时那叫一个慢。好容易削完了，我让他回屋里吃，他就慢吞吞地站起来，倒退着回他的屋，就为了多看一眼电视。他哪里痛苦啊，多看一眼电视他乐死了。

这位家长这么表面化地看问题，她不知道孩子倒退着回屋时，内心多么痛苦；更不知道这痛苦是如何来的，也不想探究如何帮助孩子解决这个痛苦。这真是让人感到遗憾。

家长为什么不可以改变一下方法，以策略来攻孩子的心呢？

我在写这篇文章时正好收到一个朋友的电子邮件。她说有一次晚饭后她儿子又一直看电视不去写作业，她正要像老样子下命令时，脑子一下闪出我曾经对她说过的“欲擒故纵”。于是咽下要出口的话，把遥控器递到儿子手里，和颜悦色地对孩子说：妈妈不看了，你啥时不看了，就帮妈妈把电视关了。说完她离开客厅，回到卧室看书。她儿子那一瞬间有点吃惊，但马上很高兴地说好，接过遥控器——这以前可是妈妈不敢交给他的东西。当妈的刚进卧室时还有些担心，令她没想到的是不到五分钟，就听到儿子把电视关了。孩子还从卧室门探进头来，看到妈妈正捧着一本书在读，相信妈妈没生他的气，就调皮而愉快地说：妈，我写作业去了。这位朋友说，以前总是因为看电视的事批评抱怨孩子，没想到自己稍一改变方法，孩子就有相应变化。看来是自己以前用错了方法。

在控制孩子少看电视方面，我认为正确的做法是，在他很想看的时候让他心安理得地去看，不要让孩子一边看电视一边觉得有负疚感；但平时家里要尽量少开电视，家长自己在看电视上做到节制，以身作则，用行动产生说服力，而不是用语言。

最糟糕的情况是，家长自己整天在客厅里看电视，孩子从自己的书房里跑出来想看一会儿，却遭到训斥。理由是，我是大人了，工作一天很辛苦，并且现在不需要学习，可以晚上看电视；你是孩子，需要好好学习，需要完成作业，所以不应该看电视。

这样的道理听起来没错，孩子也无法反驳，但这种说法造成的效果非常不好，你实际上是在告诉孩子：电视是一项特权享受，我已经有资格享受了；你还没有资格，你只有好好学习，将来才能获得这样的资格。

这种感觉让孩子觉得他和大人不平等，他意识到了大人的强权，他也意识到了“学习”和“享乐”是对立的。他理性上知道应该去学习，可是天性中的享乐愿望又让他非常想看电视。这种矛盾让孩子不舒服，不舒服感如果经常刺激他，就会慢慢激化起他对看电视的渴望和对学习的厌烦。

关于家长少看或不看电视，我对一些为孩子看电视而头疼的家长建议过，不少人表示这一点难以做到，有的是管不住自己，有的是管不了配偶，有的是不好意思让家里老人委屈，总之电视就是不能不开，也不能少开——如果这样，就没招了。连家长们做起来都有难度、都不想做的事，为什么要求孩子能做到呢？

桃李不言，下自成蹊，家长的行动比言语更有说服力。要尽可能减少环境中的诱惑，而不是劝说孩子去抵抗诱惑；要用“人性”来体恤孩子，而不是用“神性”来要求孩子。我认为每个孩子都是非常懂得感恩的，如果家长在和他的相处中很体贴他的心，他也会反过来以他的“懂事”和“听话”回报家长。

电视如美食，本身没什么错，但享用要有节制。我们在教育孩子时，要想办法让他学会有节制地吃东西，而不是把美食锁进冰箱，惹得他总想瞅个空偷吃几口。

家庭教育中，在任何事情上，家长和孩子都不要形成这种猫捉老鼠的关系。不要让孩子因为“听话”或害怕家长才不看电视，要培养他的理性和上进心，让少看电视成为孩子自觉自愿的选择。

圆圆上大学后，有一次我问起她，是否感觉我们对你看电视有过限制。

她说没有啊，你们从来不管我呀。她的记忆中甚至尽是我们的纵容。除了不说什么，还经常和她一起看动画片，比如《米老鼠和唐老鸭》《机器猫》《鼹鼠的故事》等都是我们在一起看的。

我又问她是怎么做到有节制地看电视的，她说不知道，好像没有有意识地约束过自己。她又想想说，觉得看电视也挺好，不过一直有一种感觉，觉得不应该花太多的时间在那上面。看电视还不如看小说有意思，有时间的话，她宁可读一本小说或杂志。

从幼儿期培养孩子阅读的习惯，也是防止他患上电视瘾的好办法。如果一个孩子从小喜欢阅读，他的智力就会发育得更好，他会更容易发现别的有兴趣的事；同时他的思想会更成熟更理性，他知道事情的轻重缓急，不会舍得让电视浪费自己的时间。

有的家长不赞成孩子从小阅读，认为小孩子应该活得轻轻松松的，太早让他读书很累，应该等他长大了再去阅读——有这种想法的家长，一般来说他自己不喜欢读书，把阅读看成件劳累的事。他不知道孩子是多么容易受到书的诱惑，一个心智开始萌动的孩子，他捧着一本书时表现出的如醉如痴，甚至超过看电视。孩子是在阅读中成长，还是在电视机前长大，其所形成的智力差距和智慧差距是巨大的。

如果说在看电视问题上我“控制”了圆圆，不如说一直是在用“培养”的思路来解决问题——不去控制孩子的身体动作，而是想办法引导她的心；不满足于孩子表面上的服从，而是让好习惯成为孩子内在的一部分——这才叫教育，才是解决问题的根本吧。

特别提示

学龄前经常看电视的孩子和经常阅读的孩子相比，上学后智力差异明显。

少看电视的行动如果从孩子很小的时候就做起，实现起来则容易得多。

孩子“不自觉”的形成原因有多方面，它多半反映了家庭中有积淀已久的教育问题。最主要的，就是遇到什么事情时，家长在处理方式上充满强权作风，不注意体贴孩子的情绪、面子、能力、愿望等，多是采用直接告知的方式来教导或批评孩子。

在控制孩子少看电视方面，我认为正确的做法是，在他很想看的时候让他心安理得地去看，不要让孩子一边看电视一边觉得有负疚感；但平时家里要尽量少开电视，家长自己在看电视上做到节制，以身作则，用行动产生说服力，而不是用语言。

糟糕的情况是，家长自己整天在客厅里看电视，孩子从自己的书房里跑出来想看一会儿，却遭到训斥。。

从幼儿期培养孩子阅读的习惯，也是防止他患上电视瘾的好办法。

小小独行侠

因为有某种顾虑，就生硬地阻止孩子的行动，家长这样做其实是比较自私的，考虑的是自己的担忧，做决策的依据是让自己放心，而不是让孩子快乐并得到锻炼机会。

检验一个母亲给孩子的爱是否优质的，有一个试金石，即母亲是否愿意充分地对孩子放手，是否愿意推动孩子自主和独立。

前几年从网上看一个报道，一位叫马宇歌的小姑娘，上中小学期间就独自走遍全国各地。她的父亲是一位教育意识非常好的家长，鼓励孩子独自远行。马宇歌在一次次的远行中不仅增长了知识，更锻炼了能力，成长为一个品学兼优、能力出众的孩子。这个故事给我留下了深刻的印象。

儿童其实有很好的自我保护意识，他们并不总是愣头愣脑，凡事不知深浅。给他们更多的锻炼机会，他们会成长得更快更好。

圆圆第一次独自出远门是 9 岁。当时她爸爸已来北京工作，她五一节独自乘 17 个小时火车，从烟台到北京看她爸爸。

圆圆姥姥电话上听我说要把孩子一个人放火车上，担心坏了。说实在的，我和她爸爸也非常担心，让她独自走，肯定不如我带着她走的感觉好。在抚养她的过程中，我们最担忧的就是她的安全。特别是她 4 岁时，我们把她搞丢一次，这种担忧就变成了我们的一个心病，总也好不了。

那次是带她到一个朋友家聚餐，朋友住在一楼，大家带来的三、四个小孩在小区院子里玩，从窗户上就可以看到他们，我们在屋里放心地喝酒。可是当我们快要吃完饭了，出来却看不到圆圆，问那几个孩子，他们都没注意。大家一下子急坏了，酒也醒了，四处分头去找，大约一个多小时才把圆圆找回来。原来她走出小区大门拔草，因为对那里不熟悉，返回来时找错了方向，就找不回去了。她哭着乱跑，越跑越远，幸亏一个路边开小卖部的好心人把她留住，给她点吃的，让她等家长来找。

这件事对我们刺激很深，我和她爸爸此后十多年如惊弓之鸟，动不动就梦到把圆圆搞丢了，每次都能从梦中吓醒。似乎直到她上了高中，这样的梦才没有了。她上小学、包括初中，只要有一会儿不能确定她在哪里，我们就担心得要命。虽然从我们内心来说，恨不得除了到学校，就把她牢牢地拴在身边，但知道不能限制她独立做事的自由，所以就会“违心”地怂恿她自己去做一些事。

这一次独自乘火车，是我告诉圆圆说，妈妈工作忙，没有时间在假期中陪你去看爸爸，你愿意的话就自己乘车去吧。她听了这个建议，开始有些疑虑，但经不起我的怂恿，转而就有些跃跃欲试。

在她走之前，我心里其实很焦虑。我不停地设想，不停地告诉圆圆遇到这个事该如何，那个事该如何。可能是我设想的意外太多了，圆圆突然说“你说得那么害怕，我都不敢走了。”我这才意识到自己忧虑过度，过分渲染危险，吓着孩子了。

事后我反思，家长要鼓励孩子去独立地做一件事，首先自己不要一脸愁容和不放心。要认真评估孩子的能力和事情的可行性，如果觉得可行，就表现出对孩子的信任，表现出轻松愉快；把紧张和担心藏在心里。

事实上，圆圆来回一切都很顺利，虽说两头都有人接送，但这趟独自乘车的经历仍然让她觉得骄傲，对自己很有信心。

第二年她 10 岁时，我们已迁居北京，她暑假要从北京去青岛看望从小一起玩耍的朋友小哲，也是来回独自乘火车。我们从北京送她走时，她说返回时不要来车站接她，她要自己从车站回家。我当时嘴上答应了，但有些不放心。从北京站回家需要先乘地铁，再倒公交车，上下公交车都要走较远一段路，这其实比从北京到青岛这段路还复杂。所以她回来那天，我还是跑火车站接了，而且到了站台上。除了不放心，还有一个原因是几天不见很想她，急于看到，以为这样也能给她一个意外的惊喜。

结果，圆圆从火车上下来看到我吃了一惊，虽有些高兴，但更多是埋怨。埋怨我干吗跑火车站来接她。回家路上，我发现她对于怎么乘车回家已全部掌握，而且也很注意安全。比如进地铁时人很多，她会马上靠墙走，还提醒我靠边。所以她独自走完全没问题。

这件事我很后悔，我的“热情”把她想要独自完成一次旅行的完美感给破坏了。我只顾自己的心情，而没考虑孩子的愿望。我想，如果实在担心她的安全，我来车站藏在她后面，不让她看见，尾随她回家，那样可能更好。

初中时，圆圆还和同学逛了几次街，都是早晨七、八点走，玩到下午五、六点钟才回家。从内心来说，我真是不想让她出去，大街上乱哄哄的，几个十一、二岁的小姑娘能关照好自己吗？但我把情况权衡后，并把安全注意事项和圆圆聊一聊，感觉她的安全意识还是不错的，就痛快地答应了。其实每次她出去玩一天，我都在忍受一天煎熬。尤其她有时忘了给家里打电话，我就担心极了，坐卧不宁，几乎不能做任何事情，所能做的只是心里暗暗祈祷。同时也会生气，准备等她回来好好教训她一顿。但每次一听到门铃响，看到这个小姑娘疯玩一天又让自己平安回来，心里立即就充满感恩和快乐，火气荡然无存。她下次想出去玩，我照样痛快答应。

从家长的角度来看，放手让孩子自己去做事，与其说是锻炼孩子，不如说更是在考验自己。家长应该适当勇敢些，有勇气接受这种考验。

我一个朋友的孩子已初中二年级了，学校在寒假要组织一个冬令营，由老师带学生到哈尔滨看冰灯、滑雪。孩子想报名参加，妈妈因为孩子从未离开过自己，认为他独立照顾自己的能力差，不放心，就不让去，说要等到妈妈放假后，由妈妈亲自带他去玩，孩子为此非常不乐意。家长认为反正都是去哈尔滨，都是去看冰灯、滑雪，时间差不多都是一周，妈妈带他去还可以一路照顾他，这有什么不好呢。

这位妈妈的担心当然是有道理的，哪个家长面临这个问题时，都会考虑孩子出去会不会照顾自己，安全不安全等问题。但这样的安排有几个错误：

一是家长没考虑孩子需要社交，需要和同龄人在一起。看冰灯、滑雪只是整个冬令营中的几个点，而孩子的快乐是在和同龄人一起出远门这整个过程中。二是夺走了他的一个锻炼机会。孩子“独立照顾自己的能力差”，不正是由于他一直缺少这样的锻炼机会吗；培养他照顾自己的一个机会现在好不容易来了，家长却又要夺走。三是因为这件事家长和孩子发生意见冲突，并且最终使孩子屈服于家长的安排，这让孩子觉得他的意见总是得不到尊重；这会让孩子要么逆反心理很重，要么毫无主见，而且也很容易形成只顾自己，不考虑别人感受的思维方式。

因为有某种顾虑，就生硬地阻止孩子的行动，家长这样做其实是比较自私的，考虑的是自己的担忧，做决策的依据是让自己放心，而不是让孩子快乐并得到锻炼机会。

放手不是冒险，而是让孩子通过种种实践机会，锻炼胆量和能力，从而也能学会防范危险。如果家长总是怕孩子出意外，总是保护得严严的，将来他真遇到什么事，可能还没有能力和勇气应对。这如同担心孩子摔跤，就不允许他去学习走路，结果是他将来会走得更为艰难。从这个意义上说，过度呵护也给孩子的安全留下隐患。

至于安全问题，家长应该和学校共同探讨，把出行方案好好研究一下，把每个细节推敲好了，确保活动顺利进行；另外家长平时也要对孩子进行安全教育，让他学会照顾自己，保护自己。在这个基础上，要尽可能早地让孩子独立去从事各种活动。一旦觉得可行，就高高兴兴地让孩子去做。

我认识一对夫妻，他们自身事业很成功，他们的儿子也极为出色。孩子从小到大学习成绩优异，工作能力强，一直担任班长等重要职务。在高中繁忙的学习中，这个孩子不仅承担了很多学校和班里的工作，还去企业拉赞助，成功地和同学们创办出班刊。我找机会和他妈妈聊了一次，从她的话里却听出了他们作为家长的智慧。如果要概括他们的做法，最基本的就是“让他自己去做”，他们把这件事简直操作得像个奇迹，说来都有些让人难以相信。孩子上幼儿园时，从幼儿园到他家需要乘三站公交车。到孩子 5 岁上幼儿园中班时，他们觉得孩子已完全知道该如何从家乘车到幼儿园，而且从公交车上下来不用过马路，站点不远处就是幼儿园，路上的注意事项也讲过多次了，于是家长就提出要孩子早晨自己上幼儿园。傍晚回来时需要到马路对面乘车，家长就只是晚上来接他。开始几天家长不放心，悄悄跟在后面观察，确认没什么问题了，以后就真撒手了。孩子很安全地度过了整个幼儿园时期。他们的孩子比一般孩子格外成熟。到孩子 7 岁时的暑假，他们就让这个小学生独自乘火车 10 个小时，去看外地的爷爷奶奶。从那开始，孩子就每个假期独自外出，回爷爷奶奶家或到某个地方旅游。孩子去旅游的地方都有可靠的亲戚或朋友，安全地把孩子接到家中，并且能陪孩子在当地玩几天，然后再安全地送上回家的火车。这个孩子也像马宇歌一样，在上小学、中学时就游览了很多地方。另外，父母也让孩子在家里干很多活儿，凡孩子自己可以做的，绝不帮忙；反而由于父母工作很忙，经常要孩子在家里帮家长的忙。例如，周末或假期让孩子买菜做饭，父母下班回家，晚饭就准备得差不多了。其实这个孩子的父母并非是那种因忙于个人事业而疏于照顾孩子的人。表面上看，他们在家里有些不作为，其实这正是他们的用心之处。他们不在简单的事情上乱插手，而是把更多的时间和精力放在研究如何让孩子安全、独立地做事上。这位妈妈说，大人替小孩子做事，那是很容易的，哪个家长都可以做到这一点；难的是不替孩子做事。她说，比如让孩子独自上幼儿园这件事，他们提前做了许多论证，把每一个细节反复斟酌，确信孩子掌握了安全常识，在对孩子的安全有把握的情况下，然后才放手的。让孩子独自回爷爷奶奶家及外出旅游也是这样的。而这个过程其实远比自己陪着孩子更难。我能理解她的说法，这种"不作为"，只是父母表面上得到了解放，实际上他们所经受的心理考验更为强烈，他们忍受的煎熬更多。相反，凡在孩子的事情上大包大揽，甚至在思想上也不让孩子独立的父母，他们表面上付出了很多辛苦，其实他们的思维方式总是以自我为核心，首先满足的是自己的想法，没有认真考虑孩子的心理需求，没有意识到孩子的独立性需要生长；而是以密不透风的"呵护"和"指导"，占满了孩子所有的成长空间，夺走了孩子一次又一次自我教育和自我成长的机会。到孩子长大了，天性中许多潜在的能力严重退化后，家长却又来抱怨孩子"不懂事"、"没出息"、"懒散"等等。

我在这里讲这个例子，只是强调"给孩子机会，让他独立去做事"这种教育理念。孩子独自上幼儿园这件事不可以孤立地看待，更不可以随便模仿。因为这里面限制因素非常多，孩子前期积淀的能力、社区的安全性、交通工具的便捷性、气候条件等各方面情况要考虑。

不论想让孩子做什么事，一定要综合权衡方方面面的情况，选择那些安全系数高的事情让孩子做。作为监护人，家长必须要首先对孩子的安全负责。

形式上是不是让孩子一个人出去，这并不是最重要的，最重要的是经常让孩子有机会独自做事，独自承担责任，独自解决问题。哪怕是和家长一起旅行，一起做事，凡能让孩子独自做的家长就不要包办，凡能让孩子独自想的家长就不要急于给他出主意。在孩子面前，家长要装得无能一些，无知一些，以便把种种机会留给孩子。

比如，上火车站，如果只带了一个孩子和家长都能背动的包，那就让孩子背着，家长倒可以空着两手轻松地上车。到旅馆，可以家长看着行李在大厅休息，让孩子去办入住手续。查阅旅游点资料，让孩子查找好了来提供给家长。

“独立”是自立的同义词，它是一个人成长必备的条件。现在有一种说法，年轻人都要成家立业了，在心理上还离不开奶嘴。许多人只是把这种现象当作有趣的话题来说一说，其实这背后隐藏的，是一个人乃至一个民族深重的悲哀。这悲哀暂时看起来还不严重，但未来恐怕会越来越让人忧心忡忡。哲学家弗洛姆认为，检验一个母亲给孩子的爱是否优质的，有一个试金石，即母亲是否愿意充分地对孩子放手，是否愿意推动孩子自主和独立。①

爱孩子，就勇敢地放开手，让这个小小独行侠去“潇洒走天下吧”！

特别提示

家长要鼓励孩子去独立地做一件事，首先自己不要一脸愁容和不放心。要认真评估孩子的能力和事情的可行性，如果觉得可行，就表现出对孩子的信任，表现出轻松愉快；把紧张和担心藏在心里。

大人替小孩子做事，那是很容易的，哪个家长都可以做到这一点；难的是不替孩子做事。

凡在孩子的事情上大包大揽，甚至在思想上也不让孩子独立的父母，他们表面上付出了很多辛苦，其实他们的思维方式总是以自我为核心，首先满足的是自己的想法，没有认真考虑孩子的心理需求，没有意识到孩子的独立性需要生长；而是以密不透风的“呵护”和“指导”，占满了孩子所有的成长空间，

① （美）弗洛姆，《爱的艺术》，李健鸣译，上海译文出版社，2008 年 4 月第 1 版，48 页。

夺走了孩子一次又一次自我教育和自我成长的机会。到孩子长大了，天性中许多潜在的能力严重退化后，家长却又来抱怨孩子“不懂事”、“没出息”、“懒散”等等。

最重要的是经常让孩子有机会独自做事，独自承担责任，独自解决问题。凡能让孩子独自做的家长就不要包办，凡能让孩子独自想的家长就不要急于给他出主意。在孩子面前，家长要装得无能一些，无知一些，以便把种种机会留给孩子。

上海遇骗记

生活就是最好的课堂，每一种经历都是财富。我们要让孩子更多地感受生活的美好，也应该让他们知道生活还有阴暗面，还有危险。这样，他们才能更好地保护自己。

前几年从报纸上看到一则报道。一个北京初中女生，在上学的路上遇到一个妇女向她打听一个什么事，她没听清楚这位妇女的问的是什么，但她内心肯定是想帮她的，就反问那妇女是什么问题。那妇女表现出焦急，说一下说不清，上车再说吧，不由分说就把这个女孩推进旁边停着的一辆面包车上。结果这个女孩子被人贩子卖到河北农村，当时她才十三四岁，直到六、七年后，她已二十岁才侥幸逃出来回到家中。她的同学们都风华正茂，在上大学，而她只有初中文化程度，在农村生了一个孩子，身心俱损。这件事可以说毁了这个女孩的一生，读来真是让人心痛不已。

在报纸或电视上不时地会看到一些少年儿童上当受骗的事，有的给孩子们带来的伤害真是触目惊心。类似的事件，只要我看到了，一定会讲给圆圆听。各种各样的儿童伤害事件，其之所以会发生，就在于大人和孩子没有相关生活常识，没有提防心理。

在安全教育方面，别人的经历也可以让自己获得一定的生活常识。虽然我们一直致力于让孩子感受世界是美好的，周围的人是可爱的；但我们也不失时机地把生活的另一面适当呈现给孩子，让她知道世界上也有贪婪、谎言、暴行等阴暗面。

小孩子是那样纯真，他们多半只从故事中知道有“坏蛋”这样一种人，现实生活中根本不知道这些人就可能活动在自己身边。我对圆圆一直不放心的一点，是在生活中她还一直没遇到一个“坏人”，所以我最担心的就是她误以为坏蛋就是像电视上那种，一眼能看出来，从而对所有遇到的人都怀有善意，没有提防心。

生活真是最好的教材，她 8 岁时，我带她去上海玩，“有幸”见识了两个骗子，这给圆圆上了很好的一课。

我们来回都是乘火车。去的时候，对面卧铺是一个看起来体面的中年男子，他操着上海普通话，很客气地和周围几个人攀谈起来。他说他是上海某单位的办公室主任，对上海很熟。当时我们没预订旅馆，上海也没有认识的人，准备下车找旅馆，我就顺便向这个人打听一下住在什么地方交通方便，且能找到价格合适的旅馆。他就给我说了一个旅馆名，说又干净又便宜。我问他怎么走，他说正好和他走的方向一致，下车后可以同打一辆车，他把我们带过去。

我虽然心里微微有一丝担心，但看这人不像坏人，而且觉得大白天的，即使他是坏人也没什么好怕的；而对于各种骗术，我也有提防。所以就向他表示感谢，同时想人家应该就是单纯地想帮助你，自己不该随便怀疑别人。

下火车后，在出租车等候点上了一辆出租车，他告诉司机去什么地方，我没听清。汽车走进闹市，越来越繁华，我也就越来越放心了。大约半小时后，他说他到了，要先下车。车一停下来，他推开车门就下车，没有再嘱咐司机往什么地方开。我赶快问他，接下来我去那个旅馆该怎么走，他用手随便往前面一指说，“再走没多远就到了”。我还想再问得明白些，他已赶快关了车门，头也不回地匆匆走了。司机问我去哪里，我告诉他那个旅馆名，司机说没听说过，他对这一带挺熟悉的，前面没有那人说的旅馆。于是我明白了，我遇到个蹭车的。

圆圆开始没明白怎么回事，这里明明没有那个旅馆，那人为什么要说有呢。到我们终于又七弯八转地找到一个合适的旅馆住下后，她终于明白了，问我那个人是不是瞎编个旅馆名，只是想白坐车。我笑笑说：你猜对了。

然后我和圆圆讨论了一下这件事，觉得这件事本身也没什么大不了的，但设想了一下这里面存在什么样更大的风险，如果遇到了应该怎么办。然后又分析我们怎样做，就可以从一开始避免这些风险，以后出门如何防范这种盲目带来的损失等等。

我当时有些气愤，说了句“难怪人们说上海人精明”，突然发现自己太极端了，我这样说，不仅让圆圆产生“上海人不好，上海人都很不像话”的印象，也影响她对这个城市的亲近感，在接下来的几天中，这种情绪恐怕会影响她的游玩。

于是我又说，哦，精明其实是个褒义词，真正精明的人是要用他的聪明做好事，做大事。你看上海这么繁华，就是因为这里有很多人把精明用在正道上，用在做正事上。这个人的行为只能叫小聪明，一辈子也就这点出息了。全国哪里都有这种耍小聪明的人，他们永远不可能成为一个地区的代表。上海也肯定好人多，你看那出租车师傅就很好是不是，这旅馆里的人也很好。

圆圆听我这样说，对这件事也就释然了。我想，这件事我们一点损失没有，还有收获。

在上海的一周，圆圆玩得非常高兴。走之前我们一起去火车站买车票，又遇到一件事，又上一课。

我们正在通往车站广场的一条路上走着，一个小伙子从我们身边匆匆走过，急忙赶路的样子。他从后面裤兜里取什么东西，带出一个钱包来，掉在地上，但他并没发现，还在往前赶路。我和圆圆赶快冲那小伙子喊，他没有听见，还在不回头地往前走。圆圆看喊不住那小伙子，下意识地要弯腰捡起钱包追过去，我脑袋里一闪念，一下拉住她。钱包看起来厚厚的，落地的声音应该挺大，而且我们这样高声地喊他，他不可能听不到——但是，也许他真的不知道——我拉着圆圆赶快追住他，告诉他钱包掉了，我们指指后面十多米处地上的钱包。他这才站住，看我们一眼，有仇似的，什么也没说，返回去拿上钱包，径直往马路对面去了。

圆圆被他搞懵了，不明白他为什么连谢谢也不说，还那样的表情。我告诉圆圆，这是个真正的骗子。然后和她一起回忆我们曾在报纸上看到过的各种骗术，有的和这个类似。骗子用一只钱包作诱饵，设一个圈套在里面，等你捡了钱包，他就会用已设计好的方法，要么骗你一笔钱，要么敲诈你一笔钱。我们总结，各种骗局尽管形式不同，但万变不离其宗，那就是利用人的贪欲。

以前我给圆圆讲防骗都是纸上谈兵，通过这次见识，她是真正有些防骗经验了。我问她以后再遇到别人掉了东西怎么办。圆圆说那也不能不管，说不定有的人是真的丢了东西，还是要提醒他，但不能自己亲手去拿那个东西。我夸她说得对。

我一直担心圆圆以前没见过真骗子，会把骗子脸谱化，真遇到了也没有防范心。现在正好，这两人外表看起来都没问题。所以我问她，开始看到这两个人时，有没有觉得他们是骗子。圆圆说没有。我对她说，没有一个骗子或坏蛋是有标志的，他们和常人一样，甚至有时让人觉得他是好人，所以，在不知底细的情况下，心里还是要对一些人和事有防范心理。

上海之行的这两件事虽然都不是什么好事，但它与那几天参观游览的自然博物馆、古埃及文明展、金茂大厦、外滩等一样，都成为我们此次旅游值得记忆的内容，丰富了我们的旅行，我想它们对圆圆尤其重要。

从上海回来不久发生的一件事，让我想起来又害怕又庆幸。很欣赏圆圆的悟性，也非常感激她的敏感。我想也许是上海之行真的让她学到东西了。

那天是周六，我像平时的周末一样，带着她乘一个小时的车到二胡老师家学习。学完出来后，我们都想去厕所，就如往常一样朝路过的一家宾馆走去。

那家宾馆不太大，我们以前也去过几次它的卫生间。宾馆生意总是不错，常人来人往的。它一楼大堂虽然不小，却没有卫生间，公共卫生间在二楼，所以我们每次去都需要跑到二楼。那个卫生间有些偏僻，但灯光很好，也挺干净。

这一天，我们走到宾馆大门口时，就觉得和平时不太一样，大门关着，里面黑黑的。推门进去，整个大堂很暗，没有灯，而且空无一人。我们惊讶地向四周看去，不知这里怎么了。再向各个方向看一遍时，才注意到角落里的一只沙发上坐着一个人，他正眼神冷漠地盯着我们。我奇怪地问他这里怎么了，他说“准备装修，不营业了”。我说我们不是来住宿，是想上趟卫生间。他冷冷地看我们一眼，然后用手向上一指说“在上面呢”。看样子这人是在这里看门，我向他道过谢后，领着圆圆往二楼走去。

整座楼静悄悄的，楼梯也没有灯，很暗。我们刚踏上两步台阶，圆圆忽然拉住我说，妈妈别上去，咱们快离开这里！她这低低的一句话，一下点中了我心底的不安，我心里抖了一下，瞬间冒出一身冷汗，转身拉着她就往外走。我看那个人站起来在看我们，我对他微笑一下，边走边指着大门说："她爸爸在门口等着，他可能也想上厕所。"

顾不上看那人什么反应，我拉着圆圆快速地往门口走，尽量把步态放平稳。当我们终于跨出那个大门时，安全感才一下把我们包围。

什么事也没发生，也许我们去了卫生间也什么事都没有。但确实是太冒险了。即使过了很长时间，我每每想到这件事，总是忍不住有些心惊胆战，而且非常自责，不知自己当时为什么那么糊涂。同时也万分感谢我的宝贝小圆圆，一个只有 8 岁的孩子，居然有那样一份警觉，我从心底佩服她。

生活就是最好的课堂，每一种经历都是财富。我们要让孩子更多地感受生活的美好，也应该让他们知道生活还有阴暗面，还有危险。这样，他们才能更好地保护自己。

特别提示

在报纸或电视上看到一些人上当受骗的事，一定要讲给孩子听。各种各样的儿童伤害事件，其之所以会发生，就在于大人和孩子没有相关生活常识，没有提防心理。

我对圆圆说，没有一个骗子或坏蛋是有标志的，他们和常人一样，甚至有时让人觉得他是好人，所以，在不知底细的情况下，心里还是要对一些人和事有防范心理。

第七章　走出坑人的教育误区

河流可以是粉色的

圆圆好奇地把一根小手指放到水流下，让水顺着指头再流下去。水流完了，她抬起头来看看我，有点感叹地说："水没有颜色！"

圆圆上幼儿园时，有一学期幼儿园要开设几个特长班，每周上两次课，一学期300元，谁想上谁上。班里的小朋友都跃跃欲试地要报名，这个报舞蹈班，那个报唱歌班。圆圆从小爱画画，她说想报画画班，我们就给她报了名。

特长班开课后，圆圆每周从幼儿园里带回两张她上课画的画，都是些铅笔画，各种小动物。这些都是按照老师给的范例临摹出来的，老师在上面给打分。从她这里我知道，老师的打分是以像不像为标准的。画得越像，打的分越高。

这以后，圆圆画画开始力求"像"了。她很聪慧，在老师的要求下，画得确实是越来越像，分也得得越来越高。可是我也同时有点遗憾地发现，她画中的线条越来越胆怯。为了画得像，她要不断地用橡皮擦，一次次地修改。与她以前拿一枝铅笔无所顾忌、挥洒自如地画出来的那些画相比，有一种说不出来的小气与拘谨。

过了一段时间，开始画彩笔画，圆圆非常高兴。她喜欢彩色的画。有一天，绘画班老师给孩子们布置了一个作业，要求每人画一幅表示到野外玩耍的画，说要挑一些好的挂到幼儿园大厅里展览。

圆圆从幼儿园一回来，就迫不及待地拿出她的彩笔，找了张大纸画起来。她画得非常投入，拿起这根笔放下那根笔的，连我们叫她吃饭都有点不愿意。她胡乱吃了几口，就又去画。到我洗完碗后，她也画完了，得意洋洋地拿来给我看。

我的第一感觉是她画得很用心，颜色也配得很好。一朵红红的太阳放着五颜六色的光，像一朵花一样。以纸的白色作天空，上面浮着几片淡蓝色的云。下面是绿草地，草地上有几个小女孩手拉着手玩。小女孩们旁边有一条小河，河流是粉色的，这是女儿喜欢的颜色。她为了让人能明白这是河流，特意在河流里画上了波纹和小鱼。

看着这样一张出自5岁小女孩之手，线条笨拙稚嫩，用色大胆夸张的画，我心里为孩子这份天真愉快，为天真所带来的艺术创作中的无所羁绊而微微感动着。我真诚地夸奖圆圆，“画得真好!”她受到夸奖，很高兴。

她从来没有这么用心去画一张画，自己也认为画得很好，感觉比较有把握被选上贴到大厅里，就对我说：“妈妈，要是我的画贴到大厅里，你每天接我都能看到。”我说我一定要每天都看一看。

我让圆圆赶快把画收起来睡觉，她往小书包里装时怕折了，我就给她找了张报纸把画卷了，她小心地放到书包里。

第二天下午，我去接圆圆，看见她像往常一样高兴地和小朋友一起玩，她高兴地跑过来。我拉着她的小手走到大厅时，她忽然想起什么，扯扯我的手，抬起头看着我，脸上浮起一片委屈。我问怎么了，她说，妈妈，我的画没选上。眼泪一下子就出来了。

我赶快给她擦擦眼泪，问为什么。她小嘴噘一噘，停顿了一会儿，才低低地说：“因为我把小河画成粉色的了。”我问：“画成粉色的不好吗?”

“老师说小河是蓝色的，不能画成粉色的。还有，白云也不能画成蓝色的。我画错了。”女儿说得神色黯然。

我心里忽然被什么钝钝地击了一下，一张画不能被选上倒无所谓，但因为这样的原因不能被选上，并且导致孩子说她“画错了”，这样一种认识被灌输到她小小的心中，却深深地让我有一种受伤感。

我心疼地抱起圆圆，亲亲她的小脸蛋。我说：没关系，宝贝，你不要在意，没选上就没选上吧。圆圆无可奈何地点点头。

我带着圆圆往家走，一路思考就这件事我应该对她讲些什么。我问她，画交给老师了吗?她说没选上就不用交，带回来了，在书包里。

回到家里，我让圆圆把画拿出来，她从书包里取出画，已被她折得皱巴巴的。

我把她抱在腿上，和她一起看这张画。我问她：“你为什么要把河流画成粉色的呢?”她想了想，嘟哝说：“说不出来为什么，就是觉得粉色的好看。”

我说：“对，画画就是为了好看，所以我们说一张画，只能说它好看不好看，不能说它对或者错，是不是?”圆圆听了，有点认同，点点头，忽然又否定了，说：“小河不是粉色的，是蓝色的，我就是画错了。”我问她，怎么知道小河是蓝的而不是粉的?

我知道她实际上是没有见过青草地上的小河的，她的经验是来源于以前看过的一些书画刊物和老师今天的观点。我的问题圆圆回答不出，她想了想，有点不耐烦地说，“反正就是蓝的嘛。”

我说，走，咱们看看水是什么颜色，起身领她往厨房走去。

我拿出一只白色磁碗，接了一碗水，放到桌子上，问圆圆是什么颜色。她看了看，有点为难，看看我，不知该说是什么颜色。我问她是蓝色的吗，她摇摇头。我追问是什么颜色，她想了半天，别别扭扭吐出“白色”两个字。

我又找了一只红色的小塑料盆，把水倒进去，问她“是白色的吗?”她看看红色盈盈的水，不好意思了。看看我，狡黠地反问“你说是什么颜色?”

我笑笑，拿起红色塑料盆，把水流细细地倒入水池，一边倒一边说：“你看，水是透明的，很清亮，它没有颜色，是不是?”圆圆听我这样说，好奇地把一根小手指放到水流下，让水顺着指头再流下去。水流完了，她抬起头来看看我，有点感叹地说：“水没有颜色!”一副恍然大悟的样子。我说，你说对了。于是言归正传，领着她回到她的画上。

我重新抱起她，拿起她的画，问她，那你说，河流该画成什么颜色?圆圆不假思索地回答说“画成没有颜色的。”我问：“那你该用哪根笔画呢?”她正要说，又一下子语塞了，回答不上来。

我笑了，“没有一根笔是没有颜色的，对不对?”圆圆点点头。我继续问，“那你说，河流到底该怎么画呢?”圆圆眨巴着眼，困惑地看着我，不知该如何回答。到这里，河流已是无法画出了。我看这个小小的人如此迷惘，心疼地亲亲她的小脸蛋。

为了还原她河流的色彩，我不得不先消灭河流的颜色。

于是我慢慢对圆圆说：没有谁可以规定小河必须画成蓝的，小河本身是没有颜色的。但我们画画儿的时候，总得用一种颜色把它画出来呀。如果画画儿只能画真实的颜色，那我们就永远找不到一支可以画小河的笔，对不对？圆圆点点头。

我继续说：还有很多其它东西，在我们的彩笔里也找不到它们的颜色，但我们也可以把它画出来。所以你要记住，一张画只有好不好看，没有对或者错。你可以大胆地使用各种颜色——河流可以是粉色的，只要你喜欢，它可以是任何颜色。

解决了河流的颜色问题，圆圆愉快地玩去了。我心中却又是忧虑又是无奈，我企图以这样的观念影响女儿，呵护她的想象力。可我如何敢领着年幼的孩子，以她的稚嫩，去迎战教育中的种种不妥。最现实的比如以后上不上这个绘画班的问题——

继续上，就得听老师的话，就不能把河流画成粉色的。每一次上课，老师都给孩子们一个画画儿的框框，孩子的想象力会被一点点扼杀。这样的绘画班，只能使孩子的想象力加速度地贫乏。如果不上，当别的小朋友到特长班上课时，女儿坐在小椅子上眼巴巴地看着别人往外走，她小小的心一定是充满委屈的，她怎么能理解突然中止她上绘画班的缘由呢？我的这样一种担忧如何能向她解释得清楚？

我叹口气，心里真希望幼儿园取消绘画班，那样的话，让我再交 300 元也愿意。

特别提示

没有谁可以规定小河必须画成蓝的，小河本身是没有颜色的。但我们画画儿的时候，总得用一种颜色把它画出来呀。如果画画儿只能画真实的颜色，那我们就永远找不到一支可以画小河的笔。

一张画只有好不好看，没有对或者错。你可以大胆地使用各种颜色——河流可以是粉色的，只要你喜欢，它可以是任何颜色。

不上学前班

学前班发展到今天，它的存在已变成正常学制教育中的一个“骨质增生”。但这个多余的东西现在却被许多人看作是天使背上的翅膀，以为这样的“多”总比“少”要好，这实在是个错误！

我的一个外地亲戚给我打电话，她正面临着该不该让孩子上学前班的选择。

她的孩子上一年级年龄只差一个月，学校暗示她交一笔赞助费可以上一年级，否则就上学前班。她周围有的人说应该上一年级，有的人说与其交这些钱还不如上学前班，孩子还能多学一年。她一时拿不定主意。我知道她的孩子很聪明，以孩子的智力水平，上一年级没问题。就告诉她，能上一年级是最好的，如果不行，就留在幼儿园，别上学前班。

我一直反对孩子上学前班。

大多数家长并不知道学前班的来由，其实只要了解一下它产生的原因，就会发现它在当下的存在是不合理的。

学前班的产生是我国短缺经济时代的一个应急措施。

它最早出现于80年代。当时由于城市学龄儿童人口迅速增长，而那时民办幼儿园很少，孩子的入托问题得不到解决，所以采取了让小学办一些学前班来解决部分幼儿的学前教育——可见学前班的出现主要是出于学龄前儿童分流的需要，并不包含有教育学意义上的衔接需求。

这些年我国经济繁荣，人口出生降低，民办幼儿园大量出现。儿童入托供需矛盾早已不存在，可学前班却延续了二十多年，而且在全国从城市到乡村蔓延开来，越来越名正言顺，仿佛是基于儿童学习需求的一个正常合理的设计。个别地方甚至是由教育主管部门规定，所有的儿童在进入小学前必须要上学前班。

为什么会出现这种该消失而不消失的现象？这说明它有存在的基础。这个基础就是：学校愿意开办学前班，家长愿意送孩子上学前班。

学校愿意开办，自有非常明确的目的。学前班不属于国家义务教育，可以自行定价收取学杂费。1985 年北京市给出的指导价是每个孩子每月 30 元，这在当时也并不便宜。近些年更水涨船高，已达到每月数百元甚至上千元，再加上各种杂费，数字是比较可观的。也就是说它是学校的一个创收渠道，是一块“肥肉”。虽然近些年一些地方政府已意识到学前班的不必要，出台文件不允许小学办学前班，但只要手段不强硬，小学就或明或暗地办着。

再从家长这里来看。家长愿意把孩子送学前班，绝大多数是出于跟风和盲目。一是误以为学前班有承上启下的功能，如同上三年级必须要先读二年级一样；二是出于对孩子未来学习成绩的焦虑，认为上学前班是“提前打基础”了，是在学习上先走了一步。这一点就像我这位亲戚顾虑的那样，她说，周围的人都把孩子送进学前班，到上一年级时，拼音和 100 以内加减法就都学完了。要是我的孩子没上学前班，基础就不如别的孩子，这不就比别的孩子落后一步了吗。

亲戚的这种“打基础”想法在家长那里是有代表性的，但这是家长们的认识误区。一是没搞清什么才是孩子需要打的“基础”，二是不了解学前班的真实情况。

我对亲戚说，假设家长花了钱，小学收了钱，孩子们真的能通过上学前班打下了一个好的学习基础，走到别的孩子面前，那也值得。但从这些年的实际情况来看，结果恰恰相反，学前班教育是给孩子们打了一个“基础”，但往往是坏基础。

电话中我能感觉出亲戚的惊讶，她可能是第一次听到“坏基础”这个说法。她没想到送孩子进学前班还会得到相反的结果。事实上她没想到的也是绝大多数家长没想到的，因为家长们一般也不了解以下情况：

目前国家对学前班教学只有指导性意见，并没有明确统一的学前班教学大纲和教材。所以，学前班如何教，全凭小学自己的主张，或教师自己的感觉。虽然学前班能给小学带来经济利益，但由于它的非义务教育性质，学前班的教学成绩不需要计入到整个学校教学成绩里，学校一般来说对这块教育并不重视。

几乎所有的学前班招生宣传中都会说，学校为学前班配备了优秀的、经验丰富的教师。事实上，寄居在小学校园中的学前班是很边缘化的。除了设备较简陋，更主要地是，学校不会把优秀教师分配到学前班中。就我见识过，以及听说过的情况来看，学校给学前班配的教师一般是教课教得不好的，或和领导关系不融洽的。校长没法让这些人回家，就正好把他们放到学前班。

也有的学校师资比较紧张，从外面聘一些退休老教师。从概念上讲，退休老教师"经验丰富"。事实上，她们（几乎全是退休女教师）大多数人对学龄前儿童的教育并没有多少研究。所谓"经验"，只是当年教小学生的一些方法。而且由于我国几十年来小学教师入职门槛较低，许多小学教师文化或教育素养较低，她们的工龄可能有四十年，但并非有四十年的"教育经验"；往往只是把一种工作经验使用了四十年。那些"经验"原本对小学生就不太合适，更不用说用在学龄前儿童身上。

所以，现在的"学前班"，并不是教育学意义上的"学前教育"，它基本上就是小学一年级的缩写本。虽然学前班的课程比一年级的少些，孩子玩耍时间多些，上学和放学时间也比一年级孩子自由些，但总体教育模式和教育价值取向却和一年级一样。

从上课形式来说，孩子们每人有了一张自己的固定课桌，有了上下课，有了作业；从内容上看，学习的一般都是拼音、写字、英语单词、100 以内的加减法等。老师总是要求孩子们乖乖地坐在座位上，手放到背后，认真地听课，每天要孩子们在作业本上一遍遍地抄写生字和拼音，并给孩子打出成绩，甚至还要布置家庭作业。老师们的目标是把孩子驯得听话，识一些字，把作业写得整整齐齐的。这让老师们很有成就感，这些"成就"往往也被小学校领导和家长们认可。特别是家长们，觉得孩子在学前班学了认字和写作业，认为自己的孩子没有"输在起跑线上"。

可是，这些是"赢"吗？

学前班那种死记硬背的、毫无创造性和发现乐趣的学习，即使放到小学高年级学生那里，也够僵硬的，更何况放到学前儿童身上。学前班有上课、有作业、有纪律，却没有智力活动。学前班教学让儿童付出的多半是一些畸形的、消极的脑力劳动。苏霍姆林斯基说，"凡是那些没有让儿童每天都发现周围世界各种现象之间的因果联系的地方，儿童的好奇心和求知欲就会熄灭。”[①] ——失去好奇心和求知欲，这对孩子的学习来说是致命的。

也就是说，就我国当前“学前班”的整体情况来看，不但不能依孩子们的生理及心理发育情况让他们在智力、习惯、创造力等方面上一个台阶，反而在这些方面形成阻碍。所以，学前班发展到今天，它的存在已变成正常学制教育中的一个“骨质增生”。但这个多余的东西现在却被许多人看作是天使背上的翅膀，以为这样的“多”总比“少”要好，这实在是个错误！

希望孩子赢在起跑线上，事实却是孩子的双腿在起跑线上就被捆得开始发麻了。

我把以上内容大略地对亲戚讲了一下，她有些明白，但还是有担心。她说，我也看过一些书，说儿童早期教育很重要，要是启蒙教育没做好，将来孩子的学习会很吃力。

我明白了她的意思，对她说，你说得对，儿童的早期教育确实重要，一个人接受没接受过早期启蒙教育，他的智力水平会有很大差异。启蒙教育开始得越早越好，甚至有人说过，如果你从孩子出生第三天开始教育他，那么你就已经晚了两天。苏霍姆林斯基说“智慧训练开始得离儿童出生的时间越远，这个孩子就越难教育。”[②] 他这里说的“智慧训练”是“启蒙教育”的同义语。

现在我们要讨论的是，学前班学习是“启蒙教育”吗?

良好的启蒙教育在形式上应该是游戏的、无拘无束的、变化丰富的、与生活相关联的。内涵中应该有技能训练、语言发展、想象力激发等一系列智慧启蒙功能。可当下学前班教学，急于让孩子掌握书本知识和考试知识。课桌限制了儿童的自由，封闭性的学习内容束缚了儿童的想象，教学方式违反了儿童天性，无聊的作业消磨了孩子们学习的热情——它是一种功利性的、奴役性的学习，它使儿童远离智慧训练，走到“智慧训练”的反面，是反智慧教育的行为，它充其量可以叫做“提前学习”，不能称为“启蒙教育”。

我的亲戚在电话那头沉默了，她可能在思考什么。过了片刻，她说，我第一

① 苏霍姆林斯基，《给教师的建议》，杜殿坤编译，教育科学出版社，1984 年 6 月第 2 版，323 页。

② （苏）苏霍姆林斯基，《给教师的建议》，杜殿坤编译，教育科学出版社，1984 年 6 月第 2 版，323 页。

次听到这样的分析，我需要慢慢消化一下。不过还有一个问题——她迟疑了一下，然后说：不光是听别人说，我自己也亲眼见过一些上过学前班的孩子，他们入学后就是比没上过的强啊……

她确实说出了一种现象，这正是我准备要对她说的。

我说，我理解你这里所说的“强”应该是在认字、计算和考试这些方面，但这样的判断是片面的。当前小学教育中存在的最大问题在教学模式及价值取向方面。从学校到教师再到家长，大家都在手段与目的的问题上被搞晕了、迷失了，表面化地理解一些教育问题，在儿童教育上形成一些畸形而浅薄的价值判断。而学前班教学恰是迎合了这样一种错误的价值取向，拔苗助长地让孩子们在写作业、考试或守纪律方面早早地表现得“训练有素”。可这是“强”吗？

且不说这“训练有素”里包含有多少反教育学行为，留下多少后患，单是孩子们表现出的“学业优势”也是短暂的，状态维持不了多久。人生培养战略，如长跑战略，开始跑在前面的人不一定就能领先。不信的话可以到小学三、四年级调查一下，孩子们学业上的差异和上没上过学前班并没有因果关系。

我的话可能确实让亲戚心有所动了，她说，哦，好像是这么回事，那这是为什么呢？

我说，教育上早有这样的发现，如果儿童在学习中没有通过自己的努力解决一些问题，体会不到克服困难的乐趣，只是反复咀嚼已熟知的东西，就会引起对知识的冷淡和轻蔑态度。经过“学前班”的儿童，他的课程知识稍高于一般儿童；那么学习中的新鲜感、发现的乐趣、克服困难的兴致他就都没有，他很容易在学习上变得轻浮，不会用功。家长们以为把学过的东西再学一遍，孩子的基础就更扎实了，实际情况往往不是这样。

再者，由于学前班师资水平较差，大多数教师的素质不高，教学方式不恰当，特别容易在学习情感上对孩子形成消极影响，导致孩子厌学，让他们早早对上学这个事失去兴趣，甚至产生惧怕心理。“兴趣就是天才”，学习上什么样的“聪明”或“提前起跑”能敌得过“兴趣”两个字呢？所以，“学习态度”和“学习兴趣”才是最宝贵的东西，才是最重要的“基础”，孩子们将来表现在学习上的潜能和才智也来源于这两方面。科学良好的教育能让孩子小小的身体像颗核弹头一样储备巨大的能量；而急功近利的教育却是把孩子造成一只花炮，只能炫目一时。

我的话看来对亲戚确实产生了影响，她说，我原来的想法也挺简单，倒没打算让孩子在学前班学多少东西，只是觉得在幼儿园是玩，学前班也是玩，学前班好歹还能学点东西，能学多少学多少。现在看来，即便是这样想，是不是也没必要把孩子送到学前班？

亲戚这种最初的想法确实也有代表性。可能很多家长也是这样想的。认为学前班“好歹能学点东西”。这种想法包含着当前教育中非常典型的一个理念性的错误，就是蔑视儿童的玩耍权。把玩耍当作无价值的，认为玩耍可多可少，可有可无的，认为“学知识”是有价值的，学总比不学好。持这种思想的家长不知道，对于年幼的孩子来说，智力成长不是在书桌前进行，而是在游戏中进行。

卢梭在他的教育论著《爱弥儿》中提出一个“最大胆最重要和最有用”的教育法则，就是在儿童的早期学习上，“不仅不应当争取时间，而且还必须把时间白白地放过去。”① 他强调的是应该让儿童尽情地游戏玩耍，反对用课程学习挤占儿童的游戏时间。就当前的学前班教学来看，无论你是否对孩子提出一个学习要求，只要把孩子送进学前班，这种环境就会对儿童玩耍权进行主动剥夺。

儿童越是年龄幼小，启蒙教育的急迫性越强，越需要一个好的智力成长环境。他心智发育的黄金时间被夺走一年，今后不知有多大的损失。心理学认为儿童智力发育的最佳时期是6岁前，从这个意义上讲真是“一寸光阴一寸金”，我们怎能让这黄金般的时间变成一段锈铁呢。哪怕是什么都不学习的纯粹的玩耍，也要好过反儿童天性的“提前学习”。

事实上，学前班存在的问题现在人们已开始意识到了，近年来各地纷纷取消学前班。北京市已出台文件，决定在2010年前逐步取消学前班。这个决定不错，但不知为什么要这么慢悠悠地去做，可能牵扯到的利益太多吧。

2008年初北京某报与一家知名网络教育频道联合调查显示，在上不上学前班的问题上，只有18%的家长认为“没必要上”，而超过半数的家长认为应该让孩子上学前班——这个数字是很庞大的，可以想象，后面跟着的，是一块多么肥沃的市场啊。

学前班现在不仅是小学在办，一些少年宫、民办课外辅导机构也在办。把幼

① （法）卢梭，《爱弥儿》，李平沤译，人民教育出版社，2001年5月第2版，93页。

儿园小学化，这甚至成了许多幼儿园的“特色”，这些幼儿园讲自己的优势时，就会把“双语教学”、识字、数学等内容作为卖点进行宣传，它虽没举“学前班”之名，行的却是学前班之实。

行政命令可以让当下的学前班消失，但有这样的市场，它一定会产生新的变种，以新的面目出现。就在北京市政府决定逐步取消学前班时，北京市有名的课外辅导机构“伟人学校”却开始大张旗鼓地进行“全日制学前班”的招生宣传，从他们提供的课程表来看，也是以文化课学习内容为主。该机构的市场运作很出色，他们总是能抓住家长的心。

启蒙教育可以让孩子成为人才，而不合适的“提前学习”只能让孩子变得平庸无才。反对“学前班”，实质上是反对不科学的、急功近利的学前教育。不让孩子上学前班，目的是想把良好的学前教育还给孩子。

和亲戚打了好长时间电话，终于使她相信不送孩子上学前班更好，我能感觉出她很满意，心情很好，这也让我很愉快。

就在我们结束谈话，刚放下电话之际，我又接到另一位亲戚打来的电话。

这位亲戚是来抱怨我的。

当初她也向我咨询过要不要让孩子上学前班的问题，我告诉她不用上，同时告诉她给孩子多买些书，要培养孩子的阅读兴趣。现在她的孩子已上小学三年级了。据她说孩子写字不好，做作业粗心大意；整天光是喜欢看课外书。她言语间抱怨这是因为孩子没上学前班，没提前学会写字；说她家邻居的孩子上过学前班，打好了基础，字就写得比她的孩子好，学习就是比她的孩子强。

我详细地询问了她孩子的情况，以及她如何和孩子交流沟通的情况，心里基本上就清楚了。

家长一着急就会胡乱归因，就像一个人不小心踩到水沟里，却怪怨袜子的颜色穿得不对一样。很理解她的焦急，也愿意真心地帮助她，所以不得不批评她。

我说，孩子现在不爱学习，写作业不认真，这不是因为没上学前班，而是你从他上一年级开始，就过分重视写作业、考试这些事。你在这方面太紧张，总是那样严厉地批评他，弄得孩子精神负担特别重，产生逆反心理了。这一点你要改一改。

这位亲戚还是充满怨言地说，我觉得他就是没打好基础，对学习不上心，一天到晚光是喜欢看闲书，随手抓张报纸也能看半天。你原来给我讲过，爱看书的孩子作文写得好；可他不爱写作文，也不爱写日记，反正就是什么字都不爱写。

我说，孩子有这样的阅读兴趣和阅读基础，本来应该喜欢写作文，会写作文，现在只是被你经常性的指责吓住了。而且你不理解阅读的价值，你说到孩子酷爱阅读时，口气里流露的居然是厌烦和无可奈何。事实上，孩子爱阅读，比上三个学前班都强，你真的应该为此庆幸。

亲戚说，他成绩不如人家上过学前班的孩子，这是个明摆的事实啊。

我问亲戚，你调查过吗，孩子班里有多少人上过学前班，有多少人没上；是否上过的一定比没上的学习成绩好？上过学前班而成绩落后的孩子是因为什么，没上学前班而学习优秀的孩子又是因为什么？

亲戚回答不上来了。

我说，成绩好坏是件比较复杂的事，不可能由于某个单一因素就导致结果怎样。孩子现在已三年级，我可以肯定，如果你的孩子上过学前班，而围绕着他的其它教育因素不变的话，他的情况也是现在的样子。所幸他现在还喜欢阅读，有这样的阅读基础，只要家长和教师不伤害他的自信，不阻挠他的阅读，他的优势会慢慢表现出来。

我进一步帮这位亲戚分析说，孩子现在的问题显然就是缺少学习兴趣和自信心的问题。所以改变他的状态只能从提高兴趣和自信心入手，最重要的方法，就是家长不要整天批评、唠叨和干涉孩子，而要欣赏和鼓励他。

这位亲戚听我这样说，终于说以后教育孩子要注意方式方法，不再那样简单粗暴了。但我能微微地听出她对自己和孩子的不自信。考虑到家长教育方式的改善全部是从具体事情和细节处做起，我一再叮嘱这位亲戚说，遇到具体问题如果不知道该怎么办，就及时给我打电话商量。我想这是能帮助她的最直接的办法了。

我是很愿意给别的家长一些建议，不过，很多东西，那是必须家长自己去悟的。比如这要不要上学前班的事。

特别提示

课桌限制了儿童的自由，封闭性的学习内容束缚了儿童的想象，教学方式违反了儿童天性，无聊的作业消磨了孩子们学习的热情——它是一种功利性的、奴役性的学习，它使儿童远离智慧训练，走到“智慧训练”的反面，是反智慧教育的行为。它充其量可以叫做“提前学习”，不能称为“启蒙教育”。

认为学前班“好歹能学点东西”。这种想法包含着当前教育中非常典型的一个理念性的错误，就是蔑视儿童的玩耍权。把玩耍当作无价值的，认为玩耍可多可少，可有可无的，认为“学知识”是有价值的，学总比不学好。持这种思想的家长不知道，对于年幼的孩子来说，智力成长不是在书桌前进行，而是在游戏中进行。

启蒙教育可以让孩子成为人才，而不合适的“提前学习”只能让孩子变得平庸无才。反对“学前班”，实质上是反对不科学的、急功近利的学前教育。不让孩子上学前班，目的是想把良好的学前教育还给孩子。

暴力作业就是“教育事故”

暴力作业对儿童信心、意志、品格等有全面的消极影响。它的坏作用，远不是多穿一件衣服有点热，多吃一个馒头有点撑那样简单。它能改变事情的整个状态，让孩子罹患一种“厌学”的慢性疾病，摧毁他们的上进心，吞噬他们的创造性，消磨他们的幸福感，其中的“暴力性”甚至能破坏他们的道德。

人们总认为，老师布置的作业都是正确的，都是对学习有用的，孩子都应该认真完成。事实是，现在孩子们写了太多的无效作业。岂止是无效，简直是负效果。这些作业如此无聊，从它对儿童学习兴趣的破坏，对儿童智力发育的阻碍来看，已走到了学习的对立面，成为反学习的东西。我把这种作业称为“暴力作业”。

暴力作业主要有三种。

第一种是数量大。

请看一个一年级的孩子很普通的一次语文作业。5个生字加拼音，每个字写20遍，A、B本各写一遍，合计下来，共写200个拼音、200个汉字。此外还有三个造句。如果头一天生字本上有一个错别字，还要把那个错别字再写三行，也就是错一个字就再加30个拼音、30个汉字，前一天错两个，就要多写60个拼音、60个汉字——这仅仅是语文作业。数学、英语作业也不会少，数量上绝不逊色。想想孩子一晚上要写多长时间吧，他刚上一年级啊。

第二种是惩罚性。

我看过一个初二学生的语文达标考试卷，上面有一些错，当天的语文作业是把卷面上所有的错误都改正，每个改正答案都写20遍。比如一个字没写对，把这个字重写20遍，这还好，如果一条成语解释错了，就要把这条成语抄20遍。假如一段默写有两句以上的话没完全写对，或有五个以上错别字，就算全错，就要把这段文字写20遍。

成绩好的同学和成绩差的同学的作业量，其差异是巨大的。显然，老师的用意主要在于让学生知道，考不好，没有好果子吃。

第三是恶意评价。

圆圆初中时，她的一位英语老师，每次单词测验时，只要学生写错一个单词，就给打“零”分。圆圆也没少得零分。老师可能是想通过这样的方法让孩子们知道，不想得零分就只能争取得100分。可这难道不是一个偏执狂的思维方式吗？它更像一个心术不正的人要的小聪明。教育家苏霍姆林斯基说：“只有当教师和儿童之间的关系建立在互相信任和怀有好意的基础上时，评分才能成为促进学生进行积极的脑力劳动的刺激物。”[①] 这种恶意评价，只能导致学生们在测验中更不认真。学生们发现，这样的测试，写错一个单词和只写对一个单词得的分数一样，大家也就不在乎对了几个或错了几个了。

暴力作业这三方面往往是相随的，犹如贪婪、自私和嫉妒往往相随一样。它不仅给孩子当下的生活带来痛苦，它更破坏着孩子们对学习的兴趣和意志力，对他们一生的学习情感、学习态度形成消极影响。

每个孩子在刚入学时都对学校生活充满向往，对学习充满好奇与渴望，你看他们刚入学最初接触到“作业”这个东西时，是那样兴奋和自豪，大人想不让他们写都不可能。可是，很快，他们就厌倦了——有些字早就会写了，还要一遍又一遍地写，既没有时间玩耍，也不能早早上床睡觉。写得再认真，也总是会有写错的地方，一错了就被老师罚写更多，一个字甚至要写上100遍……“学习”这个东西，好像处处和自己作对。他小小的心开始对学习产生怨恨了，他开始讨厌学习了。

① （苏）苏霍姆林斯基，《给教师的建议》，杜殿坤编译，教育科学出版社，1984年6月第2版，37页。

厌倦是学习中遇到的最凶恶可怕的敌人，暴力作业则是把这样的敌人运送到孩子心中最快捷的交通工具。一个令人痛心的教育事实是，有多少教师娴熟地运用着这样的“交通工具”，他们以为把知识运进了孩子心中，不知道车上装的，已变成了“敌人”。而这时更有不少家长在旁边帮忙，强迫孩子接受这些暴力作业，加速着孩子对学习的厌倦。

有两个直接原因，使一些教师和家长偏爱暴力作业。

一是他们头脑中有一套逻辑，在这里我不客气地称之为“笨蛋逻辑”——认为多写多记就能多学到知识。他们认为一个字写20遍就比写2遍好，一道题做5次就比做1次好。这真是把学习这件复杂的智力活动，完全等同于老婆婆的铁棒磨针了。他们不知道，大脑认知是个奇妙的过程，有它自身的规律，其中感情的参与具有极为重要的作用。所以写作业并不是越多越好，而是合适才好。我们一定有过那样的体验，一个字写3遍还认识，写到30遍时可能感觉越写越不像，写到100遍就几乎不认识了。

那些怀揣着一套笨蛋逻辑的老师和家长，都是把功力用在那些可量化的、表皮化的方面。他们不懂得用种种方法激发孩子的学习兴趣，只是用繁重的作业把孩子的肢体固定在板凳上，固定在书桌前；他们不知道这样做的后果是，孩子的内心会起一种化学变化，会生成一种叫“厌学”的物质。

第二个原因是教师的急功近利。

我在北京某小学随机接触了几位语文教师。一位老师，她给学生布置写生字的作业时，总是让学生把一个完整的字先拆开了几部分写，比如语文的“语”字，先写一行“讠”，再写一行“五”，然后再写一行“口”，最后再合成一个“语”字，写两行。拼音也是拆成声母、韵母、调号三部分写，然后合起来写——就这一个字，总共写了9行。她这样做，确实在短时期内可以让学生记住了所写的那几个字，单元测验总能得不错的成绩，哄得家长们很高兴。而另一位老师，她在班里搞阅读活动，每天留很少的作业，让孩子们回家读课外书，学生在阅读中既提高了语文水平，又感到快乐。她的做法，无论对孩子们学习兴趣的保护，还是学习能力的提高，都有良好而久远的影响。

但因为学校统一出的考试卷都是只考课本上的内容，基本上都是死记硬背的东西，“阅读老师”班里的孩子考试成绩就往往不如“拆字老师”的。除了学校排名带来的压力，还有来自家长的压力。

一些家长给“阅读老师”提的意见就是作业布置得太少，以及让学生回家看课外书浪费了时间。这位老师一直顶着压力这样做。她的学生在小学低年级阶段看不出什么，到了小学高年级，尤其是小升初的一些知识测试中，就明显超过了那些死学课本的学生。她说她自己对学生进行了一些跟踪调查，她所教的学生在中学阶段学习状态都比较好，几乎没有所谓的“问题学生”。而那“拆字老师”的学生的成绩事实上很虚幻，后续问题非常多，不少学生在小学高年级时就表现出厌学倾向，进入中学后，在学习成绩、学习品格乃至心理健康等方面都有不少问题。调查结果坚定了她这样做的信念。不过她也感叹，进入中学后，学生学习成绩的好坏、学习兴趣的有无，谁能把它和小学老师挂上钩呢？人们只会说某个孩子越来越懂事了，或越来越不懂事了。人们只能想到，孩子上中学遇到好老师了，或遇到差老师了。

我也和那位“拆字老师”聊过，并非这位老师不知道她那样做的坏处。她说，反正我只教他们这几年，这两年他们成绩比别的班好就行，以后怎样，那不是我的事了。这位在教学上让学生饮鸩止渴的老师，她是学校的“名师”，家长们总是趋之若鹜地想尽各种办法，把孩子送进她的班里。大家看到的是，在她任教的时间里，班里语文考100分的人动不动就超过一半。

暴力作业产生的两个原因，反映的是我国当前教育上的两个宏观问题，一是教学评价的导向问题；二是教师的素质问题。我认为这两个问题是当前我国教育改革的关键，是解决一系列教育问题的切入点。可现在种种责难却都把板子打在“高考”上，高考成了一切教育问题的罪魁祸首；而种种所谓“教改”，都只是剜新肉补旧疮，或者是头痛医脚——这是个很大的话题，在这里无法展开评说。

如果孩子遭遇到暴力作业，我们该如何做？这一点我在另外两篇文章《替孩子写作业》和《不写“暴力作业”》中谈了一些想法和做法。我想，最重要的是家长自己要对暴力作业有认识，你如果经常有意识，精心保护孩子的学习兴趣，那么对付暴力作业的办法自然会出来。

有时孩子遭受了暴力作业，却不去对家长说，不去求得家长的帮助，这还是要从家长身上找原因。

有个初一的孩子因为上课捣乱，被老师罚抄课文十篇，这个孩子真的就一晚上硬是把那十篇课文抄完了。孩子宁可接受“刑罚”，也不向家长说，这种情况应该和孩子对家长态度的预感有关。如果平时家长遇事不能很好地理解孩子，比较随意地批评孩子，对学校教学充满了盲目崇敬，那么孩子凭直觉就会认为和家长说了也白说，不但于事无补，还可能挨训，雪上加霜。孩子承受了暴力作业，他一晚上抄完了十篇课文，第二天还是那样上学去了，好像什么也没损坏，什么也没缺少。这种情况甚至有的家长知道后还会窃喜，以为孩子多抄了课文就比别的孩子多学习了。他们没看见孩子受了内伤，甚至是终身无法痊愈的内伤。

暴力作业对儿童信心、意志、品格等有全面的消极影响。它的坏作用，远不是多穿一件衣服有点热，多吃一个馒头有点撑那样简单。它能改变事情的整个状态，让孩子罹患一种“厌学”的慢性疾病，摧毁他们的上进心，吞噬他们的创造性，消磨他们的幸福感，其中的“暴力性”甚至能破坏他们的道德。所以它不是小事，是“教育事故”。

令人痛心的是，这种事故天天都在全国大面积发生着。只要和中小学生或他们的家长聊聊，就会发现“事故”不仅多，而且方式无奇不有，令人叹为观止。

多年来，儿童会不会遭遇暴力作业，全仰仗运气，看他各科遇到的是怎样的老师。只要不是各科老师都喜欢暴力作业，就已经是万幸了。

国家每年为教育科研拿出数字庞大的经费。师范院校、教育科研院所在不停地做课题，中小学现在也都在做“课题”，仿佛教育界上上下下都在专心研究问题。为什么这么具体这么迫在眉睫的事没有人去关注？拥有最多科研经费的教育专家学者们喜欢高屋建瓴地宏论，在事关儿童每一天学习生活的问题上却总是缺席。

我的一位中学同学是一名优秀的小学教师，荣获全国特级教师称号。她说，以她这些年来的工作经验，孩子们写生字，每个字写三遍效果最好。这么一项简单而有效的经验——我认为这才叫“学术成果”——如果推广开，会让全国多少儿童减轻作业的痛苦，甚至从此变得爱学习啊。它仿佛简单得没有任何技术含量，实际上却包含着一套非常完善的教育学、心理学以及认知科学的理论。比起那些和学校生活完全没有关系的、以厚厚的书籍方式呈现出来、且总能端居庙堂之高的“教育研究成果”，这位特级教师的经验如此朴素，却如此有价值。可惜的是，成果得不到推广，受益的人太少了。

再说教育行政部门，总是用“行政思想”来自上而下地管理学校，很少考虑用“教育科学理念”来细致入微地服务于学校。这使得一些教育行政手段不仅无效，而且成为师生们新的负担。

2007 年从报纸上看到某地教育行政部门出台了一个小学生“减负”方案，要求小学生的书包不能超过六斤。给各学校下达规定后，并派员到各学校抽查监督。这导致学生们只好化整为零，先背个四斤的书包进去放下，再到校门口从妈妈手中接过一个五斤的书包背进去。联想到这么多年教育行政部门要么不作为，要么乱作为，只能说这一次又是一些官僚们脑子进水了。这个“减负方案”不管它用去多长时间出台，酝酿过程都没超越“拍脑门”的时间和水平。

“减轻学生书包重量”其实多半是个比喻性说法，“书包”在这里只是学业的一个象征。书包的实际重量和学生学业负担的轻重，有一些表层联系，但并不对等。“减负”应该用思想和理念去做，怎么可能用秤去做？“如果教师只考虑怎样迫使学生用更多的时间坐在那里抠教科书，怎样把他们的注意力从别的一切活动中都吸引过来，那么负担过重的现象就是不可避免的。”[①] 教育家苏霍姆林斯基这句话，已告诉我们学生负担过重的来源和解决方案，为什么不从这里去思考呢。

杜绝不同程度的暴力作业，才是最重要的减负行为。把暴力作业上升到“事故”的高度，可以让人看到它的破坏力，引起人们的警醒。

国家为杜绝各行各业的生产事故，不停地制定和出台相应的管理标准和管理办法。煤矿发生事故不允许瞒报，而且要追究相关人责任人的责任。但全国每天发生多少暴力作业事故，却以一种常态合理地存在着。

有谁来揭露这件事，有多少人听到了千百万儿童的呻吟？说得轻一些，它永久性地破坏了许多孩子对学习的热情和兴趣；说得重一些，它在蛀蚀和扭曲我们国家和民族的未来。什么时候能为孩子们出台这样一套科学的“办法”，让他们免受暴力作业之害呢?!

---

① （苏）苏霍姆林斯基，《给教师的建议》，杜殿坤编译，教育科学出版社，1984 年 6 月第 2 版，67 页。

特别提示

用繁重的作业把孩子的肢体固定在板凳上，固定在书桌前。这样做的后果是孩子的内心会起一种化学变化，会生成一种叫“厌学”的物质。

好家长和好教师最要注意的是避免孩子遇到“厌倦”这个敌人，所以他们倾尽全力做的，就是保护孩子的学习兴趣。

最重要的是家长自己要对暴力作业有认识，你如果经常有意识，精心保护孩子的学习兴趣，那么对付暴力作业的办法自然会出来。

杜绝不同程度的暴力作业，才是最重要的减负行为。

不是电脑游戏的错

一个孩子如果长期钻在游戏里不肯出来，以至于成为一种病态，那是因为游戏外的世界让他感到枯燥、不快或自卑。一个孩子如果因为电脑游戏耽误了前途，那他即使生活在没有电脑的时代，也会有别的事情把他拉下水。我坚信使人堕落的不是游戏本身，而是心灵的空虚，或某些素质的缺失。那些在游戏中堕落的人，即使没有电脑游戏，也会有另外的什么东西使他不可自拔。

圆圆10岁上初一时开始玩电脑游戏，经常玩到废寝忘食的地步，每到周末，总是一玩就四五个小时，到寒暑假，能一口气玩七八个小时。那两年，她买的杂志基本上都是电脑游戏方面的，和同学朋友们电话聊天，也经常是关于电脑游戏的内容。

她玩电脑游戏是在我的怂恿下开始的。

圆圆在烟台上小学时，同学们都还没开始玩电脑游戏，也可能因为当时同学家有电脑的还不多，也许是因为他们当时还太小。她知道这回事，但并没有真正感兴趣。到北京上中学后，电脑游戏好像一下子在中小学生中开始流行了。她一方面从同学那里知道电脑游戏很有趣，另一方面又从媒体、其他家长、学校那里听到太多的对电脑游戏的批评。她可能有所顾虑，有矛盾，就一直没主动提出要玩。到初一第二学期，我问她是不是班里有同学在玩电脑游戏，告诉她想玩你也可以玩。她有些意外，但马上就非常快乐地接受了，立即就出去买了游戏盘回来。

我的考虑是，既然电脑游戏能让孩子们那么着迷上瘾，其中一定包含着巨大的乐趣。孩子总应该玩点什么，我要让我的孩子快乐，在她的每个成长阶段获得那个阶段应有的快乐。因为现在的孩子们缺少玩伴，在玩耍方面太单调贫乏，如果没有一件有趣的事让他去做，那他多半是要在电视机前消磨时间了。我宁可让圆圆在游戏中浪费时间，也不愿她经常呆在电视机前。适合她看的电视节目太少，电视又完全是被动接受，经常看会使人大脑迟钝；游戏却是主动参与，玩的过程中有自己的智力投入；而且游戏可以让她熟悉电脑。再一个考虑是，她的同龄人如果都在玩，她不玩的话，就会缺少一个重要的交流话题。

至于她会不会上瘾，我不是没有担心，但不想因噎废食。总的来说我有信心，这种信心来源于我对游戏的认识和对自己孩子的了解。

电脑游戏也就是个游戏，并不是毒品，它和我们小时候玩的游戏并没什么本质区别，只是这个游戏更有趣更复杂。想一想，儿童对哪一种游戏不上瘾呢？我们小时候一伙儿孩子玩打仗或捉迷藏，经常玩得忘了回家吃饭，忘了睡觉，直到大人找来，强行把我们拉回去。当时我们也总是不愿意散去，甚至得挨顿揍才肯回去。而现在的孩子没办法在楼下找到那么多小伙伴，只能在电脑上和虚拟对象玩耍。他们也会常常玩得忘记了时间，总觉得没玩够。这两种“玩耍”没什么区别。

对游戏有浓厚的兴趣和病态的“成瘾”，这是两种不同的状态。我相信绝大多数只是前者，只有少数的孩子会发展到后一种状态。据说姚明也喜欢玩电脑游戏，另外还有一些事业及学业上很有建树的年轻人也喜欢玩游戏。所以并不是电脑游戏本身有问题，而是孩子缺少自控力，使事情变得糟糕。这是家长首先要确立的一个观念。

游戏上瘾其实反映的是游戏之外孩子的另一个问题。一个孩子如果长期钻在游戏里不肯出来，以至于成为一种病态，那是因为游戏外的世界让他感到枯燥、不快或自卑。一个孩子如果因为电脑游戏耽误了前途，那他即使生活在没有电脑的时代，也会有别的事情把他拉下水。我坚信使人堕落的不是游戏本身，而是心灵的空虚，或某些素质的缺失。那些在游戏中堕落的人，即使没有电脑游戏，也会有另外的什么东西使他不可自拔。

事实上，电脑游戏已成为当代儿童生活中不可缺少的部分。无论家长喜不喜欢，他们最终都是要玩的，所以，在要不要让孩子玩电脑游戏的问题上，家长已基本上不需要决策了。大势所趋，挡是挡不住的。所要思考的是，如何让孩子既能玩游戏又懂得自我约束，怎样才能娱乐、成长两不耽误？

真是“万事开头难”。圆圆开始玩游戏后，也像别的孩子一样，非常痴迷。课外书几乎没时间读了，到了练二胡的时间也不想下机，硬拖着；叫她吃饭，直等到我和她爸爸吃完，饭都凉了还不过来。她这些表现让我也着急，说过几次，但发现没用后，我告诉她应该安排好时间，把该做的事做了，以后就不再说了。有几次她过来吃饭，我们已吃完，饭桌也收拾了，告诉她剩饭在厨房，想吃自己热去吧。说这话时和颜悦色，毫无责怪的意思。

心里越着急越不能拉下脸来教训她，越要和她站在一边，绝不站到她的对立面。我经常用愉快的口气问她一些关于游戏的事，真诚地分享她玩游戏的快乐；过圣诞节还送她新的游戏盘。我知道干涉只能激化她玩游戏的无度，她需要的是自己学会控制。所以我有足够的耐心让她自己在各种各样的时间分配中，体会各种各样的感觉。

因为她平时住校，只是周末回家练两天二胡。第一天她写完作业就玩游戏，玩得忘乎所以，忘了练二胡，就说要第二天多练一会儿。第二天不得不关机时才想起来，二胡又忘了练了，那就只好等下周练吧。这时她是有愧疚之情的——这其实就是一个孩子自我调整的开始。第二周果然记着练了，但时间很短，结果到老师家上课时，拉得很糟，从老师家出来她很沮丧，说看来得好好练呢。我并不责怪她，只是附和她的话说，好好练练吧。

再接下来，她基本上就能像以前一样安排练琴时间了。为了保证游戏时间，她更注意做事的效率。当然也有反复的时候，偶尔一两天会安排得很糟，但我始终没和她形成冲突，有时会和她心平气和地谈一下这件事，提出我的希望。

刚开始玩电脑游戏，对她学习成绩有一些影响，但我坚信，孩子应该玩；坚信孩子自己心里清楚学习和玩哪个轻哪个重，只要我不胡乱干涉，不唠叨，她一定会慢慢调整自己。况且，又不是马上要高考，她成绩高一些低一些有什么了不得呢。只要不让游戏和学习冲突，不败坏她学习的胃口，我相信她在该学习的时候一定懂得用心去学。

圆圆一年多玩下来，对游戏兴趣依旧，但逐渐学会了自我掌控，把该做的事都做了，而且效率高了——我认为，这是她游戏中真正的收获，比单单考出好成绩还重要。

圆圆初中时一直玩单机游戏，没玩网络游戏。上初三后，学习一下紧张起来。她在初三的某一天，把所有游戏盘都装到一个纸箱子里，说在中考前不再玩了。我没说什么，尽管这一举动是我早已盼望的，但我没流露激动，也没夸奖她，只是表示出赞同，帮她一起高高兴兴地用胶带把箱子封好，放到床下。

中考结束后，她本来计划要做好多事：读小说，练字，练琴。但游戏箱子再度被打开后，她又把最多的时间投入到玩游戏上，结果原定计划基本没实现。

尽管我看她这样“浪费”时间有些遗憾，也没说什么。我想中考给了孩子很大的压力，接下来又是更加紧张的高中生活，所以这个假期就让她尽情地玩吧，我为什么非得要求我的孩子在假期也要学习呢。

只是到假期结束时，我和她谈了一次话，回顾了一下假期初期的计划，问她是不是感觉玩游戏太浪费时间了，会把一个人的计划完全破坏掉。我又和她分析，时间就那么多，做了这事就不能做那事。而接下来的高中三年是人生中最关键的三年，好钢要用在刀刃上，所以我们应该使用好这三年，这其实也是为了将来有更好的条件去玩。

圆圆一个假期下来，发现没按计划做事，心里也很失落，再说游戏瘾也解了不少，她这时就能理解家长的话，不和我顶牛。说上高中肯定学习特别忙，就要少玩。她确实说到做到，高中期间她又玩了几次，我们什么也没说。到高二时，她又把所有的游戏盘装进箱子里，说高考完了再玩吧。此后两年再没动一下游戏。

等到高考完了，她大部分时间是读书、看影碟、上网聊天、和同学出去玩。偶尔玩一下游戏，是和同学借来的新版游戏。那个纸箱再没打开，可能是那些游戏太旧或太小儿科了。现在她在大学里，除了紧张的学习，还参加了两个学生社团，不停地读课外书，生活很丰富也很忙碌，据说和同学上网聊天的时间也很少。偶尔也会玩玩游戏，但想把她长时间关在游戏里，她自己都不会答应。

有的家长可能会说，你的孩子自觉，该不玩的时候就不玩了。我那个孩子，你要真这样放开了，他会什么都不干，永远都不想停下来。

这种假设是不成立的。

这些家长的“放开”之所以没有效，第一个原因，是平时家长习惯在很多事情上去“管”孩子，单是玩游戏这一件事就不知道说过多少次，发生过多少冲突。那么你哪天突然放开了（其实多半是躲在旁边做侦探去了），他当然就要玩疯了。猫突然不在了，老鼠能不反天吗；警察都下岗了，小偷能不放肆吗。家长和孩子最好不要形成这种管制与被管制的关系，这种关系建立的时间越长、越牢固，孩子的自觉性就越差。

第二个原因是家长缺少耐心，指望自己一改变，孩子也能立地成佛，几天就变好；如果孩子在一段时间内不改变，家长就受不了啦。坏毛病也是“病”，病来如山倒，病去如抽丝。用一天养成的坏毛病可能需要三天来改正，何况他几年间养成的坏习惯，怎么可能你放开三天他就改了呢。

就如陶行知先生比喻的那样，有的人开始接受一个观念，知道鸟儿在大自然中会成长得更好，就弄些花草树枝放到鸟笼子里，以为这就是给鸟提供了自然环境。为什么不能打开笼门呢？家长要治理孩子的某个坏毛病，第一要有诚意，第二要有耐心。

还有一些家长，平时对孩子严加管束，不许他上网，一旦孩子考试成绩好或别的什么事做得好，家长一高兴，就以允许孩子上网或超时上网作为奖励——家长们一方面痛恨网络游戏，另一方面又把上网作为“奖品”送给孩子。而能作为“奖品”的东西，它怎么会是个坏东西呢——孩子们就这样被搞乱了，他们对游戏的兴趣被刺激得更浓了。

我常想，事情可不可以反过来做，把上网当作“任务”或“惩罚手段”，而不是当“奖品”安排给孩子，是否会取得更好的控制效果？比如，孩子特别喜欢玩游戏，那么家长在每次孩子做错了事的时候，就告诉他要惩罚他，上网去吧，必须连续玩够十小时，不够就惩罚再玩十小时，直到他累得求饶。这样，孩子慢慢觉得上网不是一种乐趣，是一种惩罚。反复多次，可能会让他对上网产生逆反心理。

网络游戏当下似乎已成为一个社会问题，戒除网瘾的机构如雨后春笋般出现。有的医院开展治疗“网瘾”的业务，让孩子们完全像病人一样住院，通过吃药打针来治疗。也有办“行走学校”或“训练营”的，其手段更是无奇不有——这简直是头痛医脚，进铁匠铺买肉。

这些机构所宣传的“成功戒除”是一个什么样的标准？毕竟游戏不是毒品，

他们对这些孩子跟踪了多长时间，这些孩子后来到底怎样了？这些机构或产品让家长白花钱尚且是小事，严重的是不但于事无补，还给孩子们带来伤害。

2007 年媒体曝光的四川“大东方行走学校”，招生宣传中就说它能帮孩子戒除网瘾。可它哪里是个学校，简直就是座“黑砖窑”。工作人员素质低劣，“教育”行为令人发指；他们的“教官”随意打骂污辱学生，把学校变成集中营，最终导致学生跳楼自杀。它不但给孩子们带来肉体伤害，更造成深重的精神伤害。这件事与媒体当时曝出的“黑砖窑事件”性质完全相同，最后却不了了之，媒体上并未见到对相关责任人的处罚。这种忽略，可能由于这些受害人都是“问题少年”，他们不能像“黑砖窑事件”里那些可怜的窑工一样引起人们的同情。

有人把“黑砖窑事件”上升到国家安全的高度，没有人发现“大东方行走学校”之类的行为才是真正的国家安全事件——家长的无知，“教员”的暴力，在孩子们心中埋下了仇恨，他们的心理被扭曲。从行走学校出来的孩子更变本加厉地沉浸在网络游戏中，还有的孩子口口声声要杀了那个“校长”——这才是定时炸弹，真是让人忧心忡忡。

家长绝不可轻信各种治疗网瘾的广告，所谓“网瘾”是个教育问题，不可能那么表面化地解决。

青少年沉湎于电脑游戏不能自拔的报道经常能看到。表面上看症结都在青少年自身及游戏上，可从每一篇报道的字里行间细看，都能看到或感觉到家庭教育的缺陷。许多家长采取的各种“积极行动”是多么地用心良苦，可惜充满了反教育科学的意味——就是这些反教育科学的行为，不但让父母的努力无效果（最多取得暂时的、表面的效果），还让孩子越陷越深。

我认为，要从根本上解决孩子的“网瘾”问题，只能从家庭教育开始。需要家长从根本上改变自己的教育理念和教育技巧。没有家长的改变，就不可能有孩子的改善。

一是家长要对网络游戏有正确的态度，坦然接受它只是孩子的一个游戏，是一种娱乐方式。不要让孩子在玩的时候有内疚感和负罪感，不要让你的态度激起孩子的逆反情绪。逆反情绪只能强化他玩的欲望。

二是让孩子有丰富的课外阅读。不论是儿童还是成人，任何放纵都与内心空虚及道德堕落有关。网络游戏只有在精神空虚的孩子那里，才变成鸦片。丰富的课外阅读会让孩子的精神世界丰富，更聪明更理性，形成更好的道德意识，它强大的力量会挤占阵地，不给游戏留下更多的空间。一个从小有阅读习惯的孩子，阅读对他来说也是魅力无穷的，会冲淡对游戏的兴趣。

三是让孩子学会自己管理自己。这是最关键，也是最难的。绝大多数网络成瘾的孩子，他们家长的共同特点就是经常去“管”孩子，对孩子不断提出限制性要求。他们的目的也是想让孩子学会自我管理，就经常告诉孩子你应该这样，应该那样。单看家长给孩子提出的安排，确实是很好，很合理。家长正是由于相信他做出的安排会变成孩子自己的安排，所以不厌其烦地提醒孩子该做这事了，该做那事了。事实是，你把所有的“管理”都担负起来了，孩子哪里还有机会去学习自我管理呢。

四是在具体言行中多运用逆向思维，例如前面提到的，把上网作为“任务”或“惩罚手段”，而不是奖励手段来运用。这算是一个小技巧。

这几条很好理解。在具体操作中，家长们要注意和反思的是：

你的每句话、每个动作，对目的是成全的还是破坏的，在孩子内心强化的是哪一个效果。比如，你想让孩子多读课外书，就把孩子硬从电脑前拉开，塞给他一本书，告诉他要多读书少玩游戏——这样做其实更破坏了他读书的兴趣，强化了他对游戏的欲望。还有家长急于让孩子学会自我管理，就给孩子规定严格的作息时间，特别是严格的游戏时间，一旦孩子安排得不好，就批评他不善于管理自己——这样，就夺走了孩子学会自我管理的机会。如果只是为了“管住”孩子，你完全可以这样做，做起来也很简单；如果想要“教育”孩子，让他学会自我管理，则要家长动许多脑筋。

至于有些游戏充满暴力与色情，家长应尽量阻止未成年孩子玩这类游戏。同时要给孩子正面引导，让他选择那些内容健康的游戏。暴力与色情不是游戏的本质属性，如同有的书刊也充满色情与暴力，可这并不是书刊的本质属性。我们只是不允许孩子看内容低下的书，但不能因此不让他看书。

特别提示

干涉只能激化孩子玩游戏的无度，孩子需要的是自己学会控制。家长要有足够的耐心让孩子自己在各种各样的时间分配中，体会各种各样的感觉。

家长和孩子最好不要形成管制与被管制的关系，这种关系建立的时间越长越牢固，孩子的自觉性就越差。

孩子考试成绩好或别的什么事做得好，家长一高兴，就以允许他上网或超时上网作为奖励——家长们一方面痛恨网络游戏，另一方面又把上网作为“奖品”送给孩子。而能作为“奖品”的东西，它怎么会是个坏东西呢——孩子们就这样被搞乱了，他们对游戏的兴趣被刺激得更浓了。

事情可不可以反过来做——如果孩子特别喜欢玩游戏，那么家长在每次孩子做错了事的时候，就告诉他要惩罚他，上网去吧，必须连续玩够十小时，不够就惩罚再玩十小时，直到他累得求饶。这样，让他觉得上网不是一种乐趣，是一种惩罚。

“儿童多动症”是个谎言

“多动症诊断量表”，如此粗制滥造、愚蠢做作的东西，竟然被当作主要检查工具给儿童使用。它哪里只是张量表，简直就是诊断圈套。

“儿童多动症”的真正“致病原因”是成人犯了两个错误：错误的儿童观，错误的教育方法。

近年来，“儿童多动症”似乎成了流行病。仅仅在我周围，就有不少孩子莫名其妙地患上了这个病，其中一部分孩子开始服药治疗。

可是，我明明清楚地看到了这些孩子“症状”的出处——他们的家长或严厉或溺爱，教育方法都出现了明显的错误。正是这些错误，给了孩子巨大的心理压力。孩子身上的“症状”，几乎都是在反抗不得当的教育中被扭曲的表现。同时，我没见到哪个孩子仅靠吃药治好了“多动症”，相反，吃药后越来越像病人，“病情”越来越严重的孩子倒不少。

“儿童多动症”这个词越来越像根刺一样不时地刺痛着我，促使我去关注这个事情。

我前几年在一所小学接触过一个男孩。当时这个男孩上小学二年级，被认为患有严重的“多动症”。

男孩以前在另一所小学上学，从上一年级开始就表现出不安分。上课满教室乱跑，谁都管不住他，课堂经常被搅乱了，弄得老师无法上课。他总是无端地攻击同学，恶劣到把同学的头摁到小便池里，用蚊香烫同学。至于把同学抓伤就更多了。这遭到很多家长的抗议，原来的小学实在没办法，要求他转学。他上二年级时就被转到了现在的小学。

但转学后情况丝毫没变，新学校也没办法，只好让他的家人陪着他上学。他奶奶每天影子似地跟着，寸步不离。上课时和他同坐一个桌子，摁着不让他起来捣乱；下课了抓着他的双手在走廊里，不让他和别的同学玩，怕他伤害别的同学。这个孩子在学校很出名，连校长都发愁，不知该拿他怎么办。

我第一次看见这个孩子是在教室走廊里，下课后同学们都活蹦乱跳，三三两两地玩。只有他，双手被奶奶紧紧地钳着，什么都不能干。看样子他时刻想挣脱，但又挣不开；眼睛看着别的同学，似渴望又无奈也有敌意，像个小囚徒。

他的班主任很肯定地认为这个孩子有多动症，告诉我说，他家人带他到医院的精神科看过，这是医生诊断出来的。医生要求他吃药，并说要至少服用三年。他吃了三个月，没有一点效果，而药又很贵，爷爷奶奶可能是出于经济上考虑，给他停药了。老两口只有一人有退休金。

和这个孩子以及他奶奶简单聊过几句后，不知为什么，直觉认为男孩应该是个正常孩子。后来了解了一下他的家庭，基本上肯定“病因”就在他的家庭教育上。

男孩父母是未婚同居，他出生后父母就分手了。男孩的妈妈是来自南方的一个打工的女孩，回了南方后，从此杳无音信；他父亲不知在哪里混日子，行踪从不告诉家里，半年或一年回家打个照面，根本不管孩子。男孩的爷爷是个脾气暴躁的人，当年对自己的儿子非打即骂，现在又用对待儿子的方法来“教育”孙子，尤其把对儿子的不满经常发泄到孙子身上。他的奶奶则是整天包办孩子的一切，又成功心切，恨不得把孙子培养成个人才，来弥补儿子给家庭带来的羞愧，所以整天要求男孩要这样要那样的，还时常数落他。

在这样“野蛮环境”下长大的孩子，怎么可能不是个小野人。看到男孩这么小，已像个坏蛋和囚犯似地活着，我非常心疼这个孩子，觉得如果不想办法改善，他将来只能有两个去处，监狱或神经病院。于是对他进行了为期近一年的心理矫治工作。

但我并不是直接给孩子做“思想工作”，而是从消灭“病根”做起，把主要功力放在改善他的生存环境上。

男孩的真正监护人和抚养人是他的爷爷、奶奶，所以我的主要工作对象是这两位老人。在初期，频繁地和他爷爷奶奶谈话，后来也定期和他们接触。我的工作目的其实很简单，就是要求他们不打骂孩子，尊重孩子，不要给孩子压力。这一点要求看似简单，实则两位老人很难做到，他们已习惯了以前的教育方式。我就反复给他们讲，让他们明白粗暴的教育方式和孩子行为之间的因果关系，并以规则的形式确定一些基本的行为原则。同时从细节上辅导他们如何和孩子相处，如何和孩子说话。

改变成人比改变孩子困难得多，但不改变成人，孩子就不可能改变。整个过程中，我特别注意对他们情绪的把握，首先让他们接受我，对我没有情绪上的抵触，继而接受我的观点。两位老人慢慢开始信任我，再加上我不断的工作，终于促使他们相信自己的教育方法和孩子的问题之间有必然的因果关系，逐渐改变教育观念，放弃了原来粗暴的方法，不再打骂孩子，孩子随之出现了很大的变化。

同时，我还经常找孩子的班主任，尽量改变班主任对孩子的看法，让班主任相信他没有病，是个正常孩子。我和班主任一起想办法，通过让孩子为班里做点事来制造孩子的成就感，对他形成肯定与激励。当班主任不再用异样的眼光看待孩子时，班里的同学们也跟着改变了态度。

我也和这个孩子有几次交流，我和他的谈话内容主要是动画片和画画，因为他喜欢这两样事情；还互相讲故事讲笑话。我还邀请他和他奶奶到我家里玩，并把他给我画的画儿贴到我家墙上。他只要来到我这里，我就让他感到自己是个非常正常的孩子，让他在情绪上愉快而放松。这样，孩子和我相处几次后，不仅没有敌意，甚至产生了情感依赖。当我确信我和孩子间已建立起友好信任的关系时，适时地向他提出了不许打人，上课不许下座位的要求。他接受我的意见时，丝毫没有勉强，他的眼睛里闪现着愉快和幸福的光泽。

我的工作取得了非常明显的效果。四个月后，男孩就不需要有人跟着上学了，他开始有了自我约束力，不再主动攻击别人。一年以后，男孩就再也不打架了。论打架能力他应该还很强，但他似乎有比别的孩子更强烈的避免冲突的意识。有两次别的同学打他，他居然能做到抱头蹲地上忍着。

我分析他的忍耐力可能来源于他非常珍惜自己“是个正常孩子，而不是有病儿童”这样的改变；即使偶尔挨打，也比别人用异样的眼光看他好。现在这个孩子马上要升入小学五年级，学习成绩中等，在纪律等其它方面都完全正常了。他的一双小手再也不需要被大人钳住，他获得了自由，真正有了同学和朋友。

这个患有严重“多动症”的孩子就这样痊愈了，这让我对“多动症”有了更多的疑惑。

2007 年夏天，国内权威报纸之一《北京青年报》发表署名记者赵新培的《多动症儿童，暑期就诊增三成》一文。文中引用北京安定医院儿童精神科主任郑毅教授的话说“北京儿童注意缺陷多动障碍（多动症）的发病率已经高达 4%—5%”。2007 年 10 月 7 日，同一张报纸上又刊登一位叫朱珠的人写的《儿童多动症，告别红处方》，称“据权威调查结果显示，我国学龄儿童的多动症患病率为 4.31% -5.83%”。按照这个比例算下来，估计全国共有患儿近 2000 万！我又从网上查了一下相关资料，资料显示近年世界各国都有儿童多动症的发病统计，一般从 4 -14% 不等，例如美国的发病率为 10 -20%，个别国家甚至统计为 40%——什么疾病的发病率能达到这么高呢，传染病也不至于此吧。这么大面积发作的全球性公共疾病，它到底是一种什么病？

这时我看到了两本书，一本是德国自然科学家、最佳医药记者耶尔格·布勒希的《疾病发明者》；另一本是美国著名记者兰德尔·菲茨杰拉德的《百年谎言》，这两本书都用翔实的资料和和透彻的剖析，揭露了现代医药发展中出现的种种“陷阱”与“黑幕”。他们不约而同地对“儿童多动症”提出质疑，认为这是一种无端地被制造和扩大化的“疾病”。

看完这两本书后，我又上网查阅了一些相关资料，同时重新翻阅了意大利著名教育家、神经病学博士蒙台梭利的教育论著，把所有的资料综合起来，基本上可以得到一个清晰的认识——也许不能绝对地说“儿童多动症”这个病不存在，因为它到目前仍然是个悬而未决的事；但就目前的诊断概念来说，它是不真实的。当下对该疾病的诊断如同把所有咳嗽几声的人都断定为肺癌患者一样毫无道理——从这个意义上说，“儿童多动症”是个谎言。

一、从名称的变迁，看疾病的无中生有

现代医学的发展，使人们企图用医学解释一切需要改善和校治的现象。孩子“不乖”自古就令许多人头痛，于是这个问题进入了医生们的视野。早在一百六十多年前的 1845 年，法国精神科医生霍夫曼写了一本书《蓬头彼得》，描写了一个活动过度的儿童，这提醒人们对儿童躁动不安现象的关注。一个世纪后的 1947 年，有专家猜测少数儿童过度活动是由脑损伤引起的，故将该现象命名为

"脑损伤综合症"。由于这样定义不足以解释大脑从未受伤的孩子们好动的表现，脑损伤之说行不通，就有人提出这是"脑轻微损伤"的结果。可是，"脑轻微损伤"说在许多儿童的生理检查中根本找不到，在成长过程中也无迹可寻，这样命名也行不通。于是，就离开大脑，提出"行为功能障碍"——这个名称回避了病因不清的尴尬，只是以"表现"来命名。可这个名称由于概念太模糊，被美国食品药品管理局禁止。但儿童行为不乖已被医疗界认定为一种需要治疗的疾病。1962 年一个国际儿童神经科学工作会议决定在本病病因尚未搞清之前，暂时定名为"轻微脑功能失调"（Minimal Brain Dysfunction，简称 MBD）。1980 年，美国公布的《精神障碍诊断和统计手册》中，将此命名为"注意缺失障碍"（Attentional Deficit Disorder，简称 ADD）。最后，在 1987 年，美国精神科医生发明出现在最广泛的名称"注意缺陷多动症"（Attention Deficit – Hyperactivity Disorder，简称 ADHD）。[①]

从名称的演变可以看到，病症名称产生于猜测，又随着人们对猜测的怀疑而调整。逐渐由硬性特征过渡到模糊特征，由可察性过渡到不可察性。它不是由于深入研究探索而使事情向真相靠近，只是为了保留猜测的合理，让名称变得有更大的解释空间。

这种名称的演变实现了两个目的，第一摆脱诊断学上的尴尬；第二成为普遍适用的病症。

由于疾病本身尚属猜测，如何诊断就成了问题。但现实是，很多孩子被言之凿凿地确诊为患了"注意缺陷多动症"（ADHD）。那么，我们看看这个病是怎样被诊断出来的。

二、诊断上的轻率与简单

从资料来看，"多动症"检查基本上都是主观判断，很少有客观依据。有的医生也会做脑神经检查和生物指标化验，但这些对大多数体格无明显缺陷的儿童无意义，且各项生化指标与病症的形成关系也属于猜测，不具有切实的临床诊断意义。

① （德）耶尔格·布勒希，《疾病发明者》，张志成译，南海出版社，2006 年 6 月第 1 版，88—91 页。

我问了几个被诊断为有多动症儿童的家长，有国内的有国外的。接受的诊断手段都差不多，主要是医生向家长询问情况，和儿童的谈话，并对儿童行为进行观察；另外使用“诊断量表”，根据量表得分，判断孩子是不是多动症。

量表似乎是一种客观诊断手段，它最能让人相信医生诊断的准确性。真是这样吗？

下面三个量表是被国内多家医院及中国儿童健康网、儿童博客网和中华育儿网等相关医疗网站采用的。为了说明问题，请原谅我不厌其烦地把它们罗列在这里。

美国简化康奈尔儿童行为量表（每项视程度不同打0—10分，下表同）

①活动过多，一刻不停（ ）

②兴奋活动，容易冲动（ ）

③惹恼其他儿童（ ）

④做事不能有始有终（ ）

⑤坐立不安（ ）

⑥注意力不集中、容易分散（ ）

⑦必须立即满足要求、容易灰心丧气（ ）

⑧经常易哭（ ）

⑨情绪变化迅速剧烈（ ）

⑩勃然大怒或出现意料不到的行为。（ ）

诊断：得分计算：没有—0分；稍有—1分；较多—2分；很多—3分；总分超过10分为阳性，即为多动症。

上海市多动症协作组制定的儿童多动症行为量表

①上课时坐立不安。（ ）

②上课时经常讲话（ ）

③上课时小动作多（ ）

④发言不举手（ ）

⑤不专心，东张西望，易因外界干扰而分心（ ）

⑥情绪变化快，易与人争吵（ ）

⑦常惹人干扰人活动（ ）

⑧不能平心静气玩耍（　）

⑨做事心血来潮，想做什么就做什么，往往有始无终（　）

⑩做事不计后果如何（　）

⑪随便拿父母钞票，或在外偷窃（　）

⑫丢三落四，记忆力差（　）

⑬学习成绩差（　）

⑭说谎、骂人打架（　）

诊断：得分计算：没有—0 分；稍有—1 分；较多—2 分：很多—3 分；总分超过 10 分为阳性，即为多动症。

美国精神病协会制定的诊断标准

（1）常常手脚动个不停或在座位上不停扭动（少年可仅限于主观上感到坐立不安）（　）

（2）要求静坐时难以静坐（　）

（3）容易受外界刺激而分散注意力（　）

（4）在游戏或集体活动时不能耐心地排队等候上场（　）

（5）常常别人问话未完即抢着回答（　）

（6）难以按照别人的指示去做事，不是由于违抗行为或未能理解，如不做家务等（　）

（7）在做作业或游戏中难以保持注意力（　）

（8）常常一件事未做完又换另一件事（　）

（9）难以安静地玩耍（　）

（10）经常话多（　）

（11）常常打断或干扰他人活动，如干扰其他儿童的游戏（　）

（12）别人和他讲话时常似听非听（　）

（13）常丢失学习或活动要用的物品，如玩具、书、作业本等（　）

（14）常常参与危险活动而不考虑后果，如乱跑到街上去而不顾周围等（　）

诊断：在 7 岁以前起病，病史已有半年以上，并具备上述指标 8 条以上为阳性，即为多动症。

几乎所有儿童的正常行为都成了“临床表现”!

按这几个量表来判定，“多动症儿童”岂止是上面提到的患病比例，几乎所有的儿童都得成为“患儿”吧，这之中当然包括我自己的女儿——毫无疑问，她如果在童年时用这几张量表来测，每样都不严重，又都有一点点，平均各项得分为“1”，那么也得被诊断为“阳性”吧。

那么，哪个儿童不是“患儿”呢?

《疾病发明者》作者对当前医疗界过度诊断、滥用药物现象给予揭露和批评，称这种现象是“发明疾病”。其中“多动症”就是典型的“被发明的病症”。

他说:“医生自己经常搞不清楚，因而常常误用有争议的诊断辅助工具。连多动症支持者都估计，被诊断为多动症的儿童有1/3是诊断模式下的牺牲品。比较各国，也可以发现把多动症的标签贴在孩子身上是多么随便的事。根据研究，巴西儿童有5.8%患多动症，芬兰有7.1%，阿联酋14.9%的孩子患有注意力缺乏症。怎么会有这样的差异?谁知道!小孩每天服药的情况就这样盲目形成，要对抗的病状却十分模糊。‘多动症儿童’的沉重标签往往基于医生的主观印象;诊断多动行为的某些准则也可以在多数健康儿童的身上找到，例如经常无法专注聆听他人说话、做作业和组织活动经常有困难、回答问题经常不假思索。这些是症状吗?或者只是令（某些）大人心烦的行为?”①

“多动症诊断量表”，这个事关千百万儿童命运与健康的东西，它是怎样产生的，谁制定了它，经过了怎样的检验与论证?如此粗制滥造、愚蠢做作的东西，竟然被当作主要检查工具给儿童使用。它哪里只是张量表，简直就是诊断圈套!

三、令人眼花缭乱的“致病原因”

轻率诊断的背后其实隐藏着一个无奈的难堪，这么“普遍”的一个公共疾病，它的形成机理到底是怎样的，是什么原因导致孩子生病?历经一百多年的“研究”，解释越来越多，可到现在谁也说不清。

从现有资料看，有这样几种病因说:

---

①（德）耶尔格·布勒希，《疾病发明者》，张志成译，南海出版社，2006年6月第1版，94—95页。

第一，轻微脑组织损害——这一点主要围绕儿童出生方式进行猜测。在剖腹产被广泛使用前，被认为是出生时脑部受挤压所致；剖腹产被广泛使用后，却又说是因为剖腹产所致。还有的说是母亲怀孕期感染、高血压，或婴儿期喂奶及其它活动使脑部受到损害所致。总之，孕产期、成长期的每一种情况都被猜测为可能，似乎一个人只要“出生”过、经历过胎儿与婴儿期，他的脑就要被损害。巧妙的是这些“损害”基本上都是不可测的。

第二，城市环境污染造成的铅中毒致病——这个原因听起来有些道理。但这里有几个疑问：第一个疑问是，一百六十多年前问题被提出来时，城市环境污染问题应该还不存在吧；第二个疑问是，每座城市的儿童都呼吸着相同的空气，为什么只是一部分人得了病？第三个疑问是，生活在偏远山村的孩子不得这个病吗？

第三，遗传生理因素——这方面有看似很专业的表述，但分析后就可以看到，在没有获得充分证据的前提下，以大脑某个微小的生化指标差异来解释一个病因，这不过是自说自话的猜测。人与人之间本来是有一些生理指标差异的，这很正常；同一个人在不同的气候、环境、心情、年龄、饮食下，许多生理指标都会发生变化。拿不出更有说服力的东西，只好拿鸡毛当令箭了。

第四，维生素缺乏、食物过敏、微量元素的缺乏、环境污染、食物添加剂等致病——这类猜测很多，看得让人发晕。几乎是当下社会生活中有什么问题，什么问题就成了病因。如果这些因素都可以导致儿童患多动症，那么剩下的唯一问题就是：以后还有没有健康儿童了？

第五，家庭或学校的教育因素，使孩子心理受到损伤——这是唯一通过直接观察，在大量案例的基础上得出来的，而不是通过猜测得出来的。这个原因最有说服力，可是总被摆到一个最不重要的位置。所有谈多动症的资料都首先试图说明多动症的成因是脑部问题，是个生理问题，而教育问题、心理成因只是偶尔被一些资料淡淡提及。

但在这个被淡淡提及的原因之下，没有人能解释，一个基于教育形成的问题，为什么需要孩子自己服药治疗。近年来离婚数字攀升导致“儿童多动症”发病率高似已成为一种证据，人们发现，单亲家庭的孩子比完整家庭的孩子更容易“得病”——可是父母离婚给孩子带来的心理创伤，吃药能解决吗？父母间的争吵已使孩子的内心伤痕累累，然后孩子又被告知他自己有病，这难道不是雪上加霜吗？

由著名的诺华药厂资助的德国《儿科医学实务》杂志出了一本《注意力缺乏和多动》专刊，里面甚至推断多动症是石器时代的遗产。并告诉大家“多动症在人类早期可能属于有益的（遗传决定的）行为工具，在现代社会却成了缺点，会危害儿童的发展和社会适应性。”① ——连人类千万年间保留下来的遗传特点也变成病了。

四、疾病后果，荒谬的逻辑关系

虽然病因说不清，关于该病的后果倒是总被描述得很清楚，听起来让人忧心忡忡。不同的资料都在说，多动症儿童如不及时治疗，大多数人会出现青春期犯罪、自控能力差、冲动、好逸恶劳、贪图享受等等，形成反社会人格，成年后成为酒精及麻醉剂滥用的高危人群，犯罪率较高。总之，他们的未来都是阴暗的，甚至是罪恶的。

一个疾病最后发展为一个道德问题！

多动症与反社会人格之间的因果关系是怎样形成的，“病症”与“犯罪”之间的逻辑关系是如何推断出来的，它们之间的转变机理是什么，没有人能说明。但是，相关医疗信息都在这样说。

人的一种情绪可能会影响一些生理指标，同时一些生理上的变化也可能会给人带来情绪上的一些变化。但生理疾病和人格道德能形成直接的因果关系吗，我们能说有高血压或肺气肿的人最后大部分变成坏蛋吗？事实是得过脑膜炎、脑瘤、脑萎缩等脑部疾患的人，他们的道德发展和疾病都没有关系，为什么单单是儿童多动症就会导致道德变异？

退一步，假如这是真的，童年时期基于遗传或环境罹患的一种病症，最后真的转化为成年后的一种道德面貌，那么患者是否就无需为他成年后的反社会行为负责，因为他自身就是个疾病的受害者。有精神疾患的人杀人不都可以免死吗？——这样推下来，一个罪犯只要被证实童年时期有“多动症”，是否就可以减免刑事责任？

五、为什么被确诊的人数越来越多

既然多动症的致病原因到现在从未有可靠的说法，那么到底是什么原因，让多动症确诊越来越多呢。难道仅仅是误诊断吗？

① （德）耶尔格·布勒希，《疾病发明者》，张志成译，南海出版社，2006年6月第1版，97页。

其实“多动症”从霍夫曼最早“发现”的一个多世纪以来并未引起人们的特别关注，这种情况直到利他林（哌醋甲酯 Methylphenidate，又名：利他林 Ritalin）的出现。把利他林的发展史梳理一下，基本就可以明白“病人”越来越多的真相了。

1944 年 Ciba 公司（也就是今天的利他林制造商）的化学家潘尼松合成哌醋甲酯。这种药最初只开给成人，治疗疲劳过度，心情抑郁，老年生理混乱。在开始二十多年间，这个药一直不出名，销售也不好，因为它的具体适应症始终不清楚。1961 年，美国食品药品管理局允许使用利他林来治疗有行为问题的儿童。它曾被发放到马里兰州两所黑人儿童学校，学生服用后，校园里推挤哄闹的情景有所减少。这启发一群美国医生把药大面积使用于儿童，以发现哪些人需要吃药。开始时药物本身是用来检测孩子有没有病。吃下去行为有改变的就是有病，相反，对药没有反应的就是健康小孩。后来就作为治疗药品大面积应用于儿童。1970 年美国大约有 20 - 30 万儿童服用利他林①；到了 20 世纪 80 年代中期，有 100 万儿童在吃利他林；而到了本世纪初，服用这种药的美国儿童增加到了 600 万，其中近一半儿童用它来治疗注意缺陷多动症。②

如果在很多年前因为孩子不乖就给他吃药，那一定是件不可思议的事，利他林让不乖变成了一种要用药物治疗的病症。

现在治疗多动症的药物已有很多种，可分为中枢神经兴奋剂、抗忧郁剂、抗精神病药及抗癫痫剂等，但哌醋甲酯（利他林）仍是最常用的。需要注意的是，这类药的价格都不菲。

资料显示，美国儿童缺陷多动症治疗和药品市场每年高达 30 亿美元。到 2012 年，英国的儿童缺陷多动症治疗和药品市场也将达到 1 亿 1 百万英镑。而各大相关制药公司每年还在向游说团体投入大量的资金，要求政府放宽对儿童缺陷多动症药品的限制和管理。

现在治疗儿童多动症的药品被销售到世界各个国家，ADHD 这一疾病在中国也流行起来。国内某医疗网站有这样一段话，“利他林治疗儿童多动症非常有效，利他林唯一的缺点是，它无法根除这种疾病，只能长期服用。”网上售价每

① （德）耶尔格·布勒希《疾病发明者》，张志成译，南海出版社，2006 年 6 月第 1 版，89 页。

② （美）兰德尔·菲茨杰拉德，《食物和药品如何损害你的健康》，穆易译，北京范大学出版社，2007 年 6 月第 1 版，151 页。

瓶从370－3400元不等。在国外，家里如有孩子服药，这也是笔不小的开支。

美味的馅饼谁都想切一块。在华的著名外资药业西安杨森公司宣称他们研制出治疗多动症的长效型药物——“专注达”，其宣传也很深入人心。

2007年夏天，北京两家最具影响的报纸《北京晚报》和《北京青年报》都发表消息，由美国礼来公司研发生产的中枢神经兴奋剂“择思达”（盐酸托莫西汀）正式登陆中国市场。配合药品上市的报纸新闻中宣称儿童多动症“药物治疗是首选”。相同的宣传进入冬季时又出现，《北京青年报》11月30日在“健康关怀”版又发表《儿童多动症不及时治疗会累其一生》，提醒家长对此病不能掉以轻心，一定要治疗，“药物治疗是首选”，然后告诉大家有一种药叫择思达，“每天一次可全天不间断控制症状，适合长期服用而不会引起药物依赖。”

2008年7月5日该报又发表《小孩子的“注意力”，父母注意了吗?》，提醒家长孩子注意力不集中就是ADHD（儿童多动症），如果不治疗，除了当下学习困难，50－65%的人将来会有这些问题：工作中表现不佳，时间观念差，人际交往技能不佳，易发火，性情暴躁，酒精或药物成瘾，犯罪率高等。然后强力推荐说“最近中华小儿神经协会、中华儿科保健协会和中华小儿精神协会三家将联合出台中国ADHD的治疗方案。在这个方案中，哌甲酯（即哌醋甲酯）被列入第一线首选治疗用药，尤其是长效哌甲酯控释片，具有效果好，维持时间长、不良反应小等优点，逐渐被国内外治疗指南推荐成为治疗多动症的首选药，已经进入了国家儿童医保目录。”类似的宣传6、7月间还在《羊城晚报》、北京《晨报》等报纸上出现，都不约而同地提到这三家“协会”和这个药。但除了在这几篇文章中看到这三家协会的名称，网上没查到这三家“协会”的网站以及其它相关信息。我问了几个医药界的朋友，他们也没听说过这几个“协会”。

现在有一种广告叫“软广告”，这在广告界是心知肚明的事，就是商家广告以新闻消息的方式出现。当然，只要是广告，不论什么面目出现，都是要给媒体付钱的。

一位美国医生说过一句很经典的话：“推销药物最好的办法就是扩大疾病的影响”，这其实是制药业的一个秘密。由于每年只有少量含有新成分的新药进入市场，为了陈药或销售较差的药也能卖出去，制药业必须创造疾病。①

① （德）耶尔格·布勒希，《疾病发明者》，张志成译，南海出版社，2006年6月第1版，109页。

一个大有“钱途”的病，不流行也难。

六、治疗多动症药物可怕的副作用

这些药真的像广告中说的没有副作用吗?

关于哌醋甲酯（利他林）及其它儿童服用的中枢兴奋药的副作用，常见的有这些：食欲减退、失眠、头晕、体重减轻，此外还可能出现过敏、精神运动性兴奋、恐惧和被跟踪的妄想，偶见腹痛。这些副作用一般是写在药品说明书上的，尚不是最严重的，严重的是下面这些不写在说明书上的：

中枢兴奋药抑制体重及身高的增长，连续服用中枢神经类药物两年的小孩，比对照组儿童平均身高低 1.5 厘米[①]，长期服用可能会导致身材矮小。

美国心理健康国家研究所发布的一项神经学研究显示，不服用儿童注意缺陷多动症药品的儿童右脑大脑皮层在 7 岁半的时候达到最大厚度，而用药儿童达到右脑大脑皮层最大厚度的时间比非用药儿童晚 3 年。也就是说，服用哌醋甲酯类药品，会影响儿童的智力发育。

儿童体重较轻，正处于发育期，身体各器官尚未完全成熟，他们对合成化学物毒性的抵抗力非常脆弱，长期使用此类药物会对各器官的发育形成不良影响，甚至留下隐患。

2007 年 2 月 22 日，搜狐新闻网转引《法制晚报》消息称，美国食品药品管理局（FDA）发布通告，在 1999 ~ 2003 年间使用治疗 ADHD 药品的病人中发现 25 人死亡，其中包括 19 名儿童；同时，一份 FDA 报告显示，治疗 ADHD 药品还使用药者出现精神病症状的危险几率上升了千分之一，比如用药患者会出现听觉幻觉、无端怀疑、狂躁不安等精神病问题。FDA 建议，利他林应该在药品说明书中加入黑框警告，提醒人们这类药品可能会增加用药者死亡以及身体和精神伤害的风险。

除了以上触目惊心的副作用，我认为，该药对儿童最大的伤害还在心理上。天天一片药，就是天天一句提示：你是有病的，你需要吃药。

童年不会重复，吃过的药会在体内留下痕迹；被贴上“多动症”标签，也会在心灵留下痕迹。我见过一些儿童，他们吃过一阶段药后，自己就不愿停药，担心停了药自己变得更加不如意。药物不仅损害了孩子的身体健康，也摧残了他

① （德）耶尔格·布勒希，《疾病发明者》，张志成译，南海出版社，2006 年 6 月第 1 版，99 页。

的自信——这个副作用难道不是最可怕的吗？

七、家长和教师成为推波助澜者

“儿童多动症”的信息越来越多，它使很多人相信，确实有这样一种病在威胁着儿童的健康，而且有蔓延上升趋势，连幼儿园的孩子“不守纪律不睡午觉”也被说成是多动症的前兆。我见过不少家长，谈到他的孩子不听话，就会忧心忡忡地认为自己的孩子可能有多动症。因为多动症的“症状”是很容易让家长把孩子和疾病进行对号入座的。

绝大多数对“多动症”确信无疑的家长，他们对这一病症其实了解得并不多，甚至没有查过资料，他们的信息主要来源于医生、媒体或道听途说。许多家长是在教师的暗示或建议下带孩子去看多动症的。因为孩子在学校或幼儿园的行为不符合要求，给老师带来了麻烦。老师不愿被一些孩子过多地打扰，不愿或没有能力到教育上寻找问题的症结，于是寻找最简单的解决办法，让家长带孩子去看医生。只要带着孩子去医生那里检查，很多儿童就成为了“病人”，他们需要天天吃药。这样老师就从被某些儿童打扰中轻松地解脱出来了。

不少家长也愿意把孩子的一些“问题”归结到客观原因上，这样思考就不需要家长自责，做起来也最省力气。我甚至见过一位高中生的家长，她的孩子不肯用功学习，总是不想坐到书桌前，只想出去打球或看电视，她就认为孩子有多动症，居然带着孩子去看精神科医生，每天要求孩子吃药。而她自己作为家长，根本懒得去反思自己多年来在教育上的失误，更不愿意去改变自己的教育方式。

遇到“多动症”儿童的家长和教师，如果能多去关心和理解孩子，用心去倾听孩子的“行为语言”，孩子的一切都会变得正常。他上课不注意听讲，是因为不喜欢老师的讲课方式或对内容没有兴趣；考试成绩低，是因为他压根就没去学习考试内容；攻击同学，是因为他想保护自己或感到这里面的乐趣；做危险动作，是因为他们想表现自己或不知道危险是什么——千差万别的儿童有着千差万别的自我意识，他们的行为表现各不相同。他们还不具有成人的道德观、价值观、忍耐力，以及对后果的预见，所以他们很难用这些东西来约束自己。

成人在多大程度上接纳一个孩子，取决于他在多大程度上听懂了孩子的“倾诉”。

家长和教师都是爱孩子的，但仅有爱还不够。爱的质量因为教育理念的不同，细节处理的不同而有巨大差异。只有懂孩子，才能很好地教育孩子，才能有质量地爱孩子。

八、“多动症”孩子到底得了什么病？

如果说儿童确实表现出一些行为或品格方面的问题，这些问题基本上都可以用教育学来解释。

一部分原因是，家长或教师把孩子正常的活泼好动看成是问题，无风三尺浪，没事找事。大多数原因是，孩子在家庭生活中承受了巨大的心理压力，他们在反抗压力中，发生和发展了许多畸形行为。这些畸形行为当然让人不舒服，追究它的成因，必须要回归到家庭成长环境中。

“多动症患儿”越来越多，只说明我们家庭教育中存在的问题越来越多。

现代社会对标准化的追求，使社会生活方方面面都产生着趋同心理。家长总是希望孩子向着“楷模”发展，而不是向孩子自己愿意的那个样子发展。成人为孩子设立了太多的标准，认为在标准模式下培养的孩子将来才能成功。比如“爱学习”、“有礼貌”、“守纪律”、“多才多艺”等。儿童在这些方面“听话”，按家长要求去做，就是好的，如果他们不听话，在哪一方面达不到成人的要求，就要遭到训斥，严重的会遭到打骂。还有的家长自身境遇不理想，或有人格缺陷，常常会把自己的不如意迁怒到孩子身上，把自己的“理想”交给孩子完成。

这些成人对儿童的态度，反映的是成人自身的焦虑和不安全感。它势必会引发成人和儿童间或明或暗、连续不断的冲突。“多动症患儿”的家长往往有偏执人格，他们一方面以自己的思维模式对儿童自然特性进行长期而不良的干扰，凭借强权以“爱”的名义不停地打乱儿童固有的成长节奏，使他们陷入愁苦和恐惧中；另一方面自我保护意识很强，成人意愿一受到挑战，就要做出应激反应，经常态度严厉地对待孩子。这种家庭教养方式有利于成人渲泻情绪，但不利于儿童生长，给儿童带来的是持续不断的心理伤害。

分析诊断量表中所有“症状”，反映的都是儿童对自身与世界关系的调整。他们用各不相同的“症状”倾诉他们不断地遭受心理创伤后的自卑、不安、厌恶、失望、淡漠、憎恨、怀疑等种种情绪体验。连续不断的心理创伤，会让孩子精神上产生很大的压力，行为发生变态，要么成为桀骜不驯的小混混；要么成为完全丧失自我的小傀儡；要么成为无法和他人相处的孤僻者或偏执狂——这一切背后都是儿童安全感、自信心的缺失。

人是何等细腻的生物，儿童从很小就对爱与尊重有了强烈的感知。生活中任何一种境遇都可能引起他体内各项生化指标的改变，即使所谓“多动症儿童”大脑中真的缺少让他安静的“多巴胺”，谁能说清楚这是因还是果？所以“多动症”的真正“致病原因”是成人犯了两个错误：错误的儿童观，错误的教育方法。

这样说令很多家长和教师感到不快，甚至反感。他们习惯把问题归结到一个客观原因，并去寻找客观的解决方案。医生的诊断，减轻了家长和教师对自己教育失败的负罪感，给了他们面子。同时，较之耐心细致的体察，痛下决心的自我改变和呕心沥血的体力与精神双重付出，吃药是最简单的，是最不需要家长和教师花费心思的方法——它恰好契合了那些缺少对儿童体谅的、自以为是的家长的一贯行为，所以它也最容易被这些家长接受。自以为是的家长和教师宁可相信药片，不相信教育。大人自己犯了错误，却全部推给孩子来扛着。被诊断为“有病”，开脱了父母和老师们，但它永远地伤害了孩子。

当下儿童流行病还有所谓的“抽动症”和“感觉统合失调症”，其症状和多动症大同小异。有人把这两个病算到多动症里，有的把它们和多动症并列。使用药物也都属中枢神经控制类药物。

其实，患“多动症”、“抽动症”或“感觉统合失调”儿童的真正不幸，都是他们出生后，正常天性被屡屡剥夺。有一位家长在孩子学爬学走路时，怕孩子弄脏衣服，怕他碰伤，就整天抱着，不许他下地。其它类似的限制也很多，不许孩子干这个，不许干那个。她的孩子和同龄孩子相比动作十分不协调，十多岁时不得不进入“感觉统合训练班”。同样，许多资料及经验可以证明，经常遭到打骂训斥的孩子，由于压力太大，会出现肢体或五官抽动现象，即所谓“抽动症”。

这些孩子是“病”了，但吃药能解决吗？“训练班”能训练好吗？我见过几个参加“感觉统合训练班”的孩子，他们的家长花了很多钱，但孩子的情况并未得到好转。

九、代表科学和权威的医生们

再从医生方面看。医疗界一直对这一病症存在争议，有很多医生认为这是发明出来的病，是假病。但更多的精神科医生并不反对给孩子开药。

一方面医生不会从教育学方面去思考，另一方面医生一般不愿意告诉前来就诊的人说你没病，不开药就打发走。病人有病，没有被诊断出来，医生是要承担责任的；但病人没病，被怀疑有病而进行治疗，即使最后明确诊断为没病，医生也不会惹上麻烦。能捕捉蛛丝马迹的症状对病症做出诊断的医生，才更受大家的尊重。这是第一个原因。

第二个原因是，从医学研究上，医生需要不断形成自己的学术研究成果，但并非所有的成果都自研究而来。《疾病发明者》中有一段话非常精彩，摘录如下：

“一种病症的诞生，常起源于某个医生宣布观察到异常状况。起初只有少数医生相信新病征，接着这些少数认同者出席某场会议，会中任命一组委员会负责出版文集，借由文集扩大新病征的知名度并引起各方兴趣。至此，其他医生也注意到新现象，然后刻意寻找症状相符的病人。在这样选择性看病之下，已可能出现一场小流行病。接着许多文章和研究报告开始让大众产生一种印象：医生真的发现新病了。这群医生自创专业期刊发表自己的研究结果——其中保证没有批评性报告。”①

第三个重要原因是医生与药品厂家向来关系微妙。

包括美、英、德在内的许多国家，制药厂商赞助有关青少年医学期刊、赞助医疗学术研讨会，已成为普遍现象。药厂赞助医学研讨会，会后邀请医生们享受盛宴和豪华旅游。德国的法定医生进修，现在大部分公开由制药业安排。医学教授和私人医生拿药品厂商一大笔钱后，在记者会上发言。厂商最厉害最有效的手段是赞助医学期刊，在医学期刊上发表研究报告，这些报告有理有据，无懈可击，不但经常对新药核准与否发挥关键作用，还影响以后医生们是否使用该药以及使用范围。②

近年来，不少国际著名制药厂大举进军中国市场，国内制药业也发展迅速。国际流行的医药营销模式随之在我国不仅落地生根，而且发扬光大。新兴的庞大的医药代表队伍，像密密的纽带，把制药企业和医生紧紧地联在一起。一些有实力的药品生产厂家请医生通过开处方或做宣传来推销它的产品，这是件并不困难的事。

一直以来，谁的话都可以怀疑，但是我们不怀疑医生的话。因为他们一直代

---

①（德）耶尔格·布勒希，《疾病发明者》，张志成译，南海出版社，2006年6月第1版，55页。

②（德）耶尔格·布勒希，《疾病发明者》，张志成译，南海出版社，2006年6月第1版，26－34页。

表科学，是关照生命的权威。但利益的驱使如同洪流，可以改变和摧毁很多东西。

澳大利亚医学界总结出五种在临床上贩卖病症的方式：

把生命正常过程当作医疗问题；

把个人问题和社交问题当作医疗问题；

把致病风险当作病症；

把罕见症状当作四处蔓延的流行病；

把轻微症状当作重病前兆。[①]

十、把药片扔进垃圾桶是治愈疾病的开始

意大利著名儿童教育家蒙台梭利，是一名医学博士，她曾是儿童神经病科医生。在和不同的患儿打交道的过程中，她越来越感到药物解决不了问题，问题在教育上，教育才是解决儿童精神及行为问题的最有效办法。

她经过多年实践研究得出的结论是："儿童心理缺陷和精神病患主要是教育问题，而不是医学问题，教育训练比医疗更为有效"。[②] 这个结论改变了无数儿童的命运。

她创办了治疗儿童心理创伤的"儿童之家"，主要收治那些精神和智力方面有问题的儿童以及流浪儿。她发明了许多用于改善儿童智力及情绪的教具和教学方法，对学生进行有效的训练。她把这些孩子当正常孩子一样相处，给他们以符合人类自然天性的教育与关爱。蒙台梭利成功地使进入到"儿童之家"的孩子们走出阴影和困境，在语言发展、动作协调、人际交往、学习方面都和正常儿童一样，在政府监督下通过了与公立学校同龄儿童同等水平的读、写、算等考试。她的教育成果在全球教育界引起巨大轰动。

蒙台梭利教育理论和方法的基本原则是"尽量减少干预儿童主动性"[③]，即给孩子最大的自由，给他们以尊重，发展孩子潜能，让他们学会独立做事，独立判断。哈佛大学教授、教育学家霍姆斯（E. G. Holmes）说："蒙台梭利理论体

① （德）耶尔格·布勒希，《疾病发明者》，张志成译，南海出版社，2006年6月第1版，3页。

② （意）蒙台梭利，《蒙台梭利幼儿教育科学方法》，任代文译，人民教育出版社，2001年5月第2版，4页。

③ （意）蒙台梭利，《蒙台梭利幼儿教育科学方法》，任代文译，人民教育出版社，2001年5月第2版，12页。

系的精华是她对下面这个真理的有力论断：除非在自由的气氛中，儿童既不可能发展自己，也不可能受到有益的研究！”

“减少干预”，给儿童“自由的气氛”才能培养出身心健康和谐的儿童，这和前面提到的绝大多数“多动症”儿童来自管教严格的家庭，恰形成逻辑上的吻合。如果说真有一种药能治孩子的毛病，那么“减少干预”和“自由的气氛”应该是最好的两片药。

蒙台梭利在《吸收性心灵》一书中说：人是一种有智慧的动物，因而对心理食粮的需求几乎大于对物质食粮的需求。无需恐吓或哄骗，只需使儿童的生活条件“正常化”，他的疾病将消失，他的噩梦将绝迹，他的消化功能将趋于正常，他的贪婪也将减弱。他的身体健康会得到恢复，因为他的心理趋于正常了。

社会生活变得如此细腻，会生孩子不等于会当父母，当代家长需要虔诚地学习如何做父母。如果你家里有个“多动症”孩子，要改变孩子，首先和最重要的是改变家长自己。第一步是果断地把药片扔进垃圾桶，勇敢地向孩子承认，是我错了。这一天是家长的新生，也是孩子的新生！

特别提示

童年不会重复，吃过的药会在体内留下痕迹；被贴上“多动症”标签，也会在心灵留下痕迹。

儿童心理缺陷和精神病患主要是教育问题，而不是医学问题，教育训练比医疗更为有效。

连续不断的心理创伤，会让孩子精神上产生很大的压力，行为发生变态，要么成为桀骜不驯的小混混；要么成为完全丧失自我的小傀儡；要么成为无法和他人相处的孤僻者或偏执狂——这一切的背后都是儿童安全感、自信心的缺失。

如果说真有一种药能治孩子的毛病，那么“减少干预”和“自由的气氛”应该是最好的两片药。

参考文献

1. 陶行知，《陶行知教育文集》，四川教育出版社，2005 年 5 月第 1 版。

2. 钱理群，《语文教育门外谈》，广西师范大学出版社，2003 年 7 月第 1 版。

3. 陈鹤琴，《家庭教育》，华东师范大学出版社，2006 年 5 月第一版。

4. 陈琦、刘儒德主编，《当代教育心理学》，北京师范大学出版社，1997 年 4 月第 1 版。

5. 傅佩荣，《用什么灌溉心灵》，国际文化出版社，2006 年 9 月第 1 版。

6. 李开复，《做最好的自己》，人民出版社，2005 年 9 月第 1 版。

7. 李镇西，《民主与教育》，四川少年儿童出版社，2004 年 3 月第 1 版。

8. 《我们怎样学语文》，王丽编，作家出版社，2002 年 10 月第 1 版。

9. （苏）苏霍姆林斯基，《给教师的建议》，杜殿坤编译，教育科学出版社，1984 年 6 月第 2 版。

10. （苏）苏霍姆林斯基，《公民的诞生》，黄之瑞、张佩珍等译，教育科学出版社，2002 年 4 月第 1 版。

11. （苏）马卡连柯，《马卡连柯教育文集》，吴式颖等编，人民教育出版社，2005 年 1 月第 2 版。

12. （美）杜威，《民主主义与教育》，王承绪译，人民教育出版社，2001 年 5 月第 2 版。

13. （美）杜威，《我们怎样思维 · 经验与教育》，姜文闵译，人民教育出版社，2005 年 1 月第 2 版。

14. （美）弗洛姆，《为自己的人》，孙依依译，三联书店，1988 年 11 月北京第 1 版。

15. （美）弗洛姆，《爱的艺术》，李健鸣译，上海译文出版社，2008 年 4 月第 1 版。

16.（法）卢梭，《爱弥儿》，李平沤译，人民教育出版社，2001 年 5 月第 2 版。

17.（美）本杰明·斯巴克，《新育儿百科全书》，翟宏彪等译，今日中国出版社，1989 年第 1 版。

18.（意）蒙台梭利，《蒙台梭利幼儿教育科学方法》，任代文等译，人民教育出版社，2001 年 5 月第 2 版。

19.（日）黑柳彻子，《窗边的小豆豆》，赵玉皎译，南海出版公司，2003 年 1 月第 1 版。

20.（德）耶尔格·布勒希，《疾病发明者》，张志成译，南海出版社，2006 年 6 月第 1 版。

21.（美）兰德尔·菲茨杰拉德，《食物和药品如何损害你的健康》，穆易译，北京范大学出版社，2007 年 6 月第 1 版。

后　记

一位经常向我索取新作的家长，她在这本书还没出版时，就读完了这里所有的文章。

她说："之前我也读了一些有关家庭教育方面的书，但经常是失望。读的时候觉得说得句句有理，放下书时却觉得什么也不会。有的书甚至只是在炫耀"成功"，让人越读越自卑，越读越不知该如何做家长了。读了你的这些文章，我才真正知道面对孩子时应该如何想，如何做。我的孩子现在已上初中了，只恨没早一些读到这些文章，你为什么不早些写出来呢?!"

我写得不算太慢，花了近一年的时间写下这二十几万字，但我确实是准备了很长时间，至少有十几年，从工作到研究，再到亲自把孩子一天天带大。

我知道，许多家长是非常渴望学习的。这些年来市场上一直不缺少家庭教育方面的图书，这也说明了人们在这方面的需求。我本人自从有了孩子，也读了不少谈家庭教育的书。有专家写的，有成功家长写的，也有翻译和"编"出来的。这些书，有的让人受益匪浅，大多数令人失望，更有一些粗制滥造的东西，读了让人生气。每次站在书店里，看着那么多令人眼花缭乱、头晕目眩的谈家庭教育的书，我总在心底暗暗感叹：家庭教育何等重要，家长们确实需要一些好书来指导自己的教育，可要选到一本不唬人、不蒙人、不讲套话、更不误导人，既科学实用、通俗易懂，又具有操作性的好书是多么不容易啊!

作为家长，我深知什么样的书对我是有用的。所以，当我经过长长的酝酿和准备，开始动手写这本书时，内心充满虔诚。我必须做到让购买我的书的家长觉得这本书对他们有用，否则，不如不写。

我周围的一些亲戚朋友，以及更多的"亲戚的亲戚"、"朋友的朋友"看到这些文章后，给了不少积极的反馈。这更鼓舞我把每篇文章认认真真地写好。

感谢作家出版社，使这本书得以正式出版，能被更多的家长看到。如果这本书同样能使更多的家长们感到“实用”，那是我最感欣慰的。

《好妈妈胜过好老师》这个书名，毫无比较“妈妈”和“老师”这两个主体的想法，更无轻视教师育人功能的意图。在这里只是强调家庭教育的重要性——每位儿童作为一个独立的个体，家庭是他的第一教育场所，也是最重要的教育场所，父母就是对他影响最深刻的第一任老师。一个人如果没有获得好的家庭教育，学校教育多半很难在他身上正常实现——从这个意义上说，“妈妈”的重要性胜过“老师”。

书中处处提到我的女儿圆圆，更多地表现了她的优点。我无意树一个“成功典范”，只是想通过我教育女儿这一“个案”，来呈现一些正确的教育理念，与更多的父母们分享一些有效的教育经验。我女儿是个普通的孩子，她也有自己的缺点和毛病。由于本书并非重在写她个人，所以和主题相关性不大的内容就“忽略不计”了。同时，也基于我女儿并非“楷模”而只是案例主角的想法，本书只写出她的乳名，一些不相关的信息则隐去——这也是为了尊重她的意见，相信大家能够理解。在这里我要谢谢我的女儿，是她成全了我的许多相关“经验”。

同时，也感谢北京大学教授钱理群先生和北京师范大学教授朱旭东先生对本书的推荐，能得到他们的肯定和支持，我深感荣幸。特别是钱理群先生，他并不认识我，在没有人引荐的情况下，先生居然能够在百忙中抽时间看我寄去的稿子。他不但对个别不妥当的地方提出修改意见，而且欣然同意推荐本书，先生做出选择判断的唯一标准就是书稿的质量。先生退休后把很大一部分精力投放到教育公益事业上，此时，我成为了直接受益人；我知道，先生这样热心而无偿地推荐这本书，实是因为他心里装着中国教育，他的服务目标指向的是更多的家长和教师。在此再次向先生表示敬意和感谢！

如果读者朋友们对本书观点有疑问和不同意见，或者有什么需要咨询和反馈的，欢迎通过作者简介处我的邮箱和博客联系我。我愿意尽我所能和大家沟通交流，互相学习。

愿天下的孩子都能享受到良好的教育，愿天下父母都在养儿育女中感受到美和幸福！

愿生活更美好，明天更美好！

2008 年 10 月于北京

阅读导航

（说明：这是一个内容索引，目的是帮助读者根据自己的需求，方便地找到有针对性的阅读篇目，综合地认识和理解一个问题。每个问题后面的数字即相应篇目所在的页码。）

思想与品格培养

关于做人和处世

关于心理健康

关于性教育

智力发展与学习能力培养

关于早期教育

关于学习能力和兴趣

关于课外阅读

关于语文学习

习惯培养方面

关于学习习惯

关于行为习惯

关于生活习惯

图书在版编目（CIP）数据

好妈妈胜过好老师/尹建莉著. - 北京：作家出版社，2009.1（2009.9 重印）

ISBN 978 - 7 - 5063 - 4504 - 0

Ⅰ. 好… Ⅱ. 尹… Ⅲ. 家庭教育 Ⅳ. G78

中国版本图书馆 CIP 数据核字（2008）第 186305 号

好妈妈胜过好老师

作　　者：尹建莉
责任编辑：郑建华
装帧设计：薛俊雷
版式设计：薛俊雷
出版发行：作家出版社
社址：北京农展馆南里 10 号　　　**邮码**：100125
电话传真：86 - 10 - 65930756（出版发行部）
86 - 10 - 65004079（总编室）
86 - 10 - 65015116（邮购部）
E - mail：zuojia@ zuojia. net. cn
http://www. zuojia. net. cn
印刷：北京汇林印务有限公司
成品尺寸：170 ×240
字数：260 千
印张：22.5
印数：500 001-560 000
版次：2009 年 1 月第 1 版
印次：2009 年 9 月第 16次印刷
ISBN　978 - 7 - 5063 - 4504 - 0
定价：28.00 元